D1065193

CHRISTINA SCHWARZ

LA PETITE FILLE DU LAC

roman

traduit de l'américain par Marie-Hélène Sabard

ROBERT LAFFONT

Titre original : DROWNING RUTH
© Christina Schwarz, 2000
Traduction française : Éditions Robert Laffont, S.A., Paris, 2003

ISBN 2-221-09249-X
(édition originale : ISBN 0-385-49971-X Doubleday/Random House Inc., New York)

À Ben
À la mémoire de Louise Baecke Claeys (1902-1999)
Et à Marfa

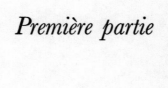

Première partie

1.

Ruth se souvenait de s'être noyée.

— Impossible, disait Tante Amanda. Tu as dû rêver.

Mais Ruth soutenait qu'elle s'était noyée, et elle a insisté pendant des années, même après, quand elle a su.

Amanda

Bien sûr que j'ai menti à Ruth. Ce n'était qu'une enfant. Qu'est-ce que j'aurais dû lui dire ? Que sa mère était une inconsciente ? Que j'avais dû la secourir, lui donner une nouvelle vie, l'élever comme ma fille ? Les enfants n'ont pas besoin de savoir ces choses-là.

Les gens disent que c'est ma faute, j'imagine, que si je n'étais pas rentrée à la maison, ce mois de mars 1919, Mathilda, mon unique sœur, ne serait pas morte. Or je suis rentrée. À l'époque, je n'avais pas le choix.

« 27 mars 1919. » C'est une bonne date pour commencer. Je l'ai écrite dans le coin en haut à droite de la page. « Chère Mattie. » Le stylo tremblait entre mes doigts, l'encre a giclé sur la feuille. Alors j'en ai pris une autre : « 27 mars 1919, chère Mattie. »

Finalement, j'ai renoncé à écrire. Je savais que je serais la bienvenue. Après tout, ça faisait des mois que Mattie me suppliait de revenir. Et puis, écrire pour dire quoi ? Je n'avais pas d'explication. Aucune explication sinon la vérité, et la vérité, je ne risquais pas de la dire.

La vérité, c'était que l'hôpital m'avait demandé de partir. Pas pour toujours, bien sûr.

— Bien sûr, nous ne souhaitons pas vous voir partir définitivement, miss Starkey.

Voilà ce qu'avait dit le docteur Nichols. Je ne voyais pas qui il entendait par « nous » puisqu'il n'y avait que lui et moi dans le bureau. Ça me mettait mal à l'aise de savoir qu'on avait parlé de moi dans mon dos, peut-être chuchoté dans les couloirs, qu'on s'était caché dans les coins en me voyant arriver. Ils avaient dû se réunir dans cette même pièce et secouer la tête avec des tss-tss réprobateurs en sirotant leur café. Mais qui ?

Le docteur Nichols remuait des papiers sur son bureau. Il ne me regardait pas.

— Quand ce sera terminé... (Il s'est raclé la gorge.) Quand vous serez redevenue vous-même, alors nous reverrons la question.

Il faisait allusion à mes hallucinations, je crois, mais il pouvait aussi bien penser aux évanouissements ou même aux accidents. Son regard s'est attardé un moment sur le bureau, et puis, dans un soupir, il a ajouté presque gentiment :

— Vous vous sentirez beaucoup mieux loin de ces... relents, croyez-moi.

Et il y en avait, des relents, dans cet hôpital. Au sens propre, une puanteur de chair gangrenée et de vomi, d'ammoniaque, de porridge brûlé et de camphre, d'urine et d'excréments. Mais une infirmière a l'habitude des odeurs, des cris et des hommes auxquels il manque des morceaux d'eux-mêmes.

Or j'étais une excellente infirmière. J'avais le coup de main, tout le monde le disait. Les soldats m'adoraient. Ceux qui levaient la tête vers moi quand je me penchais sur leur lit. Ceux qui me tendaient les bras.

J'aimais être un ange. Mais il a fallu que j'y renonce.

Le docteur Nichols n'avait pas tort. D'une certaine manière, j'avais perdu le contrôle. Un matin je m'étais réveillée, certaine, absolument certaine qu'on m'avait scié les jambes, et même si j'avais vite constaté que ce n'était qu'un rêve — mes jambes étaient bien là, formant deux crêtes sous la couverture —, j'étais incapable de les remuer, incapable de les soulever en dépit de tous mes efforts. C'était ma camarade de chambre, Éliza Fox, qui avait dû me sortir du lit. Un autre jour, j'ai honte de l'avouer, je m'étais évanouie sur la poitrine d'un soldat à qui j'étais en train de faire sa toilette.

Plusieurs fois, j'ai dû quitter la salle de soins en courant pour aller vomir. Tous les matins je crachais mes boyaux dans des bassins, dans les seaux des filles de salle, dans des cônes de papier journal fabriqués à la hâte, dans le tas de neige derrière la haie d'hortensias. À deux reprises, je suis devenue sourde de l'oreille gauche et, un jour, j'ai passé quatre heures assise dans la cage d'escalier, à attendre de recouvrer la vue. Les seringues m'échappaient et venaient se piquer dans mon bras, les fioles de verre se brisaient entre mes mains, les tiroirs des classeurs me pinçaient les doigts.

J'oubliais les noms des soldats, les courses à faire. Trois jours d'affilée, je me suis enfermée dehors, sur le palier de la chambre que je partageais avec Éliza. Et puis j'étais toujours fatiguée, oui, si fatiguée que je n'arrivais tout simplement pas à garder les yeux ouverts, et peu importait le nombre de fois où je m'aspergeais le visage à l'eau froide ou les litres de café noir que je buvais. J'ai fini par capituler et par me fabriquer un nid au milieu des serviettes, dans la réserve. J'y dormais chaque après-midi, de treize heures trente à quatorze heures, jusqu'au jour où la salle F a manqué de savon et où l'on a envoyé Frances Patterson en chercher. Au bout du compte, j'ai dû leur donner raison : je commençais à être meilleure en malade qu'en infirmière. Mon corps m'avait vaincue, je ne pouvais plus me fier à lui. Pour tout dire, je ne me reconnaissais plus.

Alors j'ai accepté de rentrer, mais pas à la pension de Milwaukee, pleine d'infirmières célibataires, où Éliza et moi avions consciencieusement divisé entre son côté et le mien une chambre glaciale couleur moutarde ; non, à la ferme où j'avais grandi, où les sommets enneigés avaient la pureté du lin blanchi et où ma sœur berçait sa petite fille près du poêle, en attendant que son mari revienne de la guerre. Je savais que là-bas, chez moi, je pourrais me remettre sur pied.

Arrivée devant la gare, j'ai respiré l'air de la ville qui sentait la levure des brasseries et le parfum doux-amer de la fabrique de chocolats, et déjà je me suis sentie mieux. Je serrais fermement mon bagage. Je n'étais ni en retard ni trop en avance. Alors, pour la première fois depuis des semaines, j'ai eu faim, une faim de loup. Je suis entrée dans la gare et me suis arrêtée au buffet pour prendre un sachet de cacahuètes salées et une tasse d'un café qui ne m'a pas brûlé la langue. Une fois les cacahuètes avalées, j'avais encore faim.

— Vous me feriez une demi-salade au jambon à emporter ? Non, une entière, plutôt. Et puis un bout de ce poulet, là. Et peut-être un morceau de tarte. Celle aux cerises, s'il vous plaît.

Au comptoir, quelqu'un buvait un milk-shake au chocolat qui semblait atrocement bon, j'ai eu la tentation d'en commander un.

— J'aime ça, moi, les femmes qu'ont de l'appétit.

Voilà ce qu'a dit le garçon en tapant des chiffres sur sa caisse. Alors j'ai changé d'avis pour le milk-shake. Pendant que je payais la note, on a annoncé mon train.

Pour garder l'équilibre, le contrôleur a appuyé sa hanche contre le siège en face de moi, et il m'a dit :

— Un aller simple, mademoiselle ? On rentre à la maison ?

J'ai failli lui expliquer qu'en fait on ne pouvait plus vraiment considérer la ferme comme ma maison, même si, légalement, elle était à moitié à moi. En vérité, désormais elle appartenait à ma sœur, c'était elle qui y habitait, elle y avait sa famille, et moi je n'y retournais que le temps de reprendre des forces parce que, inexplicablement, mon corps s'était mis à faire sa vie de son côté. J'ai eu envie de lui avouer que j'avais été renvoyée pour avoir manqué à mes devoirs d'infirmière, car personne, moi comprise, ne me croyait capable de remettre des soldats sur pied quand j'étais moi-même dans un état pareil. Mais crier des choses comme ça sur les toits ce n'est pas mon genre.

Alors j'ai répondu :
— C'est ça.
Il m'a fait un clin d'œil.
— Tickets !

14

Et il s'est éloigné en braillant et en brimbalant dans les cahots du wagon.

Le printemps se voyait encore moins à la campagne qu'à la ville cette année-là, et, quand le train s'est arrêté le long du quai gelé, à Nagawaukee, le ciel était chargé de neige. Le vent me mordait le visage, j'ai baissé la tête. J'ai descendu les marches glissantes du quai en fixant le bout de mes bottes et avancé prudemment sous les bourrasques de neige, longues comme de la barbe à papa, qui balayaient la rue. Mes pas m'ont portée une, deux, trois rues plus loin que la gare, et là je me suis arrêtée à la porte des Articles de pêche et Appâts Heinzelman – « Des vers pour un penny la douzaine ». Je suis entrée.

Le carillon au-dessus de la porte a tinté et, dans l'angle, la braise du poêle a répondu en rougeoyant au brusque appel d'air. Puis les rideaux derrière le comptoir se sont écartés, et Mary Louise Lindgren a surgi de la pièce du fond. Elle a souri en me voyant, on pourrait même dire qu'elle rayonnait, elle s'est essuyé les mains sur son tablier avec ce geste nerveux qui n'appartenait qu'à elle et s'est précipitée vers moi.

— Mandy ! Qu'est-ce que tu fais au pays ?

Elle a posé les mains sur mes épaules, pressé sa joue contre la mienne.

— Oh ! mais tu es gelée, un vrai bloc de glace !

Elle a gardé un moment ses paumes chaudes sur mon visage, puis elle m'a saisi le poignet, sans me laisser répondre à sa question.

— Viens près du poêle. Je n'arrive pas à le croire, je n'arrive pas à croire que c'est toi ! Je me demandais – quand j'ai entendu la clochette –, je me demandais qui pouvait bien venir à cette heure, et je me suis dit : c'est sûrement Harry Stoltz, mais bien sûr c'était impossible puisqu'il est parti pour Watertown, alors je me suis dit...

Elle aurait volontiers continué à me raconter ce qu'elle s'était dit, comment elle s'était ravisée et ce qu'elle avait fait après, mais je l'ai interrompue.

— Je prends des vacances. Un congé.

En un sens, c'était vrai.

— Mathilda va être tellement heureuse! (Elle a froncé les sourcils.) Mais pourquoi ne m'a-t-elle rien dit? Elle est passée il y a deux jours à peine.

— Mattie n'est pas au courant.

C'est tout ce que j'ai eu besoin de dire car elle a renchéri aussitôt :

— Une surprise! Quelle merveilleuse idée! Mandy...

Elle s'est penchée vers moi et a discrètement baissé la voix bien qu'il n'y eût personne d'autre dans la boutique.

— Moi aussi, j'ai une surprise...

Puis elle a attendu d'avoir à coup sûr toute mon attention.

— George et moi, on va avoir un petit.

Et elle a tapoté le devant de son tablier avec un air entendu.

Je n'ai pas su quoi répondre. Mary Louise avait été enceinte chaque année depuis cinq ans qu'elle avait épousé George Lindgren, et elle avait perdu les cinq bébés, chaque fois après plusieurs mois de grossesse. Il faut savoir renoncer, j'ai pensé; ne pas courir à la catastrophe. Au moins, elle devrait se montrer prudente. Cacher un peu ses sentiments. Mais Mary Louise était incapable de retenue, et elle n'avait pas comme moi l'avantage d'une formation scientifique. Elle agissait toujours comme si rien ne pouvait mal tourner, comme si la naissance de cet enfant était inscrite dans les astres, comme s'il suffisait d'attendre l'heureux événement. Seules ses mains, frôlant son ventre dans un geste protecteur, trahissaient son inquiétude. Elle s'imaginait que c'était en train de pousser, alors que ça pouvait si facilement se réduire à rien du tout.

— Cette fois, c'est pas pareil, a-t-elle fait, sur la défensive, bien que je n'aie exprimé aucune de mes craintes.

— J'espère.

Franchement, qu'est-ce que je pouvais dire d'autre?

On a pensé préférable que je continue mon chemin tant qu'il faisait encore jour. À quelques pas de la boutique, comme je savais qu'elle devait me suivre des yeux, je me suis retournée. Elle a levé la main, et, tout en la regardant, j'ai repensé au temps où on était pareilles, Mary Louise et moi, ravies toutes deux de quitter l'école à la fin de la journée; on courait, on fai-

16

sait des glissades sur cette même route, on guettait sur la tour de Saint-Michel la lueur de la lanterne dont on croyait qu'elle signalait l'évasion d'un fou, on parlait de Netty Klefstaad qui n'adressait pas la parole à Ramona Mueller, de Bobby Weiss qui avait triché à sa dictée, on se demandait quoi faire de la pièce de monnaie une fois qu'on l'avait frottée sur une verrue, et parfois aussi on chantait.

Bien sûr, c'était avant Mattie. Quand Mattie a été en âge d'aller à l'école, Mary Louise et moi marchions toujours sur cette route, mais sagement, nos livres serrés sur la poitrine, et c'était Mathilda qui courait devant et se jetait dans les congères comme nous le faisions autrefois. Elle criait :

— Amanda, regarde ! Mary Louise, regarde !

Ou alors elle restait à la traîne derrière nous, à observer les flocons de neige qui dessinaient des motifs sur ses moufles, et elle m'ordonnait de me retourner.

— Mandy, regarde celui-là ! Grouille-toi avant qu'il fonde !

Je n'ai jamais pu faire comprendre à ma sœur que Mary Louise et moi avions des sujets de conversation importants. Mathilda restait à mes côtés à peu près cinq minutes, enveloppée avec moi dans un châle de laine douillet, puis, immanquablement, elle filait faire des glissades avant de me supplier de la porter, épuisée.

— Sur ton dos ! exigeait-elle.

Oui, elle exigeait, même si elle était beaucoup trop lourde. Je protestais :

— Tu es trop grande maintenant, Mattie.

Je soupirais. Je haussais les sourcils à l'intention de Mary Louise, dont les huit frères et sœurs ne posaient jamais autant de problèmes, même réunis. Mais Mathilda tapait du pied. Elle pleurait, s'accrochait à moi, et je finissais par fléchir les genoux, par la laisser sauter sur mon dos et enrouler ses bras autour de mon cou assez fort pour m'étrangler. Mathilda m'interrompait toujours, exigeait toujours, et moi je cédais toujours. J'ai toujours fait ce qu'elle voulait. Toujours. Sauf la dernière fois.

J'avais huit ans quand elle est née et, de l'avis des femmes du voisinage, je n'étais pas une enfant prometteuse.

— Quel bébé magnifique, disait Mrs. Jungbluth, agglutinée au berceau de Mathilda avec Mrs. Tully et Mrs. Manigold, à roucouler d'extase sur ses lèvres ravissantes et son adorable menton.

Avec dix-sept enfants à elles trois, on aurait pu croire que des bébés, elles en avaient vu assez. Mais non, à l'évidence, Mathilda était exceptionnelle.

— Amanda doit être jalouse, n'est-ce pas, d'avoir une si jolie petite sœur ? a dit Mrs. Tully.

Ma mère a répondu :

— Non, Amanda adore sa sœur.

Pour le prouver, elle m'a posé le bébé sur les genoux.

Pourquoi aurais-je été jalouse ? Mathilda était à moi. Le bébé que tout le monde voulait m'appartenait.

Le jour du baptême de Mattie, un photographe est venu à la maison nous tirer le portrait. On m'a installée dans le grand fauteuil vert – si je ne m'asseyais pas dans le fond, j'avais déjà les jambes assez longues pour toucher par terre –, et je la tenais dans mes bras, sa robe blanche tombant en cascade devant moi, son petit doigt humide entortillé au bout d'une de mes nattes, tandis que dehors les nuages d'avril se pourchassaient devant le soleil, plongeant la pièce dans une alternance d'ombre et de lumière.

— Souris.

Le photographe me suppliait, mais moi je refusais. J'avais vu chez Mary Louise un portrait de la Madone berçant son bébé et je voulais lui ressembler : solennelle et imposante.

À cause du bruit, du flash, de la fumée, Mathilda s'est mise à pleurer. Ma mère a voulu la soulever de mes genoux, mais je m'accrochais résolument à mon bébé. C'était à moi de la consoler. De son côté, Mattie serrait encore plus fort ses doigts dans mes cheveux. Elle n'a pas lâché : ma mère a dû ouvrir l'un après l'autre chacun de ces minuscules hameçons.

J'ai tourné sur Glacier Road, qui gravit la colline surplombant le lac Nagawaukee. Une fois en haut, le vent m'a frappée de plein fouet, il giflait mes joues, arrachait mon manteau. À bout de souffle, j'ai avancé péniblement, tête baissée, jusqu'à l'entrepôt de glace. Là, je me suis reposée, j'ai tapé des pieds dans la paille, fait jouer mes doigts et déroulé mon écharpe pour la dégager de mon souffle glacé. J'ai laissé la porte entrouverte pour avoir de la lumière. J'ai regardé dehors : devant moi, le terrain descendait en pente raide et, à travers les arbres, le lac gelé formait une balafre blanche sur la terre. Je me suis déplacée sur la droite, rectifiant légèrement mon angle de vision, et les troncs d'arbres se sont divisés pour révéler la tache noire familière au milieu de cette blancheur : un croissant couronné d'une dentelle de branches nues dans le coin nord-est de Taylor's Bay, cette île qui était à moi autrefois. Je me suis encore déplacée et j'ai pu distinguer le toit vert de la maison où Mattie et Carl avaient vécu jusqu'à la guerre.

Avant je pensais que cet endroit était unique au monde, mais maintenant je savais bien que non. Il y avait des lacs disséminés dans toute la région, leurs contours étaient différents, mais dedans ils étaient pareils. Ils étaient des larmes, des gouttelettes, des éclaboussures dans la campagne. Ils étaient des trous et des cratères bordés d'une peau trop fine pour contenir toutes les sources qui se pressaient de les remplir. Et la plupart d'entre eux étaient parsemés çà et là de petites îles têtues, des boutons de terre qui refusaient de plonger la tête sous l'eau.

Pour le vieux fermier qui avait vendu le terrain à mes parents, mon île n'était rien, voire pire que rien : un bout de terre inutile. Il ne l'avait même pas mentionnée quand il avait poussé l'acte de propriété à travers la grosse table en chêne dans ce qui, quelques instants auparavant, était sa cuisine et devenait désormais la nôtre.

Ils ne s'étaient découverts propriétaires de l'île que plusieurs années plus tard. J'avais douze ans, et Mattie quatre, le jour où mes parents avaient étalé les papiers sur cette même table de cuisine, afin de savoir si une source au nord, qui leur aurait été pratique, appartenait vraiment à nos voisins, comme le prétendaient les Jungbluth.

— Qu'est-ce que c'est, ça ?

De l'index, ma mère tapotait une forme floue marquée d'une croix, située au milieu de nulle part.

Mon père avait examiné la carte.

— Eh bien, Maman, on dirait bien qu'on est propriétaires de l'île de Taylor's Bay.

Mattie se tenait contre lui, comme toujours, un bras serré autour de sa jambe. Il l'a soulevée et fait sauter en l'air.

— Qu'est-ce que tu dirais d'avoir une île, mam'zelle?

— Encore! elle criait. Encore!

Alors il l'a relancée en l'air plusieurs fois, elle poussait des cris aigus, puis il a fini par la reposer par terre, et ses grosses mains ont froissé la robe sous les bras.

— Fais-le encore! S'il te plaît!

Elle pleurnichait en tirant sur son pantalon.

— Encore! S'il te plaît! Encore!

Il a levé un doigt menaçant et elle s'est mise à pleurer. Il s'est tourné vers moi.

— Occupe-toi de ta sœur, m'a-t-il dit avec impatience. Nous, on a à faire.

Et ma mère et lui se sont remis à tenter d'infléchir la frontière nord.

Ce soir-là, quand tout le monde a été couché, je suis descendue sans bruit et j'ai déroulé la carte pour étudier moi-même la forme. Elle avait l'air bizarrement petite et simple, très différente des coins rocailleux et compliqués que je connaissais. Je l'ai frottée avec mon doigt. Sur le papier, ç'aurait aussi bien pu être une tache de confiture de mûres.

Soudain, au milieu des bourrasques, j'ai entendu les grelots d'un traîneau qui montait la route. J'ai serré mon cache-nez autour de ma gorge et pris mon bagage. Je m'apprêtais à sortir pour héler le conducteur quand le cheval est apparu en haut de la côte; je l'ai reconnu. Alors j'ai reculé et tiré la porte. J'avais fait une chose que Joe Tully devait ignorer, une chose pire encore que mon renvoi, et je ne supportais pas l'idée qu'il me voie avec cette honte dans mon cœur. Je me suis plaquée dans le noir contre les blocs de glace couverts de paille, les yeux fermés, puis ma respiration s'est apaisée, j'ai attendu que les grelots se taisent, attendu le bruit des pas, la lumière qui allait frapper mes paupières closes, parce que, c'était sûr, il m'avait vue, en tout cas il avait vu quelque chose et il allait se poser des questions. Joe n'était pas du genre à ignorer la vision fugitive d'un intrus ou de quelqu'un qui pouvait avoir besoin d'aide.

Les grelots sont arrivés plus près, encore plus près, encore encore plus près, j'ai entendu le cheval qui s'ébrouait, les patins du traîneau qui crissaient sur la neige, et puis les grelots se sont éloignés dans un tintement de plus en plus faible, avant d'être ensevelis sous le bruit du vent. Finalement, il n'avait pas dû me voir. Si l'étrangère que j'étais devenue depuis peu en a été soulagée, une autre partie de moi grelottait de désespoir et je me suis retrouvée en pleurs, les larmes brûlant mes joues glacées, à la pensée de devoir me cacher d'un homme que j'avais aimé autrefois.

Il a bien fallu que je continue. On ne peut pas pleurer éternellement, il n'allait pas tarder à faire nuit et encore plus froid. Le vent était violent, mais il ne me restait plus qu'une côte à gravir. Sur la fin, quand j'ai distingué le corps de ferme jaune et la fumée qui s'échappait de la cheminée de pierre, je me suis mise à courir ; je faisais des enjambées immenses, nerveuses, j'arrachais mes pieds à la neige pour les y replonger aussitôt, je balançais mon sac comme une petite fille poussée par l'excitation de rentrer à la maison.

J'allais frapper à la porte de la cuisine quand elle s'est ouverte en grand. Mathilda s'est hissée sur la pointe des pieds, les joues rougies d'être restée assise près de la chaleur du feu.

— Amanda ! Tu es revenue !

Elle a dû lever haut les bras pour m'enlacer, car, si j'avais depuis longtemps poussé en asperge, elle, elle était restée minuscule et délicate comme notre mère, un petit lutin.

Son étreinte m'a fait plaisir mais, moins démonstrative que ma sœur, je suis restée là, debout, assez gauche, mon bagage toujours à la main, jusqu'à ce qu'elle m'entraîne à l'intérieur.

— Attends, Mattie. Tu ne veux pas que je mette de la neige partout sur ton sol propre.

J'ai tapé mes pieds, épousseté mes épaules.

Elle a éclaté de rire.

— Fais-la rentrer, la neige ! Fais-la rentrer ! Fais-toi rentrer toi tout entière !

Tout en me débarrassant de mon manteau, elle m'a donné une bourrade malicieuse dans les côtes et a dit avec un petit rire :

— T'aurais pas un peu grossi? Tu manges trop de gâteaux?

Alors je lui ai répondu :

— Avec ta cuisine, d'ici peu, je n'aurai plus que la peau sur les os.

— Oh! maintenant que tu es là, ce n'est plus moi qui vais faire la cuisine.

Et ça nous a fait rire parce qu'on savait toutes les deux à quel point elle disait vrai.

— Regardez-moi ces bottes, elles sont splendides!

Elle s'est penchée pour admirer mes chaussures de ville, ruinées d'avoir pataugé dans la neige, ce pour quoi elles étaient parfaitement inadaptées.

Je retrouvais ma Mattie, toute frémissante devant une paire de bottes neuves, et qui ne songeait même pas à poser de pénibles questions sur les raisons de ma présence ou ce que j'avais l'intention de faire. Elle était juste heureuse que je sois là. J'ai demandé :

— Et Ruthie? Où est mon bébé?

— Ici, bien sûr.

Elle a fondu sur une pile d'édredons chiffonnés posés sur le fauteuil à bascule, près du poêle, et en a extrait la petite fille.

— Réveille-toi, Ruthie. Ta Tante Mandy est là.

— Oh! ne la réveille pas.

Trop tard : Ruth a cligné des yeux à mon intention, puis elle a bâillé.

Mathilda me l'a fourrée dans les bras.

— Tiens, prends-la.

Vu la façon dont les choses tournaient pour moi ces derniers temps, j'ai eu peur que l'enfant ne se mette à crier, mais, quand je me suis installée dans le fauteuil à bascule, elle s'est nichée contre mon épaule et s'est rendormie. Tout se passait exactement comme j'avais à peine osé l'espérer : nous étions là, toutes les trois, bien au chaud dans cette cuisine familière. J'ai failli oublier de demander des nouvelles de Carl.

— Il a recouvré la vue. Mais il a une infection à la jambe, et il ne sait toujours pas quand il va rentrer.

Dans ses lettres, elle m'avait parlé du gaz qui l'avait rendu aveugle et de l'éclat d'obus qui avait fait dans sa cuisse un trou

22

gros comme le poing ou presque. Je lui avais assuré qu'un homme se remettait sans problème de ce genre de blessure, mais elle avait besoin de s'inquiéter.

— *Toi*, tu es là, maintenant.

Elle a levé les yeux vers les miens et secoué la tête, quasiment d'un air de défi.

J'allais m'occuper d'elle. D'accord. Ça, je savais le faire. L'espace d'un instant, j'ai presque pu croire que les choses étaient comme elles avaient toujours été, avant que Carl ou qui que ce soit vienne se mettre entre nous.

2.

Ruth

Tante Mandy m'a dit de me taire, mais je me suis pas tue. Et alors ma maman est partie.

Amanda

J'ai dit au shérif :

— Ma sœur a disparu.

Il a bâillé et s'est frotté la figure. Quand il n'y avait pas infraction, c'est-à-dire la plupart du temps, le shérif n'était que Mr. Kuhtz, un fermier. Je l'avais sorti du lit.

— Qu'est-ce qui se passe ?

— Je ne trouve pas Mathilda.

J'ai calé Ruth, emballée dans une couette de plume contre les rigueurs de cette nuit de novembre, sur mon autre hanche. J'étais tellement lasse que je n'avais presque plus de force dans les bras, et Ruth était lourde, mais je ne pouvais pas la lâcher. J'étais rentrée depuis moins d'un an et j'avais perdu ma sœur.

— Bien, depuis combien de temps a-t-elle disparu ?

— Des heures. Je ne sais pas combien. On est toutes allées se coucher, et puis quelque chose a réveillé Ruth. C'est là que j'ai vu que Mattie n'était pas dans sa chambre. Qu'elle n'était nulle part dans la maison.

— Vous habitez toujours sur l'île ?

Il a froncé les sourcils, et j'ai compris que Mathilda avait raison : les gens se posaient des questions.

— Vous traversez déjà sur la glace ?

Juste à ce moment-là, Mrs. Kuhtz est apparue derrière lui. Elle l'a grondé.

— Pourquoi les laisses-tu dehors, dans le froid, Cyrus ? Entrez. Asseyez-vous, je vais vous chercher quelque chose de chaud à boire.

Pour les ennuis, elle avait la tête de l'emploi : l'air affligé, plein d'inquiétude.

— Tenez, donnez-moi la petite. Tu n'es pas gelée, ma chérie ?

Et elle a tendu les bras vers Ruth.

— Non !

J'ai serré Ruth contre moi, si fort qu'elle s'est mise à brailler.

— Il faut qu'on rentre à la maison. Au cas où Mattie reviendrait.

— Cyrus va la retrouver, a répondu Mrs. Kuhtz d'un ton rassurant.

Le shérif était déjà parti s'habiller.

— Il va la ramener.

J'ai marché dans l'herbe gelée. Lorsque Ruth a frissonné, j'ai ouvert mon manteau pour qu'elle puisse profiter de sa chaleur. Elle était toute nue sous la couette.

Où allions-nous ? Malgré ce que j'avais dit à Mrs. Kuhtz, je ne savais pas bien. Retourner sur l'île, c'était impensable. Je titubais sans but sur cette route que j'avais empruntée huit mois auparavant, mais, cette fois, avec Ruth, lourde comme une ancre, cramponnée à ma poitrine. On s'éloignait du lac et pourtant j'avais l'impression qu'il coulait sous ma peau ; à chacun de mes pas lourds, je prenais l'eau, je gouttais. Mes cheveux humides avaient gelé sur mon crâne. Le devant de ma robe était trempé sous mon manteau ; ma vue se brouillait. Mais mes pieds connaissaient la route, comme au mois de mars. Je suis retournée à la ferme obscure et froide, cette ferme qu'on n'aurait jamais dû quitter, où, sans moi, nous aurions toutes été en sécurité.

Le temps d'arriver à la maison, Ruth s'était endormie, la tête molle sur mon bras. Sa chemise de nuit était restée sur l'île, alors je l'ai enveloppée comme j'ai pu dans l'une des vieilles chemises de mon père et dans le châle de ma mère. J'ai allumé le poêle et l'ai bercée sur mes genoux en attendant que l'eau chauffe. Puis j'ai rempli la bouillotte et l'ai glissée près d'elle, dans le lit, sous l'édredon. Un instant, sa respiration s'est arrêtée, j'ai retenu mon souffle, attendant le pire, mais elle a juste poussé un soupir et continué de dormir. Heureuse de la savoir au chaud et à l'abri, je suis redescendue à la cuisine et j'ai ôté mes moufles.

Ma main n'était pas aussi abîmée que je le craignais. Le sang avait en partie séché et les trous étaient petits. Beaucoup étaient profonds, pourtant. Il y aurait des cicatrices, un anneau dans la chair à la base du pouce. Qui aurait pu soupçonner une force pareille chez une créature aussi frêle ? Qui l'aurait crue capable de lutter avec autant d'acharnement ? J'ai trouvé le whisky de mon père et j'en ai tamponné un peu sur ma blessure. Puis j'en ai bu un verre. Il paraît que ça aide à oublier.

Le lendemain matin, Ruth s'est réveillée dans une chambre où elle n'avait pas dormi depuis des mois, et elle a appelé sa maman. Assise dans la cuisine, j'attendais que la nuit s'achève. Mon corps avait cherché le sommeil malgré moi, désireux d'échapper aux plaies, aux bleus, aux muscles endoloris, mais, chaque fois que je fermais les yeux, ce que je voyais derrière mes paupières closes était insupportable. Alors je me suis promis qu'à la lumière du jour tout serait différent. On allait retrouver Mathilda chez un voisin, quelque part près du lac, voire dans les bois autour de la baie. Elle serait mouillée, peut-être, elle serait frigorifiée. Elle aurait sans doute même attrapé un coup de froid. Sa robe serait sûrement fichue, mais rien de plus grave.

Je lui ferais couler un bain chaud, lui préparerais une soupe qui la revigorerait et la fourrerais au lit. On ne parlerait pas de ce qui s'était passé. On serait juste heureuses que ce soit fini, de pouvoir continuer comme avant. Il suffisait que je tienne jusqu'au bout de la nuit, alors elle rentrerait à la maison. Voilà ce que je me promettais.

Sauf si, *en vérité*, il ne s'était rien passé. J'ai caché ma main entre mes genoux et me suis raconté que tout cela n'était qu'un cauchemar. Au lever du jour, Mathilda descendrait dans la cuisine et on rirait de ces rêves insensés qui peuvent avoir l'air tellement vrais qu'on se réveille à peine capable de respirer, tant le cœur s'est emballé. Elle me dirait que j'avais été stupide de ne pas venir me glisser dans son lit pour y chercher du réconfort et que je ne serais bonne à rien sans une nuit de sommeil. Elle me taquinerait d'avoir peur de mon ombre, et ensemble on ferait des crêpes pour Ruth.

Oui, ça se passerait comme ça quand le soleil se lèverait. Si je n'allais pas vérifier – c'était très important –, si je n'allais pas vérifier qu'elle était bien dans son lit, si je me contentais d'attendre scrupuleusement la fin de la nuit, à la lumière du jour, tout serait différent.

Alors, quand Ruth a appelé sa mère, le matin, j'ai attendu, j'ai guetté le pas de Mathilda à l'étage. Je l'ai guetté et je l'ai entendu. Oui, j'étais sûre de l'avoir entendu. Pourtant, Ruth n'arrêtait pas d'appeler. À présent, elle pleurait, elle pleurait d'énervement. Pourquoi Mathilda ne venait-elle pas la consoler ?

J'ai fini par aller trouver Ruth.

« On va laisser Mathilda dormir », me suis-je dit tout haut en grimpant l'escalier. Elle doit être très fatiguée.

Mais la vérité me poignardait à chaque marche. Dans les intervalles, entre les moments où j'étais persuadée que Mathilda était dans son lit, indiscutablement je savais qu'elle avait disparu.

Au fond de mon cœur je le savais, mais je refusais de l'admettre. Mon esprit ripait sur cette idée. Je me concentrais sur la forme des espaces entre les brins de muguet qui ornaient la tapisserie, remarquais le zigzag rouge et bleu du tapis en lirette en haut de l'escalier, m'appliquais à réfléchir à ce qu'il y avait à manger pour le petit déjeuner.

Ruth m'a laissée la soulever de son lit d'enfant, mais dès que je l'ai posée sur le sol elle a couru droit à la chambre de Mattie.

— Où est Maman ?

Elle était si déconcertée, si confiante, que ça m'a fendu le cœur.

Comment aurais-je pu lui avouer ce que je ne m'avouais pas à moi-même ? Ma tête refusait de formuler les mots. J'ai dit :

— Chut, mon ange.

Ce n'était pas la chose à dire, je le sais. Je le sais pertinemment ! Mais c'est tout de même ce que j'ai dit.

— Chut, mon ange. On va faire des crêpes pour le petit déjeuner, tu veux ? Viens, on va faire des crêpes toutes les deux.

— Je veux ma maman.

J'ai essayé de la prendre par la main pour la conduire à la cuisine, mais ses bras et ses jambes se sont agrippés à la colonne du lit.

— Je veux ma maman !

Elle n'arrêtait pas de répéter ça en criant.

— Ne crie pas. Ne crie pas. Tout va bien. Vraiment, tout va bien. Elle va bientôt revenir.

Mais Ruth refusait d'être dupe. Elle gémissait, et je suis restée là, désemparée, à la laisser se désespérer pour nous deux.

Quand ses pleurs ont commencé à diminuer, je me suis soudain sentie fatiguée, si fatiguée que j'ai cru que mes jambes n'allaient plus me porter. Je l'ai prise dans mes bras – elle était trop épuisée pour protester davantage – et je l'ai attirée près de moi sur le lit de Mathilda. Il n'y avait pas de draps – on avait quitté cette maison, cette vie, depuis si longtemps ! –, alors on s'est couchées à même la toile rayée bleue du matelas, les joues collées à de vieilles taches. Ma main m'élançait, et je frissonnais de manière incontrôlable. J'ai tiré sur nous la couverture de laine pliée au pied du lit et on s'est endormies.

J'ai rêvé que j'étais debout au bord du lac, l'été. L'eau avait des reflets éblouissants et, de l'autre côté, je voyais Mathilda, assise sur les rochers qui bordaient l'île : elle chantait comme une sirène. Ainsi, elle était saine et sauve ! Bien sûr qu'elle était saine et sauve !

— Mattie ! j'ai crié, du soulagement plein la voix. Mattie ! Par ici !

Mais elle ne me regardait pas.

Alors je suis entrée dans l'eau et j'ai marché dans sa direction. J'ai avancé jusqu'à ce que l'eau enserre ma taille, puis berce ma poitrine. Comme il était facile de disparaître sous cette surface insondable! Il n'y aurait aucun trou béant à l'endroit où je coulerais, aucune turbulence des vagues pour témoigner de ma lutte.

J'ai appelé « Mathilda! », et mon menton baignait dans l'eau quand j'ai ouvert la bouche. Mais elle regardait vers l'autre rive, comme si elle n'avait rien entendu.

Je n'ai pas pu crier à nouveau. L'eau m'est entrée dans la bouche, dans le nez, les oreilles, les yeux. Maintenant j'avais peur, et l'eau était plus lourde, plus dure à repousser. C'était à peine si mes pieds arrivaient à trouver un appui sur le fond sablonneux. J'ai essayé de m'agripper au lac, mais il ne m'offrait aucune prise. Pourtant, j'ai continué d'avancer. Mathilda était juste devant. Je n'avais qu'à continuer pour la récupérer.

Et alors je l'ai entendue pleurer. « Oui, je te reconnais bien là », me suis-je dit tout en m'efforçant de progresser tant bien que mal dans sa direction. C'était la même voix que des années et des années auparavant, du temps où elle était mon bébé Mattie, quand elle voulait que je la console.

— J'arrive, Mattie!

J'ai crié, et l'eau s'est engouffrée dans ma bouche.

J'y étais presque. Les pleurs se faisaient plus forts, mais mes jambes refusaient de bouger. Je me suis penchée en avant. J'ai ouvert les bras. Il n'y avait plus un souffle en moi, mais j'ai quand même tendu la main; j'ai poussé de toutes mes forces; *j'allais l'avoir*; elle était à moi. Alors je me suis réveillée.

C'était Ruth qui pleurait. Ruth qui avait besoin d'être consolée. Je me noyais dans le chagrin et je m'accrochais désespérément à elle. Maintenant je n'avais plus que Ruth, et Ruth n'avait plus que moi.

****

La mère de Ruth s'était noyée. C'était un fait. En décembre, on trouva son corps piégé dans les glaces du lac Nagawaukee. Il y eut des articles dans le *Sentinel*; Amanda les découpa et les colla sur les pages noires d'un album – comme ça, il n'y aurait aucune question sur ce qui s'était passé.

4 DÉCEMBRE 1919 – UNE FEMME A DISPARU
Mrs. Carl Neumann, habitant Glacier Road, Nagawaukee, a disparu depuis la nuit du 27 novembre, au dire de sa sœur, miss Amanda Starkey, habitant également Glacier Road. Toute personne disposant de renseignements est priée de contacter le shérif de Nagawaukee.

6 DÉCEMBRE 1919 – LA FEMME DISPARUE A ÉTÉ RETROUVÉE NOYÉE
Le corps de Mrs. Carl Neumann a été retrouvé hier en fin d'après-midi, pris dans les glaces du lac Nagawaukee, par Mr. C.J. Owens, demeurant 24, Prospect Avenue, Milwaukee, et son fils, Arthur, cinq ans.
Mrs. Neumann était portée disparue depuis la nuit du 27 novembre.

7 DÉCEMBRE 1919 – OBSÈQUES DE MRS. CARL NEUMANN
Le service funèbre aura lieu demain à dix-huit heures, en l'église luthérienne Notre-Sauveur de Nagawaukee. Mrs. Neumann laisse un mari, Carl, qui servait récemment en France dans le 32ᵉ régiment, une fille, Ruth, et une sœur, Amanda Starkey. À la demande de miss Starkey, des dons au home d'enfants d'Oconomowoc tiendront lieu de fleurs et couronnes.

Carl Neumann avait promis de s'occuper de Mathilda et, à présent, c'était de lui qu'il allait falloir s'occuper. Fin décembre, plus d'un an après la fin de la guerre, il finit par annoncer dans une lettre qu'on le renvoyait dans ses foyers. « Je n'arrive pas à croire, écrivait-il dans le dernier paragraphe, que d'ici un mois ou deux je te tiendrai toute chaude et douce entre mes bras, ma petite Mattie chérie. » La lettre en disait davantage, mais Amanda la replia à la hâte en rougissant et la remit dans son enveloppe en papier pelure. Un ultime télégramme arriva de New York : RETOUR LE 12 FÉVRIER. STOP. TRAIN DE 15 H 35. Amanda fut un peu étonnée. Le courrier qu'elle lui avait envoyé avait dû lui parvenir, pourtant. À présent, il devait pourtant savoir qu'il lui restait si peu de chose à Nagawaukee. Et il rentrait tout de même.

— Il va prendre un train pour Paris. Puis un autre train de Paris jusqu'à la côte. Et puis il va embarquer sur un bateau, un bateau plus grand qu'une maison.

À plusieurs reprises, Amanda avait décrit à Ruthie l'itinéraire de Carl dans un monde trop vaste pour l'entendement d'une si petite fille. Elle avait pris son doigt minuscule et l'avait promené sur la mappemonde. Ruth n'avait qu'envie de la faire tourner, mais elle était intéressée.

— Où est mon papa, maintenant ? demandait-elle chaque soir, quand Amanda la couchait dans le lit qu'elles partageaient toutes deux.

— À l'heure qu'il est, il prend son petit déjeuner : un délicieux œuf à la coque.

Amanda s'était étonnée de la facilité avec laquelle Ruth avait accepté l'idée du décalage horaire, comme si, pour elle, les choses les plus insolites pouvaient être vraies dans un pays aussi lointain que la France ou sur un bateau assez grand pour traverser l'Océan.

— Et quoi d'autre ? demandait Ruth.

— Un poisson. Avec des arêtes. Tu n'aimerais pas ça.

— Et après, qu'est-ce qu'il va faire ?

— Je ne sais pas, Ruth. Dors, maintenant.

Amanda regretta d'avoir parlé de Carl à Ruth. À chaque parole, il approchait et grossissait davantage.

Amanda

Comment savoir ce que les mots « mon papa » signifiaient pour Ruth ? Il y avait un père dans *Hansel et Gretel* et un Papa Ours dans *Boucles d'or*. Ils ne valaient pas mieux l'un que l'autre. Et, à mon sens, Carl ne valait pas grand-chose non plus, je peux vous le dire.

Carl et Mathilda s'étaient rencontrés un 4 juillet, Mattie avait dix-sept ans. Elle avait insisté pour se rendre à la parade de Waukesha. Margaret Schwann y allait. Harriet Lander, Will Audley, Fritz Kienast : tout le monde y allait. C'était une fête, alors elle devait absolument y aller. Elle me suppliait :

— Tu vas venir, hein, Mandy?

Elle savait que mon père ne la laisserait se rendre nulle part sans chaperon.

On était en retard, la rue était noire de monde, mais Mattie a joué des coudes jusqu'au bord du trottoir. Hissée sur la pointe des pieds, un petit drapeau dans chaque main, les rubans rouges, blancs et bleus de ses cheveux flottaient sous la brise lorsque Carl est passé devant elle au pas cadencé ; il jouait du tambour dans la fanfare des Abattoirs.

Il était beau, je lui reconnais ça. Il avait des traits fins, un visage d'adolescent, de l'aisance, du rythme dans la démarche, et des cheveux bruns qui lui tombaient dans les yeux : le genre de physique à séduire une fille, si elle y est disposée. Il faillit perdre le rythme en essayant de ne pas la quitter du regard ; alors j'ai compris, comme elle, qu'on aurait de la compagnie au pique-nique du soir.

À la fin, nous nous étions répandus dans la rue, derrière le groupe ultime et vacillant des vétérans de la guerre de Sécession, puis nous avions pris la direction du parc en évitant de marcher dans le crottin. Il faisait chaud, comme toujours à Waukesha au mois de juillet ; il n'y avait donc rien de surprenant à ce que Mattie ouvre le col de sa robe et remonte ses manches sur ses bras ravissants. Sa peau risquait de brunir au soleil, quelle importance ? Mattie s'en moquait. À son crédit, elle n'avait pas souvent regardé par-dessus son épaule pendant qu'on installait le pique-nique sous un orme, mais avait distribué saucisses et salade de pommes de terre en parlant et en riant avec Margaret, Harriet, Will et les autres, comme si rien d'extraordinaire n'allait se produire avant le gâteau.

En effet, pour elle, il n'y avait rien d'extraordinaire à ce qu'un jeune homme la remarque en passant devant elle au pas cadencé et désire tôt ou tard l'épouser.

****

Le matin du 12 février, Amanda se leva dans le noir, mit en route le poêle de la cuisine et alla à l'étable nourrir les bêtes et traire les vaches. Elle balaya le plateau de la charrette et se rappela de demander à Rudy, le garçon de ferme, d'y installer des couvertures, au cas où Carl ne pourrait pas s'asseoir normalement sur le banc.

Une fois rentrée dans la maison, alors qu'un pâle soleil filtrait à travers les squelettes des arbres, elle défroissa le couvre-lit sur le divan de la chambre du fond, laquelle se trouvait fort commodément à côté de la cuisine. Avec sa patte folle, au début, il aurait du mal à marcher. Il ne pourrait sûrement pas monter l'escalier.

Oh! il serait impotent, d'accord. Elle retapa vigoureusement les oreillers, puis contempla la pièce avec satisfaction. La blessure devrait-elle encore être pansée? C'était possible, tout dépendait du nombre de muscles déchirés par l'éclat, de l'infection et de la façon dont elle avait été soignée : Amanda n'avait aucune confiance dans les hôpitaux français. Mais Carl était jeune et fort. Dès qu'elle aurait commencé à s'occuper de lui, il se rétablirait rapidement.

Cette pièce exiguë était parfaite pour un infirme, Amanda le savait. C'était là que sa mère se réfugiait quand elle avait ses migraines. Elle était assez loin des chambres à coucher de l'étage pour qu'une fillette puisse jouer aussi sagement qu'il lui était possible de le faire.

Amanda

Maman a eu son attaque d'apoplexie au mois d'août, l'année où Mathilda a rencontré Carl. Je ne les accuse pas, encore que, je le sais, Maman n'était pas d'accord. Elle nous a rappelé que son père était capitaine dans l'armée de l'Union. Ses filles pouvaient trouver mieux qu'un boucher. J'ai dit :

— Carl n'est pas boucher, Maman. Il travaille dans un abattoir.

Sous la table, Mathilda m'a balancé un coup de botte dans le tibia. Pourtant, ce n'était que la vérité.

34

Peu importe, comme je le disais, je ne les accuse pas, même si leur conduite scandaleuse n'a sûrement rien arrangé. Non, j'accuse la météo.

Il avait fait chaud tout l'été, chaud et tellement humide que le seul fait de marcher ou de lever les bras pour attraper une assiette dans le placard donnait instantanément envie de s'asseoir et de se reposer.

Ce matin-là, on aurait dit le monde enfoui sous une couverture de laine. Maman s'était réveillée un peu souffrante, pas vraiment malade, mais pas en forme non plus. Elle avait mal dormi – depuis des semaines, tout le monde dormait mal, semblait-il – et tout lui était désagréable. Le café était amer, le cliquetis de la vaisselle du petit déjeuner lui faisait mal aux oreilles, la toile cirée était poisseuse, le soleil qui entrait par les fenêtres de la cuisine lui blessait les yeux, ses chaussures la serraient.

— Ce matin, une de vous deux va conduire les moutons au pré d'en bas, a dit mon père sans lever la tête de son assiette.

Mattie a tout de suite répondu :

— Moi.

Mon père a acquiescé. Il a coupé en deux moitiés son œuf et sa tranche de pain grillé, puis a tourné son assiette pour les couper encore une fois.

— Il faut que quelqu'un reste avec Maman, a-t-il dit en fourrant dans sa bouche un quart de sa tartine. Elle se sent pas bien.

Je voulais aller faire les courses. Il nous fallait du pétrole lampant, du fil à coudre marron et du sucre, mais j'avais surtout espéré me rendre à la ville pour sentir sur mon visage la fraîcheur de la brise pendant le trajet en boghei et boire une limonade avec une paille au comptoir de Baecke.

Ma mère a poussé un soupir et fermé les yeux. J'ai dit :

— Je reste.

Quand les autres ont été partis, j'ai débarrassé la table pendant que Maman sirotait son café. J'étais en train d'actionner la pompe pour faire couler l'eau dans l'évier quand je l'ai entendue murmurer :

— Je crois que je vais m'étendre un moment.

Et puis il y a eu un fracas de vaisselle dans mon dos. J'ai lâché la pompe et fait volte-face. La tasse et la soucoupe de

Maman s'étaient brisées, il y avait des petites taches de café partout sur le mur. Elle était debout, sa main gauche dans sa main droite, et elle me regardait fixement, décontenancée.

— Je ne sais pas ce qui s'est passé. Tout d'un coup je n'ai plus pu la tenir.

— Ne t'inquiète pas. Je vais nettoyer.

Déjà je tendais la main vers le balai.

— Mais qu'est-ce qui s'est passé ? Je ne comprends pas ce qui s'est passé.

Elle m'a attrapé le bras et s'est appuyée sur moi de tout son poids pour que je l'aide à regagner le divan.

— Je vais m'allonger un moment et ça va passer, tu ne crois pas ?

Elle a posé sur moi un regard plein de confiance et d'espoir, comme si je savais quelque chose.

— Bien sûr que ça va passer. C'est juste un coup de fatigue.

Je le lui ai affirmé. Et je le croyais ; à l'époque, je n'avais aucune formation médicale.

Je suis retournée à mon ouvrage dans la cuisine et, le temps que je finisse la vaisselle et que je commence à faire le pain, elle s'était endormie. Un vent chaud et régulier se levait à l'ouest. J'ai décidé que c'était un bon jour pour laver les draps.

Sa voix est montée jusqu'à moi alors que je sortais les oreillers de leurs taies.

— J'ai froid, Amanda. Amanda, j'ai froid.

— Maman, tu ne peux pas avoir froid, ai-je crié depuis l'étage. Il fait au moins trente-sept à l'intérieur.

— Oui, mais j'ai froid.

Sur ce dernier mot, sa voix s'est mise à chevroter.

Alors j'ai décroché son châle d'été de la patère derrière la porte et je suis descendue le lui porter.

— Pourquoi as-tu été si longue ?

— J'étais en haut.

Elle a eu une moue contrariée.

— Pose-le sur mes épaules. Je n'ai plus de force dans les bras.

J'ai étendu le châle sur elle, en le coinçant entre ses épaules et le mur pour qu'il ne glisse pas. Puis j'ai doucement soulevé sa tête et retapé l'oreiller.

Alors elle a murmuré :

— Pas étonnant.

— Pardon ?

— Oh, rien.

Elle a fermé les yeux. Mais, comme je tournais les talons, elle a ajouté :

— Pas étonnant que Joseph n'ait pas voulu de toi. Tu es tellement brute. Presque comme un homme.

De l'autre côté de la longue fenêtre, je voyais les moutons en train d'arracher le peu d'herbe qui restait dans le jardin, derrière le poulailler. Je les ai fixés un moment en me disant qu'il y avait quelque chose d'anormal, mais sans savoir quoi, et puis je me suis souvenue. Mathilda devait les conduire au pré. Où était-elle passée ?

En fait, je savais pertinemment où elle était. Je n'ai pas pris la peine d'ôter mon tablier. La porte et sa moustiquaire n'avaient pas claqué dans mon dos que j'avais déjà traversé la moitié du jardin.

Les bois bourdonnaient, bruissaient des petits craquements et des roucoulades de la vie de l'été. Des mouches décrivaient des cercles autour de ma tête et des toiles d'araignées collaient à mon cou tandis que je descendais le sentier envahi par les herbes. J'ai senti le lac avant même de le voir, au vent qui apportait la fraîcheur de l'eau, à cette impression d'espace derrière les derniers buissons de chèvrefeuille et de mûres.

Comme je m'y attendais, notre barque n'était plus là, mais je savais où les Tully rangeaient la leur et j'ai pressé le pas le long de la rive pour la trouver. Elle était enfouie sous les mauvaises herbes, on y avait à peine touché de tout l'été. Je l'ai poussée à l'eau et j'ai grimpé à bord. Et puis j'ai ramé, ramé de toutes mes forces jusqu'à mon île.

Je me retournais pour regarder par-dessus mon épaule, maladroitement, essayant d'évaluer la distance qu'il me restait à parcourir, lorsque je l'ai aperçue à l'autre bout de l'île. C'était bien ce que je pensais, elle était là pendant que nous autres, on travaillait ; elle avait de l'eau jusqu'à la taille, la jupe de son costume de bain flottait autour d'elle comme une feuille de nénuphar en laine noire.

J'étais en colère, bien sûr. J'avais drôlement envie de la tirer de force dans la barque et de la ramener à la maison toute dégoulinante pour qu'elle reçoive ce qu'elle méritait. Mais j'avais encore plus envie de sentir cette eau délicieuse autour de mes chevilles. On s'occuperait des moutons plus tard. À deux, ce serait facile. J'allais l'appeler – mes lèvres se rapprochaient pour articuler son nom – quand je l'ai entendue pousser un cri aigu.

Et il a surgi de l'eau comme un brochet géant pour attraper une libellule, dans un nuage d'écume scintillant. Il l'a éclaboussée en retombant. Avec un rugissement de triomphe, il a frappé l'eau d'une main experte et envoyé une gerbe qui l'a touchée en pleine figure. Elle a reculé un instant ; je m'attendais, malgré son âge, à ce qu'elle éclate en sanglots. Mais non, elle a ri. Elle a plongé les bras dans le lac, profondément, et l'a aspergé avec autant d'eau que ses mains pouvaient en contenir. Elle n'était pas de taille à lutter contre lui – ça, je le voyais, même de loin. L'eau dont elle l'éclaboussait partait dans tous les sens. Elle ne l'aurait même pas mouillé s'il ne s'était pas approché, s'il ne l'avait pas laissée l'asperger pendant qu'il l'éclaboussait à son tour, plus doucement, mais en la trempant tout de même intégralement. Et ils sont restés là, à rire et à crier, à s'arroser comme des enfants, chacun son tour, comme s'ils étaient seuls au monde.

Tout à coup, j'ai eu envie d'être ailleurs. Pour rien au monde je n'aurais voulu être vue, toute seule dans ma barque, en train de les observer. J'ai bataillé pour faire demi-tour et manqué perdre une rame dans la panique. Et puis j'ai souqué en sens inverse, aussi vite et silencieusement que j'étais venue, jusqu'à ce que l'île les cache à mes yeux et me cache aux leurs, jusqu'à ce que je sois en sécurité.

Dès que j'ai posé le pied dans la maison, j'ai su qu'il était arrivé une chose horrible. La porte de la chambre du fond était ouverte et, depuis la cuisine, je voyais juste le bout du divan et le pied de ma mère, bizarrement tordu. Je me suis précipitée et l'ai trouvée à demi tombée par terre, les yeux grands ouverts, sa bouche remuait mais aucun mot n'en sortait, juste des bruits, des bruits étranges et terribles comme ceux d'un bébé géant qui jouerait avec sa langue.

Je l'ai tirée sur le divan et l'ai recouverte du châle.

— Reste tranquille, ai-je supplié. Je t'en prie, reste tranquille.

Et puis j'ai couru à l'étable chercher un cheval et j'ai galopé aussi vite que j'ai pu vers le champ à l'ouest pour trouver mon père.

****

— Chut, fit Amanda vers le plafond de la pièce préparée pour Carl. Reste tranquille.

Mais elle avait parlé si doucement, chuchotant presque, que Ruth, qui venait de se réveiller à l'étage, ne s'interrompit pas dans la conversation animée qu'elle entretenait avec elle-même. Amanda monta la chercher, l'enveloppa dans une couverture et la porta à la cuisine. Ruth se savait bien assez grande pour marcher toute seule; elle battit un peu des pieds dans l'escalier pour le signifier.

— Porridge?

Amanda le dosait tout en posant la question.

— Non! fit Ruth.

— Pain d'épice?

Amanda remuait le porridge avec une grosse cuillère en bois.

— Non!

— Panais?

— Non!

— Alors quoi?

— Grenouilles! fit Ruth.

Et elle s'esclaffa comme si elle venait de dire la chose la plus drôle du monde.

— Quand mon papa sera revenu, poursuivit-elle en enfonçant sa cuillère dans les céréales, on ira à la maison au tapis vert?

— Quelle maison ?

— La maison au tapis vert. Là où est Maman.

Amanda suffoqua presque, bouleversée par cette brusque évocation de Mathilda ; elle eut le souffle coupé et dut lutter pour se dominer. Pense à autre chose, se dit-elle fiévreusement. Pense à l'intelligence de Ruth, qui décrit une concession au cimetière comme une maison avec un tapis vert.

— Bien sûr que tu pourras y aller, lui répondit-elle enfin. Sa voix était posée, ferme.

— Ton papa t'y emmènera. Mais dis-moi, ma chérie, tu comprends que ta maman est au paradis, n'est-ce pas ?

— Oui, fit Ruth en portant à sa bouche une grosse cuillerée de porridge.

— Et si tu es très sage, un jour, toi aussi tu iras au paradis.

Amanda prenait son petit déjeuner debout afin de pouvoir vaquer aux tâches ménagères – secouer le tapis de la cuisine, nettoyer le carreau de la porte d'entrée – à mesure qu'elles lui traversaient l'esprit. Elle était en train de rincer son bol lorsque Rudy tapa la neige de ses bottes sur la véranda avant d'entrer. Il se planta devant le poêle, se balançant d'un pied sur l'autre, bras croisés, les mains calées sous les aisselles.

— Pas chaud, aujourd'hui, dit-il.

— Tu crois qu'on devrait prendre plus de couvertures ?

— Ça ferait pas de mal. Autant embarquer tout ce qu'on a.

— Alors on part à deux heures.

— On va être en avance.

— On ne peut pas se permettre d'être en retard.

Rudy fit un salut.

— Bien, chef, deux heures.

Amanda fronça les sourcils. Il avait beau jeu de se moquer, il fallait bien que quelqu'un soit responsable. Il fallait bien que quelqu'un veille à ce que les choses se déroulent correctement.

Ruth remua son porridge, en préleva une petite boule dans sa cuillère, la souleva en l'air et la laissa retomber dans son bol.

— Ruth, ne joue pas avec la nourriture.

Amanda débarrassa le bol et essuya la bouche de l'enfant avec le torchon à vaisselle. Ruth se tortilla pour échapper à l'odeur aigre.

— Tiens-toi tranquille.

Ordinairement, Amanda aurait poussé la fillette à manger davantage, mais pas ce jour-là. Non, ce jour-là, on n'avait pas le temps. Elle se rendit à la porte de derrière et appela les chiens. Ils arrivèrent en trottinant sur la congère qui s'était formée derrière le pare-neige.

— Entrez vous réchauffer, leur dit-elle en posant le bol par terre.

Allait-elle se décider à préparer le déjeuner ou laisser la journée lui filer entre les doigts ? La doublure de son manteau était froide quand elle glissa ses bras dans les manches. Elle enfila ses moufles, prit son panier et sortit. L'air qui lui brûlait les joues lui gela instantanément les narines, et la neige renvoyait si vivement l'éclat du soleil qu'elle dut presque fermer les yeux pour ne pas être éblouie. Elle progressait dans la neige sous un ciel d'un bleu de paradis, levant haut les pieds, avant de les replonger jusqu'au genou, en direction de la cave à légumes.

Elle brisa à coups de pelle la glace autour de la porte, jusqu'à ce qu'elle puisse en forcer l'ouverture. Lorsqu'elle arriva au bas des marches, la pénombre de la cave l'aveugla après le radieux soleil du dehors. Elle dut s'immobiliser un instant, une main contre le mur froid et humide, attendant que ses yeux s'accommodent à l'obscurité. Enfin elle distingua les légumes dans leurs casiers et leurs tonneaux.

Elle lui proposerait de lui racheter sa moitié de la ferme – patates, pommes, carottes, oignons, et encore des patates s'entassèrent dans le panier. Pas tout de suite, mais après un certain temps, quand il serait guéri et commencerait à donner des signes d'impatience. Il en donnerait sûrement. Au bout du compte, il n'avait rien d'un fermier, et pas grand-chose d'un père. N'était-il pas parti au premier coup de canon, alors que Ruth savait à peine marcher ? Il serait content d'avoir un peu d'argent, content d'être libre de recommencer sa vie. Alors les choses reprendraient leur cours normal. Ruth et elle continueraient de vivre à la ferme. Elle élèverait la petite : une fillette avait besoin d'une mère, après tout. C'était ce que Mathilda aurait voulu, non ? L'évocation de sa sœur fit cogner le cœur d'Amanda dans sa poitrine, elle se retrouva haletante. On manquait d'air dans cette cave froide et sombre. Abandonnant les légumes qui roulèrent du panier sur le sol, elle gravit en trébuchant les marches de terre et sortit sous le bleu resplendissant du ciel.

Amanda

Quelques semaines plus tard, quand Maman a été un peu mieux — elle ne parlait pas normalement mais ne faisait plus non plus ces horribles bruits —, j'ai raconté à mon père que j'avais vu Mathilda et Carl ensemble sur l'île.

Je croyais qu'il allait l'expédier quelque part, « histoire de lui donner à réfléchir », tout comme il m'avait expédiée, moi, chez cousine Trudy quand Joe m'avait fait la cour, mais non, il a juste soupiré en continuant de lisser les boucles de ma mère avec sa brosse à cheveux en argent. Et puis il a dit :

— Ce serait pas mal d'avoir un gendre. Mathilda a fini l'école, elle va pouvoir aider ta mère désormais. Toi tu pourrais faire ton école d'infirmières, comme tu l'as toujours voulu.

Mais qu'est-ce qu'il s'imaginait ? Je ne pouvais pas faire mon école d'infirmières maintenant ! Maintenant que Maman avait plus que jamais besoin de moi.

Un jour, miss Sizer et Mrs. Zinda m'ont arrêtée dans la rue.

— N'est-ce pas merveilleux, tout ce que tes parents font pour ce jeune couple ?

Transportées, elles secouaient la tête et claquaient la langue avec ravissement. Elles avaient dit cela avec l'air de considérer que j'étais comme elles et pas du tout comme ma sœur, pas du tout une jeune personne. Les gens aiment les mariages, on dirait. Peu importent qui se marie ou les conséquences du mariage sur la vie des autres.

J'étais la demoiselle d'honneur de Mathilda. Je leur ai souhaité tout le bonheur du monde. Et puis j'ai fait une demande d'inscription à l'école d'infirmières. Comme je l'avais toujours voulu.

****

Amanda pelait les pommes de terre, puis les jetait dans une bassine d'eau froide pour qu'elles ne noircissent pas.

— Ai faim, fit Ruth en venant se planter près de ses genoux.

— Il fallait manger plus au petit déjeuner. Je ne peux pas passer ma journée à te nourrir.

Mais quand elle eut terminé ses pluches, elle étala du beurre sur une tranche de pain qu'elle saupoudra d'une épaisse couche de sucre brun.

— Assieds-toi là et mange-la tout de suite, dit-elle en tenant la tartine au-dessus de la tête de Ruth pendant que l'enfant grimpait sur une chaise. Je ne veux ni sucre ni miettes sur mon sol tout propre.

— C'était pas la peine de préparer un si gros déjeuner aujourd'hui, fit Rudy alors qu'ils s'asseyaient devant des côtes de porc et un gratin de pommes de terre. Carl va sûrement avoir faim. J'aurais pu attendre.

— Ici, le repas principal, c'est le midi, répondit Amanda. Il le sait.

— Je veux dire que, pour une fois, ç'aurait pu être le soir.

— Je suis sûre que Carl ne voudrait pas qu'on change nos habitudes rien que pour son bon plaisir, Rudy.

Amanda porta un morceau de viande à sa bouche et le mastiqua farouchement.

— La charrette est prête?

— Presque, répondit Rudy.

Et il piocha dans son gratin, sans autre commentaire.

Lorsqu'ils eurent terminé, Rudy emporta les couvertures supplémentaires à l'étable et Amanda mit des briques à chauffer dans le poêle. Puis elle cria à Ruth de rentrer du jardin, où la fillette faisait des culbutes dans la neige, et, mi-tirant mi-poussant, la fit grimper à l'étage pour l'habiller.

Comment cette enfant s'y prenait-elle pour attraper des bardanes dans les cheveux en plein hiver, se demanda-t-elle tout en démêlant doucement la chevelure de Ruth. Toutes les cinq minutes, une irrépressible envie la poussait à frotter sa

43

joue à celle, rougie par le froid et incroyablement douce, de la fillette.

Puis elle ôta une à une chaque épaisseur de vêtement que portait Ruth et recommença tout de zéro. D'abord des sous-vêtements propres, une chemise de coton à manches longues, de hautes chaussettes de laine, trois petits jupons, sa plus belle robe, et par-dessus tout ça un tablier. La veille au soir, elle avait fini juste à temps de lui tricoter un lainage fantaisie spéciale-ment pour cet après-midi-là. Il avait un fond crème et était constellé de boutons de roses de cinq couleurs différentes, bro-dés chacun au point de nœud. Il lui avait pris des mois. Elle le présenta à Ruth.

— Tu ne le trouves pas magnifique, Ruthie ?

Ruth tripota l'une des petites bosses en couleurs.

— J'aime bien les bleues, dit-elle.

— Tu vois ? C'est des fleurs. Des roses.

— Des roses, répéta Ruth.

— Tends le bras.

Il fut difficile de lui enfiler le tricot par-dessus tant de couches de tissu, mais Amanda finit par l'entortiller dedans et par le lui boutonner jusqu'au menton. Ruth avait l'air un peu raide, comme une poupée.

— Tu es belle comme un ange ! s'écria sa Tante en la ser-rant dans ses bras.

— Ça gratte.

L'enfant tirait sur le col.

— Ne fais pas ça, mon cœur, tu vas le détendre.

— Non, ça gratte ! Ça gratte.

Ruth gigotait, tapait du pied. Elle entreprit de défaire les boutons.

— Non, Ruth, ça ne gratte pas.

Amanda écarta les doigts de la fillette et reboutonna les deux boutons qu'elle était parvenue à défaire.

— Attends d'être dehors. Tu verras comme il est doux et chaud. Tu vas l'adorer.

Ruth rejeta la tête en arrière et cria vers le plafond.

— Non ! Il gratte !

Elle tirait sur le col, sur les manches.

Amanda l'attrapa par le poignet, et Ruth relâcha les muscles de ses jambes. Elle pendait aux mains de sa Tante et secouait furieusement la tête en tapant des talons.

— Ruth Sapphira Neumann! Debout! Ça suffit comme ça!

Légère et trapue, la petite était facile à manœuvrer, en dépit de ses gesticulations. D'un mouvement vif, Amanda l'attira contre ses genoux. Elle balança la main avec vigueur, mais celle-ci rebondit sur l'épaisse couche de tissu qui couvrait le derrière de Ruth. Ce fut à peine si la petite sentit quelque chose, mais la surprise d'être punie fit redoubler ses cris.

— Tiens-toi tranquille! cria Amanda plus fort que Ruth. Tiens-toi tranquille!

Puis, tout à coup, elle-même fondit en larmes.

— Tranquille.

Elle sanglotait les mots.

— Je t'en prie, reste tranquille.

Ruth la dévisagea avec étonnement. Puis se mit à pleurer, elle aussi.

Amanda se laissa tomber près d'elle sur le sol et la prit sur ses genoux. Elle se pencha de façon à la nicher au chaud contre son corps, puis posa sa joue contre la tête de la fillette et la berça en chantonnant :

— Oh, mon bébé. Mon pauvre bébé.

Au bout d'un moment, elle renifla, se redressa. Le tricot s'était entortillé. Elle le remit droit et ferma les boutons défaits.

— Viens, on va se laver la figure.

Ruth resta debout près du lavabo pendant qu'Amanda lui promenait sur le visage un gant de toilette froid qu'elle passa ensuite sur le sien.

— Maintenant, il faut que je te recoiffe.

Elle souleva la fillette et la posa debout sur la chaise, devant la coiffeuse. Elles étaient là toutes deux dans le miroir, les yeux bouffis, les cheveux emmêlés, rien à voir avec l'image de la perfection imaginée par Amanda. Pour la deuxième fois en vingt minutes, elle passa une brosse dans la chevelure embroussaillée de Ruth.

— Tu veux un nœud dans tes cheveux?

Poser la question, c'était prendre un risque, car il était impératif que Ruth porte un nœud. Sans quoi toute la tenue était compromise, vraiment. Le bleu, bien sûr, il fallait que ce soit le bleu. Mais Amanda était certaine que Ruth le voudrait. Elle le présenta sur sa tête.

— Alors, il n'est pas joli?

— Non.

L'air sombre, Amanda glissa tout de même les épingles sous le ruban pour le fixer à la belle chevelure noire de la fillette.

— Maintenant, va vite jouer dans ta chambre pendant que je me prépare, dit-elle en la soulevant de la chaise pour la reposer par terre.

À son grand soulagement, Ruth obtempéra.

Sa jambe guérirait, ensuite il partirait – Amanda se le répéta encore en se brossant les cheveux. Il promettrait peut-être d'envoyer de l'argent. Ruth recevrait sans doute une carte de temps en temps. Au bout d'un an environ, il n'y aurait plus de cartes. Il aurait une nouvelle vie quelque part, et Ruth et elle auraient la leur, ici, chez elles.

3.

Depuis le train, Carl les vit qui l'attendaient sur le quai glacial. Sa belle-sœur portait sur la hanche une petite fille, sa petite fille à lui sans doute. Lorsqu'il s'encadra dans la portière du wagon, Amanda le désigna du doigt et pencha la tête vers l'oreille de la fillette, qui leva sa moufle et fit un vague signe. Elle gardait les yeux rivés sur un chien à collier rouge, plus loin sur le quai. Elle aurait pu faire signe à n'importe qui.

Il marchait lentement, et avec deux cannes. Il mit un long moment avant de se frayer un chemin jusqu'à elles, un pas après l'autre, hésitant, mal assuré, sur ce quai qui menaçait de se dérober sous lui, luttant contre le vent glacé qui faisait tout pour le renverser. Amanda posa Ruth sur le sol, mais la petite ne courut pas à sa rencontre. Elles restèrent toutes deux figées comme des statues, à attendre qu'il vienne à elles.

— Dis bonjour à ton papa. Tu peux faire un baiser à ton papa ?

De la paume de la main, elle poussa doucement l'enfant derrière la tête, mais Ruth se dégagea et alla se réfugier dans les jupes de sa Tante.

— Mon papa, il est loin.

— Ne t'en fais pas, Carl, dit Amanda. Tu sais comment sont les enfants.

Non, il ne savait pas. Il n'en avait aucune idée.

Dans la rue, Rudy tenait le cheval. Il serra la main de Carl et l'aida à se hisser dans la charrette. Il est soulagé, se dit Carl, d'avoir un autre homme à la maison, et il ferma les yeux un instant sous le poids de cette responsabilité.

Rudy souleva Ruth, s'apprêtant à la faire passer par-dessus le rebord de la charrette, près de Carl, lorsque Amanda l'arrêta, une main sur son bras.

— Ruthie préfère venir devant avec moi.

Elle s'assit sur le banc, se retourna, tendit les bras pour attraper la fillette, puis ils démarrèrent dans un cahot.

Alors que la charrette tournait sur la route pour sortir de la ville, le train siffla. Carl regarda les wagons se détacher lourdement du quai et prendre de la vitesse avant de s'éloigner enfin, sans à-coups, emportant des hommes vers Saint Paul, Sioux Falls, Pocatello, Spokane... Il s'étendit sur son lit de foin et de couvertures, fixant droit au-dessus de sa tête les motifs vertigineux que formaient les branches contre le ciel en train de s'obscurcir, pour ne pas voir le trajet familier jusqu'à la ferme des Starkey, pour ne pas penser à quel point son retour aurait pu être différent. Rudy se retourna une fois ou deux pour lui jeter un coup d'œil.

— Le voyage l'a épuisé, dit-il à Amanda. Donne-lui deux ou trois jours. Il va se remettre.

— Il sera sur pied en un rien de temps, répondit-elle.

Amanda

Dès le début il a été clair qu'il serait incapable de s'occuper de Ruth. D'abord, il ne lui plaisait pas. Ça, je l'ai vu tout de suite. Et il n'a fait aucun effort, vraiment aucun. Il s'est montré exactement tel que je l'attendais.

Mathilda et Carl s'étaient mariés en décembre, six mois seulement après leur rencontre, drôle de saison pour se marier, les gens disaient ça avec des sourires entendus, et ils avaient raison, sauf qu'ils ne savaient rien de rien. Ça ne serait jamais arrivé si vite si notre père avait été lui-même, si notre mère n'avait pas été malade. Les rumeurs surgissaient comme des départs de feux, mais je les matais toutes. Ils devaient le savoir, depuis le temps, que Mattie était une gentille fille, juste impatiente.

Pourtant, autant que je pouvais en juger, Carl n'avait rien d'extraordinaire. Il emmenait Mathilda dans tous les bals et je dois reconnaître qu'il était bon danseur, mais, sorti des chevaux, il était incapable d'aligner deux idées et n'avait pas un sou de côté.

— On ne se marie pas pour danser.

J'avais beau le lui dire, ma sœur était irréfléchie et butée. Elle refusait mes conseils. Qu'est-ce que j'en savais, moi, de ce qui pousse les gens à se marier ?

Ma mère fut trop faible pour assister à la cérémonie, alors je lui ai passé sa liseuse rose et elle a attendu, appuyée contre ses oreillers, la visite des nouveaux mariés.

— Maman, regarde les fleurs que Carl m'a offertes.

Mathilda a poussé la gerbe de lys forcés si près sous le nez de notre mère que celle-ci a reculé la tête, apeurée.

— Il est incroyable d'avoir trouvé des fleurs comme ça au mois de décembre, non ?

Elle tenait les lys devant elle, avec une courbe gracieuse du coude pour soutenir les têtes, tout à fait la pose de la jeune mariée. Elle s'est tournée vers moi.

— Amanda, cours en bas chercher un vase.

Maman a essayé de dire quelque chose. Sa main valide ouvrait et fermait les doigts, sa bouche articulait des syllabes incohérentes. Pour finir, elle a tendu la main vers nous. Je l'ai prise dans la mienne.

— Qu'y a-t-il, Maman ? Qu'est-ce que tu veux ?

Mais elle a secoué la tête et retiré sa main. Elle l'a tendue vers Carl. Elle voulait que ce soit *lui* qui lui prenne la main. Mathilda a répété :

— Cours en bas chercher un vase, Amanda. Je veux laisser ces fleurs ici, pour Maman.

En quittant la pièce, je me suis arrêtée à la porte et j'ai regardé derrière moi. Quel joli tableau ils faisaient ! Mathilda avait confié les lys à Carl, qui les lui tenait tout en racontant à mon père comment Frenchie avait ménagé son antérieur droit en revenant de la ville. Près de lui, Mathilda ; les anglaises que j'avais passé des heures à boucler au fer chaud ce matin-là encadraient son visage. Elle se penchait pour arranger son foulard au cou de notre mère. À l'évidence, je ne l'avais pas couverte assez chaudement.

Je ne m'explique pas ce qui s'est passé ensuite. Moi qui suis si prudente d'habitude, voyez-vous, surtout avec la vaisselle en cristal de Maman. Elle était très fière de son service : les onze verres à pied, le broc à eau et le vase avec son bord cannelé. Elle l'utilisait très rarement, ce service. Je regrette d'avoir eu l'idée d'utiliser le vase ce jour-là, mais il me semblait parfait pour l'occasion.

J'ai bien planté l'escabeau, de manière que les quatre pieds soient stables ; j'ai grimpé jusqu'en haut et, même là, j'ai dû me hisser un peu sur la pointe des pieds, tendre les doigts. Je tenais fermement le vase entre les mains. Je sais que je le tenais. Soudain, inexplicablement, il a disparu. Je ne tenais plus rien et, avec un fracas dont le seul souvenir me rend encore malade aujourd'hui, il s'est écrasé sur le sol.

Ils ont dévalé l'escalier en courant, Mathilda, Carl, notre père et Rudy, qui sortait de la cuisine. Moi, j'étais debout sur l'escabeau au milieu d'eux et je regardais mes doigts qui m'avaient trahie. J'espérais du sang, je crois, une blessure quelconque qui aurait excusé ce que j'avais fait, mais il n'y en avait pas, non, rien que des bouts de verre éparpillés sur le sol.

Carl a entrepris de ramasser les morceaux en demandant si on avait de la colle, et Mathilda s'est baissée pour l'aider. Mais moi je suis allée chercher le balai pour les pousser de côté. C'était fichu. Plus vite on le comprendrait tous, mieux ce serait.

****

Depuis son lit, Carl observait Ruth par l'embrasure de la porte de la cuisine : elle mangeait son bacon et ses navets. Il parla une fois, pour lui demander d'une voix faussement enjouée si elle aimait les navets. Lui-même ne les avait jamais aimés, expliqua-t-il trop longuement, écoutant sa voix comme si c'était celle d'un étranger. Ruth ne répondit rien. Au lieu de cela, elle se retourna sur le ventre, se laissa glisser le long de sa chaise, traversa la cuisine et alla fermer la porte entre eux.

50

— Cette maison résonne tellement, dit-elle.

Amanda la gronda et se dépêcha d'aller rouvrir la porte, mais c'était drôle d'entendre ses propres mots dans la bouche de la fillette. Elle ne put réprimer un sourire.

— Dis bonsoir à ton papa, Ruth, fit-elle une fois la table débarrassée.

Et, comme l'enfant n'obéissait pas – c'était prévisible, ils le savaient l'un et l'autre –, Carl vit à nouveau un sourire satisfait sur le visage d'Amanda, bien qu'elle baissât la tête pour le dissimuler.

Il écouta les petits pas réguliers de Ruth dans l'escalier, deux par marche, puis les craquements du plancher, les crissements des tiroirs de la commode, et alors il entendit les sanglots, étonnamment différents du cri aigu et pénétrant que poussait Ruth quand elle était bébé, il s'en souvenait. Pauvre petite, pas de maman pour la consoler, peur du noir, se dit-il tout d'abord, mais le son irritant persista et il écrasa l'oreiller contre ses oreilles. Pourquoi Amanda ne faisait-elle rien pour arrêter ça ? Ce fut alors qu'il comprit que Ruth n'était absolument pas en train de pleurer, mais de rire.

— Encore, criait-elle. Encore !

Amanda resta un long moment à l'étage. Le temps qu'elle redescende faire la vaisselle, Carl s'était presque endormi.

— Je n'aurais pas dû la laisser s'énerver comme ça, dit-elle. Pour ça, elle est bien comme Mathilda, pas moyen de la faire aller dormir.

Carl ne se souvenait pas de ça avec Mathilda. Il se rappelait qu'il la regardait rêver au petit matin, elle s'enfouissait sous les couvertures avec juste le haut de la tête qui dépassait, elle jetait son bras sur lui et, sans s'en apercevoir, le serrait contre son corps. Mais Amanda avait sans doute raison. Elle avait passé presque vingt ans avec sa sœur, et lui n'avait été son mari que trois ans, dont plus d'une année où ils n'avaient pas vécu dans le même pays.

Amanda se déplaçait dans sa cuisine en virtuose, lavant sa vaisselle, la rangeant, ce qui rappela à Carl qu'il ne connaissait pas la place des choses.

— Peut-être que Ruth et moi, on devrait retourner vivre sur l'île, suggéra-t-il.

— On ne peut pas dire que ce soit pratique.

— Je suppose que tu as raison.

Amanda secoua son torchon avec un claquement.

— On va te remettre sur pied en un rien de temps.

— Bien sûr, répondit Carl, s'efforçant d'adopter un ton jovial, de faire comme si tout allait s'arranger très vite. Je serai prêt à travailler pour les semailles.

Elle souffla la lampe, plongeant la cuisine dans le noir.

— On verra, dit-elle dans l'obscurité.

Il écouta son pas lourd dans l'escalier, les craquements du plancher de sa chambre et, enfin, même le matelas quand il l'accueillit. Puis il n'entendit plus que le vent qui tourmentait les bardeaux et les vitres.

Amanda

Après le mariage de Carl et Mathilda, j'ai dû dormir dans la petite pièce près de la cuisine. Tout l'hiver, j'ai entendu leurs chuchotements et leurs rires la nuit. J'ai entendu le bruit de leur lit.

Ensuite ils ont voulu avoir une maison à eux, une maison sur mon île, voilà ce que Mathilda a proposé. Ils ont passé le printemps et l'été à y travailler, mais chaque jour ils rentraient en barque à la ferme, Carl pour aider mon père et Mathilda pour voir notre mère, plus ou moins rétablie, et aider aux tâches ménagères. Je n'étais plus d'aucune utilité. L'université avait accepté ma candidature à l'école d'infirmières, alors j'ai commencé à faire mes malles.

Je devais offrir un spectacle pas banal le jour où je me suis retrouvée sur le quai de la gare, coiffée de mon chapeau neuf, avec toute la famille réunie pour me regarder partir. Ils m'ont fait des cadeaux : mes parents m'ont offert un stylo en argent, Mathilda un carnet en maroquin rouge et Carl un nichoir à merles bleus, ce qui m'étonna parce que j'aimais les oiseaux – c'est vrai –, mais d'habitude les garçons ne remarquent pas ce genre de choses. Je l'ai remercié, bien sûr. J'ai admiré la qualité du travail, la toiture ingénieuse et les petits volets autour de l'entrée qui le faisaient ressembler à une vraie maison. Mais comment imaginait-il que j'allais pouvoir transporter ce truc jusqu'à Madison ? Et, d'après lui, j'étais censée l'installer où, une fois là-bas ? Moi, je n'aurais aucune palissade en rondins où l'accrocher. Je serais déjà heureuse si j'avais une fenêtre à moi. Alors Mathilda a dit :

— Je vais te le garder.

Quand le train s'est mis en branle, ils étaient tous sur le quai à me faire des signes, sauf ma sœur, qui avait les mains occupées.

Je ne les blâme pas, les mariés doivent bien habiter quelque part. N'empêche, s'ils n'avaient pas construit leur maison sur mon île, Mathilda ne se serait pas noyée. Vu sous cet angle, c'est aussi simple que ça.

****

Carl ne rêvait pas souvent de Mathilda, bien qu'il s'y efforçât. Il pensait à elle en se couchant pour essayer de la faire apparaître dans son sommeil. Il lui arrivait de songer au jour de leur rencontre. Il l'avait emmenée sur les montagnes russes et elle avait adoré. Elle avait voulu recommencer encore et encore et encore, et il avait remercié le ciel d'avoir assez d'argent pour lui offrir tous les tours qu'elle voulait. Dès le premier, il avait compris que lui n'aimait pas les montagnes russes — leurs brusques plongeons lui soulevaient le cœur —, mais ça valait la peine pour avoir Mathilda accrochée à son bras, écouter ses cris de joie et sentir la douceur de ses cheveux sur son visage. Il aurait bien passé tout l'après-midi à faire des tours avec elle si sa sœur, qui attendait en bas d'un air sombre, leur panier de pique-nique sur le bras, n'avait fini par s'impatienter.

— Ça suffit comme ça, avait-elle dit. Il faut toujours que tu abuses.

Emprisonnant le poignet de Mathilda dans ses doigts, elle l'avait entraînée, et il avait à peine pu lui dire au revoir.

Lorsque Mathilda s'était retournée pour lui faire signe de sa main libre avant que la foule ne se referme sur elles, il s'était félicité de sa présence d'esprit une heure auparavant, quand il lui avait demandé où elle habitait.

Ce fut à cela qu'il pensa avant de s'endormir, mais, comme à l'ordinaire, ses rêves refusèrent de se laisser manipuler. Ils l'emportèrent loin de Mathilda et le ramenèrent en France, où le gris de la fumée se mêlait au gris du brouillard, dans la cagna où il était en train de se reposer avec Sims et McKinley, deux camarades de son escouade, quand une explosion l'avait projeté comme un sac de patates sur la boue à demi gelée, les membres tordus dans tous les sens. Il se souvenait d'avoir décollé du sol, mais pas d'y être retombé.

Il avait ouvert les yeux en entendant quelqu'un gémir. C'était Pete McKinley, à six mètres de là environ, qui tentait péniblement de se relever. Entre eux, Henny Sims gisait, immobile. Carl s'apprêtait à appeler McKinley quand il l'avait vu se raidir avec, sur le visage, une étrange expression d'horreur. Il avait suivi le regard de McKinley jusqu'au bord de leur trou. Trois Boches baissaient les yeux vers eux, baïonnette au canon.

Son corps avait eu un soubresaut involontaire, mais les Allemands n'avaient même pas jeté un œil dans sa direction. Ils devaient le croire mort ou, du moins, encore inconscient. Déjà ils descendaient dans le trou et se dirigeaient vers McKinley, qui avait réussi à se mettre à genoux. L'un d'eux s'était arrêté là où Sims était affalé et, de la pointe de sa baïonnette, l'avait fait rouler sur le dos. Carl avait vu alors qu'il y avait quelque chose de bizarre chez Sims. Quelque chose avec sa tête. « *Tot* », avait dit le Chleuh, et Carl s'était rendu compte que Henny Sims avait perdu la moitié de sa tête.

Mon fusil – il crut l'attraper, crut même être debout, prêt à leur tirer dans le dos, mais ce n'était qu'une illusion. Son corps resta gelé, collé à la terre.

Et puis le rouge. C'était ainsi que se terminait toujours ce rêve qui n'était pas un rêve, avec du rouge qui emportait tout le reste.

****

Il faisait encore nuit quand la porte claqua et qu'Amanda rentra de la traite, les joues roses, tapant des pieds.

— Prêt pour le petit déjeuner? demanda-t-elle en passant la tête par la porte de Carl.

Il y avait un brouillard de froid autour d'elle, et elle soufflait sur ses doigts.

Le temps qu'il pénètre dans la cuisine et s'affale sur une chaise, Ruthie était déjà à table. Comme un chien veillant sur sa gamelle, elle ne le quittait pas des yeux pendant qu'elle portait à sa bouche ses flocons d'avoine, le poing maladroitement fermé sur sa cuillère. Amanda cassait des œufs d'un geste énergique contre le bord d'un saladier en émail bleu.

— Si tu veux tout de suite aller voir sa tombe, Rudy va t'y emmener, dit-elle. Ruth est toute prête pour t'accompagner, n'est-ce pas, Ruthie?

Elle essuya le visage de la fillette avec un torchon à vaisselle et la souleva de sa chaise.

L'idée désarçonna Carl. Il comprit qu'il s'imaginait à moitié Mathilda partie quelque part, en visite chez une cousine peut-être, ou vivant dans la maison sur l'île. Il comprit qu'il s'attendait presque à la voir revenir.

— Je ne crois vraiment pas en avoir le courage.

— Mais, Carl, il faut absolument que tu y ailles, lui dit Amanda sur un ton de reproche. Que vont penser les gens? Tiens, ajouta-t-elle en allant chercher dans la véranda une poignée de branches garnies de baies rouges. Je me suis dit que tu voudrais peut-être porter ça. Je sais, c'est pas vraiment des fleurs, mais en cette saison il ne faut pas se montrer trop difficile.

Ruth se hissa sur la pointe des pieds et tendit les bras.

— Joli, dit-elle. Joli.

— Non, non, mon cœur. Elles ne sont pas pour toi. Tu vois, il y a des épines.

Elle se piqua le doigt et une goutte rouge apparut. Elle la montra à Ruth comme si c'était un trésor.

— Holà, il a dit, et Frenchie s'est arrêté.

J'ai vu par-dessus le mur, là où il y avait toutes les pierres.

— Hop! a dit Rudy, et je me suis retrouvée dans l'air, et puis sur la neige.

La neige était dure comme des crackers. Il n'y avait pas de traces de pas dessus. J'ai glissé les pieds. J'essayais de pas la casser. L'homme qui était mon papa m'a laissée faire. Il ne m'a pas demandé de me presser. Il faisait des trous dans la neige avec ses cannes. Un trou, un pas. Un trou, un pas. J'ai regretté de ne pas avoir de canne.

On est passés devant les pierres grises sévères, et la pierre qui dormait, et celle avec le bateau. Je connaissais le chemin. Tante Mandy et moi, on était venues plein de fois. On a grimpé la côte, et puis on est redescendus de l'autre côté. On est allés à la pierre qui portait le nom de ma maman. Elle avait de la glace brillante partout dessus.

Il a dit « Mathilda », et j'ai compris qu'il parlait de ma maman.

J'ai regardé derrière la pierre, comme toujours. Tante Mandy aussi disait qu'elle était là, mais moi je ne l'ai jamais vue.

— Où elle est ?

Tante Mandy ne voulait jamais me dire, mais peut-être que lui il voudrait bien.

— Au paradis.

Encore cette réponse qui ne me servait à rien. Et il a pleuré.

J'ai pleuré aussi, parce qu'il pleurait.

— Alors pourquoi on va pas la chercher au paradis ?

Le paradis, c'était là où on vivait, avec Tante Mandy, avant que ma maman ne revienne jamais.

— Un jour tu iras, il a dit, mais pas avant très longtemps.

J'ai posé ma main sur la pierre glissante de glace. J'ai frotté ma moufle dessus, plusieurs fois. J'attendais qu'il dise qu'on ferait mieux de rentrer. Mais il est resté à genoux dans la neige.

— Pourquoi elle est allée au paradis ?

— Elle s'est noyée, Ruth. Elle est allée sous l'eau et elle n'a pas pu remonter.

Alors j'ai su que j'avais raison. Le paradis, c'était bien là où on vivait avant, parce que c'était là qu'il y avait l'eau.

— Elle m'a noyée aussi, j'ai dit. Le bébé n'arrêtait pas de pleurer.

— Quel bébé ?

— Le bébé de glace. Quand Tante Mandy ne nous a pas attendues.

— De quoi parles-tu ? Quand est-ce qu'Amanda ne vous a pas attendues ?

— Quand je me suis noyée.

Il pleurait et souriait en même temps.

— Ne t'inquiète pas, Ruth – il a essuyé les larmes sur sa figure et posé la main sur ma tête. Tu ne t'es pas noyée. Tu es bien là, avec moi.

J'étais là, mais lui il était pas là-bas. Alors qu'est-ce qu'il en savait ?

****

Lorsque Carl rentra du cimetière avec Ruth, il se remit au lit et n'en bougea plus. Chaque matin, Amanda ouvrait les rideaux, manifestant sa réprobation par les petits coups secs avec lesquels elle tirait sur le tissu.

— Prêt ? demandait-elle.

Mais le ton n'était pas celui d'une question.

Chose étonnante, au bout de quelques fois il fut prêt. À deux reprises dans la journée, matin et soir, elle repoussait sans cérémonie les couvertures, exposait Carl à l'air froid et nettoyait sa jambe blessée avec une efficacité rapide. Puis elle pliait la jambe, la tordait, la comprimait, la malaxait de ses longs doigts minces, jusqu'à ce qu'il glapisse de douleur.

— Par pitié, disait-elle, mords dans un oreiller si tu es vraiment obligé de faire autant de bruit. Tu vas effrayer Ruth.

Et, tout en enveloppant le contour du trou de linges enduits de miel, elle l'avertissait.

— Je suis bien forcée de continuer tant que tu ne le fais pas toi-même.

Il hochait la tête et promettait d'essayer, mais il ne voyait pas l'intérêt de se soigner. Tout ce qu'il pouvait faire, c'était rester assis sur une chaise à manger les œufs mollets et la soupe qu'elle lui apportait pendant qu'elle retapait ses oreillers et changeait ses draps, faisant claquer une fois ou deux le lin propre avant de le laisser se poser sur le matelas.

Elle lui faisait peur. Il savait qu'elle désapprouvait ce mariage, qu'elle ne le trouvait pas assez bien pour sa sœur. Certes, il avait tenté de l'amadouer avec le nichoir à oiseaux, mais ça n'avait pas marché, et Mattie avait pleuré en le rapportant de la gare à la maison. Il savait qu'elle ne voulait pas parler des circonstances de la mort de Mathilda, mais la douleur à la jambe lui donna la colère et l'audace de le faire.

— Amanda, dit-il un soir, alors qu'elle lui apportait ses médicaments, pourquoi est-ce que vous viviez sur l'île ?

Elle planta dans le sien son regard bleu et dur.

— Mais, Carl, c'était votre maison. Bien sûr, c'est là que Mattie a voulu vivre. Tu as pris tes médicaments ?

— Oui. Mais alors pourquoi l'a-t-elle quittée ? Où est-elle allée ?

Carl se redressa contre les oreillers pour se grandir.

— Tu sais, ce que je ne comprends pas, poursuivit-il sans laisser à Amanda le temps de répondre, c'est pourquoi elle aurait laissé Ruth. Pourquoi aurait-elle laissé Ruth dans la maison toute seule la nuit ?

— Ruth n'était pas seule, Carl. Elle était avec moi.

Elle se dirigea vers la fenêtre et tourna le dos à Carl. La vitre noire reflétait ses formes.

— Qui plus est, tu sais bien comme elle était casse-cou. Mattie prenait toujours des risques, elle faisait toujours des choses qu'elle n'aurait pas dû faire, des choses que je lui disais de ne pas faire. Elle a dû se dire que c'était une belle nuit pour aller patiner et n'a pas pensé à tester la glace. Ça lui ressemblerait assez.

Elle tira les rideaux et se retourna pour faire face à Carl.

— Elle portait ses patins, alors ? Quand on l'a retrouvée ?

Les lèvres d'Amanda laissèrent échapper un souffle exaspéré, sa main balaya l'air.

— Elle est morte, Carl. Quelle importance, maintenant ?

— Mais... je l'aimais – ce fut tout ce qu'il trouva à répondre. Pourquoi je n'aurais pas le droit de savoir ?

Il savait qu'il parlait comme un petit garçon, mais c'était plus fort que lui.

— Si tu l'aimais, tu devrais comprendre. L'amour fait faire des choses et après on se dit que si seulement...

Il y avait tant de rudesse et d'amertume sur le visage d'Amanda que Carl en fut effrayé, il serra la couverture contre sa poitrine.

— Mais après il est trop tard. On ne peut plus que regretter.

Son humeur changea et elle lui donna de petites tapes rapides sur les pieds, lui s'efforçait de les empêcher de trembler sous sa main.

— J'ai une chose qui va t'intéresser, je parie.

Elle quitta la pièce, mais, avant qu'il ait pu se détendre, elle était de retour.

— Voilà, fit-elle en ouvrant un album sur les genoux de Carl, là où ça appuyait sur sa jambe blessée. Regarde. C'était dans le journal. Tu devrais trouver ce que tu cherches.

En sortant, elle s'arrêta à la porte.

— Carl, dit-elle, je sais que tu regrettes de l'avoir laissée.

Puis il fut seul.

Les coupures de journaux lui semblèrent sans rapport avec sa Mathilda. Elles ne lui apprirent rien d'important, rien qui soit une explication. Mathilda disparaissant dans la nuit – pour lui, ça n'avait pas de sens. Et que voulait dire Amanda avec ses histoires de regret et des choses qu'on fait par amour ? Mathilda avait-elle commis un acte désespéré parce qu'il était parti ? Elle l'avait supplié de rester, mais c'était ce que faisaient toutes les épouses, et on ne les retrouvait pas toutes noyées. À l'approche de ce qu'il savait désormais être la fin de la vie de Mathilda, il n'avait pas reçu d'elle les lettres qu'il attendait, mais c'était la faute de l'armée, n'est-ce pas ? Non, il n'arrivait pas à l'imaginer se noyant par amour pour lui. Il faudrait qu'il pose davantage de questions à Amanda, un jour où elle serait de meilleure humeur et où il se sentirait plus fort. Peut-être, songea-t-il, somnolent à demi, peut-être était-ce une autre femme qu'on avait retrouvée gelée. Peut-être que demain, ou après-demain, ou après-après-demain, Mathilda reviendrait.

Elle se tiendrait juste là, dans l'embrasure de la porte, et elle aurait l'air... oui, quel air aurait-elle ? Il avait été si longtemps éloigné d'elle, déjà, que sa mémoire avait perdu l'éventail de ses expressions. Il ne lui en revoyait que quelques rares – des visions fugitives de son visage qui l'avaient frappé, sans raison particulière. Il revint en arrière dans l'album : Mathilda penchée sur Ruth, encore bébé, avec un sourire d'adoration ; Mathilda à la fois fière et amusée, les chevilles sagement croisées, posant pour leur photo de mariage ; Mattie et ses cheveux raides qui s'échappaient de ses tresses, la troisième à partir de la gauche sur une photo de classe ; Mattie, toute petite, sur les genoux de son père. Il survola une poignée de clichés que personne n'avait pris la peine de coller, serrés entre les pages et la couverture de l'album. Sur l'un d'eux, Mattie et Amanda étaient assises dans la véranda. Mattie ne regardait pas l'objectif, elle plissait les yeux comme un chat, on aurait dit qu'elle essayait de distinguer une forme dans le lointain. Carl se figura que c'était lui qu'elle regardait par-delà le bord de la photo.

Il n'aurait pas dit d'elle qu'elle était casse-cou. Impulsive, peut-être. Volontaire, sûrement. Et résolue. Après avoir accepté de l'épouser, elle avait été impatiente de se marier, il s'en souvenait. Mais jamais elle ne perdait la tête. Il n'arrivait pas à l'imaginer se promenant sur une fine couche de glace au beau milieu de la nuit. Pourtant, en refermant l'album, Carl songea qu'au cours des deux années écoulées il avait vu des gens faire beaucoup de choses inimaginables. On ignorait de quoi ils étaient capables, parfois. Quoi qu'il en soit, elle n'était plus là. Il ne la reverrait pas. Il enfouit sa tête dans l'oreiller et attendit son rêve.

La blessure de Carl intéressait Amanda. C'était le genre de blessure qu'elle n'avait pas rencontré souvent à l'hôpital, le genre qui s'arrangerait malgré l'infection qui avait ralenti sa guérison. Ce qu'elle n'avait pas prévu, c'était qu'il ne voudrait pas guérir, mais peu importait. Le corps n'en continuait pas moins son œuvre, il se purifiait de son pus, il cicatrisait. Sans lui demander son avis.

Dans la journée, Ruth rôdait près de la chambre de Carl, curieuse comme une chatte. Souvent, il ouvrait les paupières et voyait son visage pressé dans l'entrebâillement de la porte, les yeux fixés sur lui. Une fois sûre d'avoir été vue, elle se sauvait en courant.

Elle se mit à lui apporter des petits bouts du monde extérieur, qu'elle installait au pied de son lit quand elle le croyait endormi : une noix de galle du chêne, trois pommes de pin, une pointe prélevée sur la voie ferrée, une plume de cardinal. Elle rusait pour l'attirer dehors.

— Où as-tu trouvé ça ? lui demandait-il.

Au début, elle ne répondait rien. Ensuite, elle dit :

— Dehors.

Puis, enfin :

— Tu veux aller dehors ?

— Non.

Mais, finalement, par une de ces journées où le printemps s'engouffre dans une faille de l'hiver, un jour où le ciel était d'un bleu tendre, où l'eau se précipitait dans les rigoles, il changea d'avis. Depuis son lit, il observait Ruth qui courait et glissait dans l'herbe trempée de neige fondue du jardin, pourchassant les canards et les oies, les bras grands ouverts. Spontanément, il attrapa une de ses cannes et tapa contre le carreau. Surprise, la fillette se tourna vers la fenêtre. Il lui fit un signe et elle le lui rendit, sans s'arrêter de courir. Alors, sans qu'il sût comment, mais ça n'avait rien de bien étonnant, ma foi, le sol était glissant, irrégulier, et les membres de la petite pas encore bien coordonnés, elle perdit l'équilibre et chuta brutalement.

Sans réfléchir, il se retrouva debout, mais alors l'essaim noir du vertige lui brouilla la vue, et il retomba aussi vite sur son lit. Le malaise passa, et il se releva avec peine. Titubant, vacillant, pesant de tout son poids sur ses deux cannes, Carl réussit néanmoins à sortir pour aller secourir sa petite fille. S'il s'attendait à la trouver en larmes sur le sol, c'est qu'il ne connaissait pas Ruth. Bien avant qu'il ne parvienne à se lever, elle avait déjà foncé sur le canard qui se dandinait vers elle, curieux de voir quel genre de créature pouvait bien faire un plouf pareil. Le large sourire de Ruth, avec ses dents de lait toutes blanches au milieu de la boue qui lui couvrait la figure, fut la dernière chose que vit Carl : une canne glissa sur la droite, l'autre sur la gauche, et il se retrouva étalé de tout son long, en chemise de nuit, dans la neige fondue, avec Ruth au-dessus de lui, enchantée du bon tour qu'il venait de jouer.

— Qu'est-ce tu fais, Papa ? Qu'est-ce tu fais ?

Amanda éclata de rire quand elle les découvrit, trempés et dégoûtants, à la porte de derrière, mais bien vite elle pinça les lèvres. Après tout, Carl devait prendre conscience du surcroît de travail qu'il provoquait en faisant le fou avec Ruth. Ce n'était pas le jour du bain, et pourtant elle allait devoir chauffer l'eau ; vu l'état de leurs vêtements, il lui faudrait trimer toute une matinée au-dessus du baquet, et elle doutait même que ce fût suffisant pour ravoir le manteau de Ruth.

À partir de là, chaque jour Carl et Ruth sortirent jouer ensemble. Amanda vaquait à ses occupations et, mi-charmée, mi-irritée, les trouvait en train de fabriquer des anges de neige ou d'organiser des courses de bouts de bois dans l'eau glaciale de la rigole. Elle devait admettre que, tout compte fait, avoir Carl à la maison n'était pas si désagréable, bien qu'il ne fût pas d'un grand secours dans les tâches quotidiennes. S'il restait jusqu'à la fin de l'automne, elle pourrait remettre la ferme sur pied, après quoi, libre à elle d'engager un autre homme au printemps suivant.

— J'emmène Ruth en ville aujourd'hui, annonça-t-elle un matin d'avril, au petit déjeuner. À moins que vous n'ayez d'autres projets, tous les deux.

— Eh bien, on allait commencer à construire notre cabane, mais ça peut attendre cet après-midi, répondit Carl en se resservant du café.

— Tu pourrais aider Rudy à réparer cette charrette.

— D'accord. Tu passeras prendre le courrier ?

— Comme toujours.

****

Dans le bureau de poste, Ruth attendait patiemment le chocolat chaud promis par Amanda et s'amusait à passer la main dans les grains de poussière d'un rayon de soleil. L'air était froid et humide à l'intérieur, il sentait le bois et la colle.

— Le printemps arrive, déclara joyeusement Ramona Mueller, la postière.

Elle disait ça à tous ceux qui entraient ce jour-là. C'était sympathique et sans risques.

— J'espère bien, répondit Amanda.

Ramona fut satisfaite. La plupart des gens répliquaient quelque chose dans ce goût-là.

Amanda ramassa un vieux prospectus et le plia en accordéon en attendant que Ramona passe en revue le tas de courrier derrière son guichet.

— Il paraît que Carl va mieux.

— Oh oui, beaucoup mieux, merci.

— Il a de la chance que tu l'aides à s'occuper de Ruth.

Amanda s'empourpra. Elle? Aider Carl à s'occuper de Ruth? Alors c'était comme ça qu'ils voyaient la chose? Mais ce n'était pas du tout ça.

— Une fille a besoin d'une mère, finit-elle par répondre.

Pendant cet échange, Ruth s'était appliquée à suivre une unique latte du plancher, posant soigneusement un pied derrière l'autre, et elle était arrivée à la vitre basse sur la façade du bureau de poste. Une automobile remontait lentement la rue. L'expérience de Ruth en matière de véhicules à moteur était limitée, elle n'en avait encore jamais vu comme celui-ci, avec un siège spécial derrière pour rouler à reculons. Quand la voiture s'arrêta, le garçon assis sur ce siège se leva, fléchit les genoux et sauta par terre, son manteau déboutonné flottant dans son dos comme une cape. Puis, tout en astiquant l'aile d'un noir brillant avec sa manche, il attendit près de la voiture que l'homme qui conduisait en fasse le tour. Ensemble, ils gravirent les marches du bureau de poste, et Ruth se dépêcha de rejoindre Amanda.

— Je crois que c'est tout, dit Ramona en posant un petit tas de catalogues et de factures sur le guichet. Pas de lettres aujourd'hui.

Amanda mit le courrier dans son panier et, prenant Ruth par la main, se tourna vers la porte. À ce moment précis, celle-ci s'ouvrit à la volée, laissant entrer une bouffée d'air frais et printanier. Le cœur d'Amanda se grippa, comme s'il allait s'arrêter de battre, là, au beau milieu du bureau des postes fédérales.

L'homme qui se tenait dans l'encadrement de la porte lui fit un petit sourire, un tremblotement aux commissures des lèvres, des yeux qui se plissaient affectueusement, comme si elle et lui étaient complices de la même plaisanterie.

— Amy, dit-il.

Dans sa confusion, elle fixa le sol un moment. Puis elle finit par s'en remettre aux convenances et donna une légère poussée à Ruth, pour la placer entre elle et l'homme.

— Dis bonjour à Mr. Owens, Ruthie.

— Bonzour, fit Ruth, docile, mais en s'adressant au garçon.

Il était plus âgé qu'elle, ce qui aurait suffi à le rendre intéressant, mais c'était autre chose qui la fascinait : il portait des lunettes, toutes petites, à la taille de son visage, et toutes rondes. Ruth n'avait jamais pensé que les enfants pouvaient porter des lunettes. Elle eut envie de les essayer. Est-ce qu'on voyait des choses différentes derrière des lunettes ?

Le garçon baissa les yeux vers elle à travers ses carreaux cerclés d'or.

— Salut, dit-il en tendant la main d'un air important. Je m'appelle Arthur.

— Clement Owens, cria la postière depuis son guichet. Tu as tellement de courrier que je sais même plus où le mettre.

— Justement, je suis là pour le prendre, répondit-il, mais sans bouger de la porte. J'espérais bien tomber sur toi un jour ou l'autre, Amy. Il faut que je te remercie.

Amanda le dévisagea.

— Tu m'as raconté tellement de choses magnifiques sur cet endroit que je suis venu voir par moi-même. Et maintenant je me fais construire une maison de vacances au nord de la ville. Comme tu vois, je profite déjà du bureau de poste. J'ai un terrain splendide : exposé plein sud, avec une belle vue sur toute la partie ouest du lac. Tu devrais venir voir ça un de ces jours. Je crois que ça te plairait. Attends qu'on ait monté les murs, quand même. Là, tu pourras vraiment te rendre compte.

Les oreilles d'Amanda bourdonnaient – pression sanguine, se dit-elle, clinique. Mais qu'est-ce qu'il racontait ? Tout à coup elle comprit qu'elle se fichait de ce qu'il disait, tout ce qu'elle voulait c'était partir, loin, ne jamais l'avoir vu et ne jamais le revoir. Elle fit un petit pas de côté, presque comme pour indiquer qu'elle risquait de le bousculer dans sa fuite.

Son attitude intrigua Clement. Ils ne s'étaient pas quittés en si mauvais termes, non ? Et, même, ce qui s'était passé avant compensait, non ? Ils étaient si heureux l'un de l'autre – ça, il s'en souvenait très nettement. Il se rappelait son sourire si prompt et radieux, le plaisir timide avec lequel elle l'autorisait à lui prendre le bras. Elle ne pouvait pas avoir changé à ce point, non ? Qu'est-ce qui l'empêchait de se montrer amicale envers lui dans un lieu public ? Puis ça lui revint.

— Amy, dit-il en posant une main sur son épaule. Je suis vraiment désolé pour ta sœur.

Elle se dégagea avec brusquerie, se débarrassa de sa main. Tête baissée, elle le frôla et franchit presque en courant la porte qu'il tenait toujours ouverte. Elle dévala l'escalier, traînant Ruth derrière elle, si vite que les pieds de la fillette touchaient à peine les marches. Elles volèrent jusqu'au bas de la rue, passèrent devant la voiture dans laquelle était assise une femme en manteau bleu canard. Elles tournèrent le coin de la rue, toujours au pas de course, sans ralentir, sans s'arrêter, jusqu'à l'écurie où elle avait laissé le boghei.

— On a oublié le chocolat chaud, dit Ruth, inquiète, tandis que sa Tante la plantait sur le siège.

Amanda ne répondit pas.

****

Lorsqu'il entendit les hurlements provenant de la maison, Carl était en train de gravir le sentier qui serpentait à travers bois jusqu'au lac. Il se mit à courir, claudiquant du mieux qu'il pouvait en haut de la dernière côte. Malgré la fraîcheur de l'air, il était en nage, et quand il fit enfin irruption dans la maison, à bout de souffle, ses jambes flageolaient.

Dans la cuisine, Ruth pleurait en claquant des dents et se démenait pour sortir de son bain. Ses petites mains agrippaient le baquet de métal ; hissée sur la pointe des pieds, elle tentait de passer la jambe par-dessus le bord. C'était un spectacle pitoyable. Il la saisit dans ses bras et l'enveloppa comme il put dans un torchon qui pendait près de l'évier. Il la serra contre lui jusqu'à ce qu'elle cesse de pleurer, puis l'assit sur sa hanche et se dirigea vers sa belle-sœur, qui, pendant tout ce temps, regardait par la fenêtre et se balançait doucement en se tenant les poignets.

— Amanda, mais qu'est-ce qui se passe, ici ?

Elle se tourna vers lui et sourit.

— Tu vois ? Je te l'avais dit. Elle n'est pas noyée.

Elle tendit les mains pour lui prendre Ruth mais, après une hésitation, il préféra la garder dans ses bras.

— Donne-la-moi ! exigea-t-elle avant de répéter d'une voix hystérique et stridente : Donne-la-moi !

Comme Carl refusait toujours de lâcher l'enfant, elle lui tordit le bras et martela de ses poings l'épaule qu'il tournait vers elle.

— Mattie est à moi ! hurlait-elle. Mattie est à moi ! Rends-moi Mattie ! Mattie est à moi !

— Arrête ! Bon sang ! Arrête de te comporter comme une folle !

Il emporta Ruth, courut avec elle à l'étage et ne ralentit qu'une fois en haut de l'escalier, lorsqu'il fut clair qu'Amanda ne les suivait pas. Une demi-heure plus tard, quand il redescendit après avoir endormi la fillette, sa belle-sœur n'était plus dans la cuisine.

Il parcourut toute la maison, ouvrit les portes, appela doucement son nom.

— Amanda, chuchota-t-il devant sa chambre.

N'obtenant aucune réponse, il hésita puis, timidement, poussa un peu la porte entrebâillée et jeta un œil à l'intérieur. La pièce était vide. Avec un mélange de curiosité et de remords, il entra.

Amanda avait adopté la chambre qu'occupaient ses parents de leur vivant. Elle était assez grande pour avoir trois fenêtres, deux sur le mur qui surplombait le jardin d'agrément, désormais réduit à une large bande de boue noire – il faudrait qu'il cultive ça rapidement –, et la troisième qui attrapait la lumière de l'après-midi. Les trois fenêtres étaient hautes ; la vitre commençait sous les genoux de Carl. On avait le vertige quand on en approchait trop. Ses yeux plongèrent vers le sol en contrebas, mus par une idée soudaine, terrible – mais non, les fenêtres étaient fermées.

Sur le plateau de la coiffeuse, agrémenté d'un napperon, était posé un nécessaire de toilette en argent ; le dos de la brosse à cheveux était marqué des initiales de la mère d'Amanda. À côté, dans un cadre ovale, le portrait d'une fillette raide et solennelle, les genoux enfouis sous une écume de dentelle de baptême, d'où le visage d'un nourrisson jetait un œil furtif.

Carl eut envie d'ouvrir un des tiroirs, mais il n'osa pas. S'il touchait à quoi que ce fût, elle s'en apercevrait ; il en était sûr. Il regarda rapidement par-dessus son épaule, vers la porte, mais rien ne bougeait dans la maison.

Au début, il crut qu'elle était sortie se calmer ; il ne s'inquiéta pas davantage et essaya de passer l'après-midi ainsi. Il nettoya le baquet, épongea l'eau sur le sol. Il joua avec Ruth quand elle se réveilla. Il fit la traite du soir. Mais, comme elle ne revenait toujours pas, il avait du mal à se concentrer. Où était-elle ? Finalement, à la tombée du jour, il demanda à Rudy de garder Ruth et partit à la recherche d'Amanda.

À la hâte, il fouilla l'étable, le poulailler et la cave à légumes, haussant sa lanterne dans les coins. Il frappa à la porte des cabinets. Il espérait la trouver dans un endroit normal, sans y croire vraiment, mais il avait besoin de se dire qu'il cherchait avec minutie, avec méthode, et il était logique de commencer par les éventualités les plus proches et les plus raisonnables. Pour finir, il partit vers le lac avec une terrible appréhension.

Il faisait froid, assez froid pour qu'il regrette de ne pas avoir de gants ; tout en marchant, il changeait la lanterne de main et glissait celle qu'il avait libérée dans sa poche. Une fois à mi-chemin, il se mit à courir comme il put sur le sol noir et noueux, dévalant à tâtons le sentier qu'il s'était dépêché de gravir l'après-midi même.

Enfin il sortit des arbres. Le lac, qui, quelques jours auparavant, se dépouillait des ultimes fragments déchiquetés de la glace hivernale, étalait sous ses yeux ses vaguelettes noires. Eh oui, si incroyable que cela parût, Amanda était bien là, presque comme il se l'était imaginée en courant dans les bois. Mais elle ne flottait pas, elle se tenait debout, de l'eau jusqu'aux épaules, et sa tête se détachait dans le ruissellement blafard du clair de lune. Carl se précipita dans une gerbe d'écume, sans s'arrêter pour poser la lanterne, il dut la jeter à l'eau lorsqu'il atteignit sa belle-sœur et voulut l'attraper à deux mains. Il la traîna vers le rivage, il avait du mal à garder l'équilibre, surtout depuis que le froid de l'eau lui avait engourdi les pieds, remontant dans ses jambes. Depuis combien de temps était-elle là ? Qu'avait-elle en tête ?

— Amanda ! Qu'est-ce que tu fais ? Mais qu'est-ce que tu fais ? ne cessait-il de répéter bêtement.

Elle ne répondit rien, mais ne résista pas non plus. Quand l'eau se fit moins profonde, il se rendit compte qu'il la portait et qu'il allait devoir continuer. Elle ne pouvait pas, ou ne voulait pas soutenir son propre poids.

****

— Visiblement, elle est en hypothermie, dit le médecin. Et je suis sûr qu'elle a des engelures aux pieds et aux doigts, mais je crois que ça va aller.

Il lança à Carl un regard entendu.

— C'est plutôt la tête qui m'inquiète.

— Oui, opina-t-il énergiquement, soulagé que le docteur l'eût remarqué. Il y a quelque chose qui ne tourne pas rond chez elle, n'est-ce pas?

Le médecin conseilla Saint Michael.

— Un peu de repos lui fera le plus grand bien.

4.

En avril 1920, quand Ruth eut quatre ans, sa Tante Mandy partit.

Les gens disaient :

— Ça ne m'étonne pas le moins du monde.

Sur Cottonwood Drive et Maple Avenue, dans le magasin de tissus et chez le boucher, à la banque, dans la taverne transformée en salon de thé, au bureau de poste, ils étaient tous d'accord : même petite, Amanda avait toujours été un peu bizarre.

— La fois où je leur ai porté cette grosse salade de pommes de terre, dit Mrs. Alberti à Mrs. Zinda par-dessus son café, il y a des années de ça, bien sûr, Lucy allait bientôt avoir cette pauvre Mattie. Eh bien, c'est Amanda qui est venue m'ouvrir – elle devait avoir sept ou huit ans seulement, un petit bout de chou à l'époque. J'allais porter ma salade de pommes de terre à la cuisine et passer voir Lucy, tu vois, mais la petite m'a arraché le plat des mains. Il était si lourd que les os saillaient de ses poignets maigrichons. Et la voilà qui me dit « Merci beaucoup » et, avec le pied, elle me referme la porte sur la figure. Ça dépasse les bornes, non ? Je me souviens pas d'avoir jamais récupéré mon plat. C'était le beau carré. Tu sais, celui avec le couvercle. Je crois que t'en as un comme ça.

— Tu te rappelles comment elle était l'année où Lucy et Henry ont été malades ? fit Trina Eschinger. Jeter sa propre sœur dehors, comme ça, avec le bébé. Et puis partir en courant dès que les vieux sont morts.

Oui, Amanda avait toujours été une fille bizarre. Ça ne les étonnait pas le moins du monde.

Amanda

Si seulement j'avais pu faire qu'elle reste toute petite et secrète, mais non, elle n'en a pas voulu de ma sombre cachette. Il a fallu qu'elle sorte au grand jour, au vu et au su de tout le monde, et voilà ce qui est arrivé.

C'est toi, et en même temps ce n'est pas toi – c'est ça l'ennui avec un bébé. Et il n'arrête pas, il grossit et grossit, monstrueux. Il n'y a rien à faire. On n'est pas de taille à lutter contre ça. Ça vient plus tard.

J'étais si heureuse ces mois-là, sur le canapé, avec Maman rien qu'à moi, à attendre l'arrivée de Mathilda. Blottie sous son bras, je l'écoutais lire et j'attendais le toc-toc-toc de la canne de Pew l'aveugle, le rire léger des fées Primevère et Persil. Elle savait faire toutes les voix. On faisait une robe de bal à Suzanna, ma poupée, dans un pli du châle de Maman. Maman connaissait tous les endroits intéressants pour une poupée et ce qu'elle dirait une fois arrivée. Parfois, on regardait le portrait de mon frère Randolph, il était mort de diphtérie juste après ma naissance et il avait trois ans pour toujours. La photo avait été prise avant l'enterrement, et Maman avait engagé un artiste pour peindre des yeux ouverts sur ses yeux fermés, mais elle me disait qu'ils n'étaient pas comme ses vrais yeux. D'autres fois, elle se mettait au piano et on chantait le plus fort qu'on pouvait, pour que Rudy et Papa nous entendent dans le pré d'en bas.

Tous les jours, quand je partais à l'école, Maman était sur le canapé du salon. Je m'agenouillais à côté d'elle et elle coiffait en nattes serrées mes cheveux indisciplinés. Et quand je rentrais à la maison, elle était toujours à la même place, juste comme je l'imaginais. Les bras ouverts, attendant que je me penche tout près d'elle, que je lui brosse les cheveux, lui dessine un minuscule cœur avec de l'encre sur le bras ou parie avec elle quelle bille j'allais toucher. Attendant que je dessine les vêtements en papier qu'elle découperait pour mes poupées de carton, que j'aille nous chercher du lait et des tartines de sucre brun à la cuisine. Elle était là, tout entière, rien qu'à m'attendre.

Elles essayaient bien d'entrer, ces femmes, avec leur rhubarbe, leurs gâteaux et leurs salades de pommes de terre. Elles la voulaient aussi. Mais moi je ne les laissais pas faire. Elle était à moi, rien qu'à moi.

****

— Tu sais qu'Amanda Starkey est chez les fous ? demanda Ramona Mueller à Clement Owens lorsqu'il repassa chercher son courrier.

— Les fous ?

— Mais oui, tu sais, à Saint Michael. Vous aviez l'air de vous connaître, alors j'ai pensé que ça t'intéresserait.

Elle le regarda, l'air d'attendre quelque chose, prête à répondre à ses questions, mais il la déçut.

— Dommage.

Il ne dit rien d'autre quand il lui prit des mains le tas d'enveloppes.

La nouvelle tracassa Clement. Il regretta que la postière ne l'ait pas gardée pour elle. Mais, après tout, qu'est-ce que ça pouvait faire ? Il n'avait plus rien à voir avec Amanda. Debout près de sa voiture, il ouvrit les enveloppes avec un canif – un de moins bonne qualité puisqu'il avait perdu le bon, celui avec l'étui en argent marqué de ses initiales.

La folie avait-elle toujours été là, sous le sage uniforme de l'infirmière ? Elle semblait si transparente à l'époque, on lisait ses sentiments comme dans un livre ouvert, elle rougissait vite, riait facilement. Les choses les plus simples la stupéfiaient : une coupe de champagne, un bouquet de violettes. Et, pendant tout ce temps, c'était la folie qu'elle cachait. Elle s'était montrée à lui sous un certain jour, et voilà qu'elle en révélait un autre. Il actionna la manivelle de la voiture, monta et claqua violemment la portière. Eh bien, ce n'était pas comme ça qu'elle allait s'attirer sa pitié.

Il resta assis un moment, à écouter le ronflement apaisant du moteur. Après tout, ç'avait dû être dur pour elle. Tous ces morts, les parents, la sœur. N'importe qui aurait craqué.

Amanda

Je n'en ai pas dit assez, je le vois bien. J'ai cru pouvoir omettre cet épisode, le laisser retomber en silence dans la fange à laquelle il appartient, mais on dirait que c'est impossible. Les gens veulent tout savoir, n'est-ce pas ? Détailler chaque bandage, chaque broche, chaque repli de la cicatrice. Il ne leur suffit pas de l'effleurer du doigt ni même de voir le couteau entailler la peau, il faut qu'ils entendent la lame ronronner sur la pierre à aiguiser. Eh bien, soit. S'il le faut.

On s'est rencontrés parce que le soldat Buckle délirait. Pauvre soldat Buckle – il n'était même pas arrivé à destination, il avait juste atteint le camp Grant quand l'armée lui avait découvert une claudication et l'avait renvoyé chez lui. Mais il n'avait pas fait deux cents kilomètres qu'une fièvre l'avait arrêté. Alors il était là, à l'hôpital, et il délirait : il agitait les bras, donnait des coups de pied, sa tête fouettait l'oreiller, et il disait des choses terribles.

J'avais d'horribles difficultés avec lui. Je posais une compresse sur son front, il l'arrachait. J'arrivais à maintenir ses bras, c'étaient ses jambes qui démarraient.

Évidemment, j'étais occupée, je n'ai donc vu l'homme que lorsqu'il est apparu de l'autre côté du lit du soldat Buckle et lui a tenu les pieds pendant que je bataillais avec la tête. Il avait une peau qui tirait sur le rouge, on aurait presque dit que son corps n'arrivait pas à contenir tout ce sang, et ses mains autour des chevilles du malade étaient très larges et solides. Il m'a adressé un sourire rassurant et puis, je ne sais comment, il est lentement remonté depuis les pieds, a fait des petits cercles avec ses mains en parlant tout bas et a réussi à calmer le soldat Buckle, presque à l'hypnotiser.

Et quand le soldat n'a plus que trembloté sous son drap, la compresse collée au front, le souffle calme, le rythme cardiaque régulier, il a dit :

— Et voilà.

Je lui ai demandé :

— Vous êtes un nouveau médecin ?

— Un médecin ? Oh non !

Il a éclaté de rire. Et juste à ce moment-là le docteur Nichols est entré dans la salle.

La vue du directeur m'a mise mal à l'aise. On ne nous avait jamais dit explicitement de ne pas laisser les étrangers toucher aux malades, mais j'étais sûre que l'hôpital n'encourageait pas ce genre d'initiative. Pourtant le docteur Nichols a souri. Il a donné une claque dans le dos de l'homme en disant :

— Qu'est-ce qui t'amène, Owens ?

Ils se sont serré la main et sont partis ensemble.

Plus tard, cet après-midi-là, je buvais mon café en mangeant un gâteau à l'anis à la cafétéria, quand l'homme a reparu.

Il a posé une boîte marron sur ma table et annoncé :

— Ceci va révolutionner la médecine.

Il a tiré une chaise et l'a retournée d'un coup, de façon à pouvoir s'asseoir à l'envers, les coudes sur le dossier canné.

— Qu'est-ce que c'est ?

De toute évidence, j'étais censée poser la question.

— C'est une boîte à vide. Vous placez vos instruments à l'intérieur, scalpels, ciseaux, aiguilles, tout ce que vous voulez.

Il a laissé tomber ma cuillère dans la boîte.

— Puis vous la fermez hermétiquement, comme ceci.

Il a actionné une manette qui ressemblait au crampon de fermeture d'un bocal de cornichons.

— Et puis vous créez le vide pendant trente secondes.

Il a appuyé sur un interrupteur et une petite lumière rouge s'est allumée sur la boîte.

— Comme ça, vous savez que ça fonctionne. Et après, quand vous ressortez vos instruments, ils sont parfaitement stériles.

— Un bon coup de chiffon et un peu d'alcool ne feraient pas aussi bien l'affaire ?

J'ai repris ma cuillère et l'ai essuyée avec ma serviette.

— Vous devez comprendre la science. Vous voyez, quand on enlève les molécules d'air, les microbes ne peuvent pas coller au métal. L'effet dure beaucoup plus longtemps que si on l'avait frotté avec de l'alcool – c'est prouvé – et on ne risque pas de le recontaminer avec un linge sale.

Il était tellement sûr de lui, tellement enthousiaste, presque comme un enfant.

— Alors, on va commencer à utiliser ces boîtes ici ?

— Oh! vous savez, ils vont encore faire toutes sortes d'expériences, mais je suis sûr que ce n'est qu'une question de temps.

Il a caressé la boîte avec tendresse.

J'ai fini par dire :

— Je crains de ne pas avoir compris votre nom, ce matin. Owen, c'est ça ?

— Non, Owens, c'est mon nom de famille. Mon prénom, c'est Clement.

Alors je lui ai dit mon nom en lui tendant la main, et il l'a secouée un peu trop énergiquement.

Il a proposé d'aller me chercher un autre café mais, pendant qu'il était au comptoir, je me suis rendu compte que ma pause était terminée depuis cinq minutes déjà. Pas le temps de faire des excuses, je me suis dit. En me précipitant vers la porte, je l'ai vu préparer une pleine assiette de cookies, boudoirs, biscuits glacés au citron, plus d'autres gâteaux à l'anis. On n'allait sans doute jamais se revoir.

On s'est rencontrés à cause du soldat Buckle, et ensuite j'ai tué mes parents. J'en ai déjà parlé ? Non, je ne crois pas. Bien sûr, je n'avais pas l'intention de les tuer mais, quand il est question de mort, l'intention, est-ce si important ?

Je les ai tués parce que je me sentais un peu fatiguée et que je souffrais d'une petite toux persistante. Comme je me pensais surmenée et que je manquais de sommeil, je suis venue à la maison pour une petite visite – juste quelques jours, histoire de me détendre à la campagne pendant la saison du maïs et des framboises. De la ville, j'avais rapporté un ruban fantaisie, deux boîtes de chocolats et un cadeau mortel de la part du soldat

Buckle. J'ai transmis la grippe à ma mère, qui l'a donnée à mon père – à moins que ce ne soit l'inverse.

Quand j'ai vu la fièvre sur les joues de ma mère, j'ai dit à Mathilda d'emmener Ruthie sur l'île, encore qu'à mon avis il était déjà trop tard.

Elle a dit :

— Mais on se sent tellement seul là-bas.

Je lui ai répondu :

— Il vaut mieux être seul que mort.

Il fallait être efficace, directe, c'était important.

— Pense à Ruthie.

J'étais une bonne infirmière, je l'ai dit, et j'ai usé de toute ma pratique. J'ai suivi les ordres du docteur à la lettre, même si je n'avais pas besoin d'instructions ; je connaissais le traitement. Je leur desserrais les lèvres avec des cuillerées de thé au miel et de bouillon de poule, pour leur donner des forces. Je les gavais de quinine à huit heures, à midi, à quatre heures, et encore à huit heures, nuit et jour. J'ouvrais les fenêtres de leur chambre pour aérer. Je bordais les couvre-lits bien serré pour les faire transpirer. Je changeais les draps deux fois par jour, plus quand le sang qui leur coulait du nez a commencé à tacher les taies d'oreillers.

— Mathilda ? disait ma mère alors que je lui baignais le visage avec un linge chaud.

Je lui assurais qu'elle verrait Mathilda plus tard, quand elle irait mieux.

— Où est Mattie ? réclamait mon père en arrachant les couvertures.

J'essayais de leur expliquer, pour la contagion, de leur dire qu'elle était en sécurité avec Ruth, qu'ils la verraient quand ils seraient rétablis. Mais la fièvre les faisait délirer. Ils refusaient de comprendre.

— Mathilda, ils appelaient. Mattie !

Pour finir, quand le manque d'air a fait virer leur peau au bleu pâle, j'ai joué la comédie.

— Oui, Maman. Oui, Papa, je disais. Je suis là.

Alors ma mère souriait. Mon père se détendait dans un soupir. Ils étaient réconfortés.

Je me demande maintenant si, après ça, je n'ai pas pensé que, dans une certaine mesure, je pouvais être Mathilda. Je me demande si je n'ai pas pensé que je pouvais au moins jouer à être elle, avec son charme et son audace. Si c'est le cas, je n'aurais pas dû. Bien sûr, à l'époque je n'y pensais pas du tout. Je ne voulais que soulager leur souffrance, les aider à guérir, être une bonne infirmière.

J'ai tout fait comme il fallait. Tout. Mais ça n'a servi à rien. Ils m'ont échappé. Les poumons pleins de liquide, ils se sont noyés dans leur lit, ma mère d'abord, mon père ensuite. Je n'ai pas pu les retenir.

Mathilda et moi, on a enterré nos parents un jour d'été indien, dans le cimetière de Nagawaukee, sous le rouge criard des érables à sucre moqueurs. Les voisins et les amis avaient passé toute la matinée avec nous, mais, sur le chemin du retour, l'un après l'autre leurs bogheis ont emprunté d'autres routes, et puis il n'y a plus eu personne, ni devant ni derrière, et on s'est retrouvées seules. Je suis descendue à la barrière, me suis escrimée sur le nouveau loquet.

— Regarde, comme ça, a dit Mathilda en me rejoignant.

Elle avait les yeux si rouges et si bouffis qu'elle y voyait à peine, pourtant, la barrière s'est ouverte sans difficulté sous ses doigts. La maison et la ferme étaient devenues les siennes pendant mes nombreux mois d'absence.

Je savais exactement ce qu'il y avait dans la cuisine, puisque j'avais réceptionné chaque plat à la porte. Il y avait du pain blanc, du pain complet et du pain noir. Il y avait de la salade de pommes de terre chaude, de la salade de pommes de terre froide, du gratin de pommes de terre et des patates douces. Il y avait du chevreuil, du bœuf en conserve, un jambon, une dinde, deux poulets et un canard. Il y avait de la langue, des saucisses, du boudin blanc, du boudin noir et du saucisson. Il y avait des petits pains, des confitures de cerises, du chou-fleur à la crème, des poireaux à la crème, de la purée de maïs, des carottes au sucre, de la choucroute, des betteraves au vinaigre, de la tarte aux pommes, de la tourte à la citrouille et du gâteau de tapioca. La porte de la glacière fermait à peine, dans un équilibre précaire, saladiers et assiettes débordaient de la table de la cuisine, ils s'entassaient sur le plan de travail, sur chaque chaise. Une douzaine de poires, une tarte à la rhubarbe et un bocal de tomates s'étaient introduits dans le salon ; trois fromages et une boîte de cookies au sirop s'étaient réunis sur le divan de ma mère, dans la pièce du fond.

J'ai demandé :

— Quelqu'un veut un sandwich ?

— Oh, tu n'as qu'à tout jeter ! a crié Mathilda. Comment peux-tu supporter de voir ça ?

Et elle a couru à l'étage en sanglotant. Rudy, Ruth et moi, on ne s'est pas regardés.

— Je parie que Ruth a faim, n'est-ce pas, mon cœur ?

Mais l'attitude de Mathilda l'avait toute chamboulée. Elle a fondu en larmes et suivi sa mère.

J'ai dit :

— Mange quelque chose, Rudy. Ça n'a pas de sens de laisser perdre tout ça.

Mon père n'aimait pas qu'on gaspille la nourriture. Il suçait la moelle des os. Il mangeait la peau, les tendons, les cartilages, et on devait faire pareil. On n'avait pas le droit de « gâcher notre dîner » en mangeant entre les repas ; pourtant, un jour, j'avais sept ans, j'ai eu tellement faim que j'ai ouvert la glacière. Je me disais que le seul fait de regarder la nourriture soulagerait mon estomac. Dans un coin, au fond, derrière la viande et le beurre, il y avait une petite tasse qui contenait une matière épaisse, riche et blanche. Une semaine ou deux auparavant, ma mère avait fait un flan à la vanille si sucré et crémeux que j'avais léché ma cuillère jusqu'à avoir un goût d'argent dans la bouche. Est-ce qu'on avait oublié cette part-là ? Et, si on l'avait oubliée, qui s'apercevrait que j'en avais pris un tout petit peu ?

J'ai tendu la main tout au fond, à l'intérieur de la glacière, passé doucement mon doigt sur la surface lisse et prélevé une infime portion de cette blancheur pour la porter à ma bouche. Mais, au premier contact de ma langue sur mon doigt, j'ai compris que ce n'était pas du flan. C'était une chose terrible : visqueuse et dégoûtante. J'ai essuyé ma langue sur ma manche et ai fait volte-face pour sortir à la pompe me laver les mains. Mon père se tenait dans l'encadrement de la porte.

— Qu'est-ce que tu fais dans la glacière ?

Il était impossible de mentir à mon père.

— J'ai cru que c'était du flan, mais il a dû se gâter.

— Ta mère ne laisserait pas de la nourriture gâtée dans la glacière.

Et il a tendu le bras pour sortir la tasse avec la chose blanche.

Je n'avais rien à répondre à cela. Elle faisait très attention, c'est vrai, mais ce flan avait un goût horrible, c'était tout aussi vrai.

— Qu'est-ce que je t'ai dit sur le fait de manger entre les repas ?

— Que c'est mal.

— Est-ce que tu sais si ta mère n'a pas prévu d'utiliser ce flan ?

Il a froncé les sourcils en voyant le sillon creusé par mon doigt.

— Elle l'a oublié.

Il m'a lancé un regard dur. Il détestait le mensonge. Peut-être qu'elle ne l'avait pas oublié. Qu'est-ce que j'en savais ?

— Toi tu t'es dit que tu n'avais qu'à le prendre. C'est ça ? Le voler, gâcher ton dîner. Et plonger ton doigt dedans, comme ça il n'est plus bon pour personne.

Difficile de dire quel était pour lui le pire de tous ces crimes. Il a secoué la tasse sous mon nez. J'ai détourné la tête.

— Non, je...

Mais ce qu'il avait dit était vrai. J'ai donc essayé une autre tactique :

— J'avais faim.

Il a poussé un soupir.

— Il faut que tu apprennes à te dominer, Amanda. Tu me vois, moi, voler de la nourriture dans la glacière, me couper l'appétit et ne plus pouvoir manger mon bon dîner ?

— Non, Papa.

Il a posé brutalement la tasse à ma place sur la table. Puis il a traversé la pièce, ouvert le tiroir, en a sorti une cuillère et l'a fait claquer à côté de la tasse.

— Tu le veux ? Tu le manges. Et tout de suite.

Même s'il avait été bon, je n'en aurais plus voulu. L'idée de faire si ouvertement ce qu'il défendait me rebutait. J'avais l'estomac noué. La gorge serrée. La nausée.

— Je peux pas.

— Il fallait y penser avant de planter ton doigt crasseux dedans, non ? Maintenant, mange.

Il m'a attrapée par les épaules et m'a obligée à m'asseoir sur ma chaise.

Lentement, j'ai enfoncé la cuillère dans le magma blanc. Il avait presque la consistance de la glace, mais en moins froid et en beaucoup plus glissant. J'ai soulevé la cuillère, essayé de ne pas respirer par le nez et fourré la chose dans ma bouche. J'ai dégluti aussi vite que j'ai pu, mais ça me collait à la langue. Je me suis forcée à avaler de grosses cuillerées, en faisant tout pour ne pas goûter, ne rien sentir dans ma bouche, ne pas penser à ce que je faisais. Mon père m'observait, les bras croisés, il attendait.

Quand ma mère est entrée, le bout de ma cuillère raclait le fond de la tasse.

— Amanda ! Mais qu'est-ce que tu fabriques ? Henry ? Qu'est-ce qu'elle fait ?

Elle m'a arraché la tasse et nous a regardés fixement. Il a répondu :

— Elle a commencé ce flan. Il faut qu'elle le termine.

— Du flan !

Elle lui a fourré la tasse sous le nez.

— Ce n'est pas du flan, Henry ! C'est de la graisse de rognon !

Et elle a fait claquer la tasse sur la table. Elle m'a demandé :

— Ça avait un goût horrible ? Pourquoi voulais-tu manger ça ?

— Je ne voulais pas. Je...

Mais je ne pouvais pas expliquer. Je ne voulais pas donner tort à mon père. Et, vraiment, il n'avait pas eu tort. J'avais désobéi. Je volais de la nourriture dans la glacière. Si ç'avait vraiment été du flan, je l'aurais probablement mangé. Et j'aurais probablement gâché mon dîner, même si je ne savais pas bien ce que ça voulait dire. Mon père a reniflé ce qui restait dans la tasse, l'air sombre, comme s'il ne nous croyait toujours pas vraiment.

Soudain, mon estomac s'est atrocement retourné. Je suis sortie en courant par la porte de la cuisine, jusqu'au bois derrière la maison. J'avais encore des haut-le-cœur sous un buisson de chèvrefeuille quand mon père est arrivé derrière moi. Il m'a tendu son mouchoir.

— Pardonne-moi, Amanda. J'aurais dû t'écouter.

Il a glissé une mèche de cheveux humides derrière mon oreille.

Ça m'a gênée qu'il dise ça. J'ai essayé de repousser les mots. J'ai dit :

— Je n'aurais pas dû ouvrir la glacière.

— Tu ne le feras plus, n'est-ce pas ?

— Jamais de la vie !

— Tu es une brave petite fille.

J'aurais mangé cent fois cette graisse de rognon rien que pour entendre ces mots-là.

****

Je suis entrée dans le vestibule, j'ai pris la veste de mon père à la patère et glissé mes bras dans les manches. Les poignets pendillaient loin sous mes doigts. La veste sentait le tabac à pipe et le foin, la mélasse et la graisse, comme toutes ses vestes de ferme, aussi loin que remontaient mes souvenirs. J'ai mis mes mains dans les poches – des brins de tabac, deux rondelles, un bout de crayon, une liste pour la scierie : « huit de 2 x 4, quatre de 4 x 6, dix de 2 x 8 », tous les chiffres étaient formés avec soin, comme quand il les inscrivait dans son livre de comptes. Il dessinait deux ronds posés l'un sur l'autre pour faire ses huit.

— Comme un bonhomme de neige, disait-il quand j'étais assise sur ses genoux, le crayon qu'il venait de tailler à la main.

J'imagine que c'est lui qui m'a appris à écrire, mais je n'y pensais jamais : c'était mon dû puisque j'étais son enfant. Je me souviens de ses doigts énormes qui enveloppaient les miens, minuscules, pendant qu'il guidait ma main — une main que je ne reconnaîtrais pas maintenant — sur la page, jusqu'à ce qu'on ait tracé tous les chiffres jusqu'à dix. Il disait :

— Maman, regarde comme elle s'applique.

Plus tard, il a découvert mon don pour les chiffres : il ne ratait pas une occasion de le mettre en avant.

— Mandy va faire l'addition. Regardez ça.

Il me tendait un bout de papier avec une colonne de chiffres et, en deux ou trois secondes, j'annonçais le total. Mais ce que je préférais, c'étaient les petits matins, quand on jouait à se poser des questions pendant la traite, rien que nous et les vaches dans cette grande étable chaude.

J'ai ôté la veste, je l'ai pliée et l'ai posée près de la porte d'entrée. Peut-être qu'elle pourrait servir à Rudy ou à l'un des Manigold. Je suis montée à la chambre de mes parents.

Mathilda a refusé de me répondre quand j'ai frappé à sa porte. Je l'entendais chanter à Ruth la comptine du *Bleu lavande* avec une voix peu convaincante, tremblotante, cassée par les sanglots, pendant que je faisais du tri dans les tiroirs, séparant les choses à donner de celles à garder. Les robes de ma mère sentaient l'eau de lavande. Elle savait parfaitement les préserver, manches et corsages étaient bourrés de papier pour empêcher qu'ils ne se déforment, et de vieux châles étaient drapés sur les épaules pour les protéger de la poussière. C'était comme s'il y avait six répliques de ma mère dans l'armoire, toutes sans tête. J'étais bien trop grande pour mettre ces robes, mais peut-être Mattie en voudrait-elle une ou deux. Je les ai portées au grenier et les ai enfermées dans une malle.

Cette nuit-là je me suis réveillée en sueur, le cœur battant à toute allure.

Parfait, je me suis dit.

J'espérais être malade, moi aussi. J'espérais mourir. Comment pouvais-je avoir provoqué une telle catastrophe et avoir moi-même à peine une petite toux ? Je me tortillais dans mon lit, attendant avec impatience la fièvre, le délire, les membres lourds, les brumes dans la tête qui enseveliraient la vision aiguë et claire de ce qui s'était passé, l'irrévocable réalité qu'ils n'étaient plus là, ni l'un ni l'autre, qu'ils avaient à jamais quitté ce monde. Mais seule la peur accélérait les battements de mon cœur. Pour moi, il n'y avait pas d'échappatoire. Je n'arrivais même pas à pleurer.

Le lendemain matin, j'ai dit à Mathilda :

— Je ne peux pas rester plus longtemps. J'ai des obligations.

J'étais prête. J'avais refait mon petit bagage avant même l'enterrement. Inutile d'attendre la dernière minute, ma mère le disait toujours.

J'ai ajouté :

— Tout ira bien pour toi. Rudy t'aidera.

C'est lui qui m'a emmenée à la gare et je ne me suis pas retournée, pas une seule fois, mais j'ai senti les yeux rouges et gonflés de Mathilda dans mon dos pendant tout le trajet jusqu'à Nagawaukee.

Quand j'ai réintégré notre chambre couleur moutarde, Éliza a été gentille. Elle m'a apporté un café pendant que je déballais mon sac.

— J'ai fait tout ce que j'ai pu pour eux, lui ai-je dit tout en m'efforçant de me convaincre moi-même. Maintenant il faut que je me remette au travail. Ma sœur ne comprend pas à quel point on est débordés ici.

Sous le papier de soie, dans le premier tiroir de ma commode, j'ai glissé la liste de menuiserie de mon père et la brosse de ma mère, où s'emmêlaient encore quelques cheveux. À nouveau, je me réveillais la nuit, affolée. Je me disais que j'allais devoir recommencer toute ma vie de zéro. Désormais, il n'y avait plus rien derrière moi, rien sur quoi m'appuyer. Alors je pensais à Mathilda et je m'accrochais à son image pour me redresser, me ramener à la surface.

La journée, ça allait mieux. J'étais dans l'équipe de jour et, à l'hôpital, les blessés réclamaient toute mon attention. Je devais me rappeler dosages et horaires. Je devais bander, masser, apaiser. Comme si c'était important ! Comme si ça servait à quelque chose ! Je savais bien que non, désormais, mais je n'en faisais pas moins ce que j'étais censée faire. Est-ce que les autres étaient comme moi ? Est-ce qu'ils savaient que tous nos efforts n'étaient qu'un moyen de passer le temps, de nous distraire, de nous réconforter nous-mêmes ? Je scrutais les expressions des médecins, des infirmières, même celles des aides-soignants. J'étais donc la seule à savoir ?

— Je me fiche que tu n'aimes pas ça, disait toujours ma mère quand je ronchonnais après l'église ou après l'école. Tu peux te conduire correctement.

C'était vrai aussi. Je pouvais me conduire correctement, et c'était ce que je faisais.

Alors, même si je n'étais plus si sûre de moi, plus si sûre de chacun de mes gestes, comme autrefois, je trouvais à m'occuper. Je me portais volontaire pour soigner les malades les plus atteints, les plus contagieux, les blessures les plus horribles, les hommes qui jetaient leur bassin à travers la pièce dans un accès de rage. Rien de tout cela ne me dérangeait.

Je n'étais rentrée que depuis quelques jours et je remontais en courant de la pharmacie quand j'ai entendu une voix familière, quelque part entre le deuxième et le troisième étage.

— Bon sang. Bon sang de bon sang de bonsoir !

— Que se passe-t-il ?

Je me suis précipitée vers le palier suivant. Et là j'ai vu le problème : des papiers partout, des monceaux de papiers répandus, qui jonchaient les marches quasiment jusqu'à l'étage où se tenait Clement.

— Oh, Seigneur !

J'ai dit ça, ou quelque chose de compatissant dans ce goût-là, mais je n'ai pas pu m'empêcher d'esquisser un sourire en me baissant pour ramasser les pages qui se trouvaient près de moi.

Clement restait immobile, à me considérer d'un air morose.

— Une infirmière m'a demandé de les descendre au sous-sol en partant.

— Je ne pense pas qu'elle vous ait demandé de les y jeter.

— Je ne vous le fais pas dire – et il a éclaté de rire. Initialement, ça semblait plutôt une bonne idée.

Il a descendu plusieurs marches vers moi et a entrepris de rassembler les pages éparpillées dans l'escalier.

— Il va me falloir des heures pour trier tout ça ! Est-ce que vous voyez un dossier Zimmerman ? Stuart ? O'Toole ?

Il soulevait les feuilles et les laissait retomber l'une après l'autre sur le sol.

J'ai dit :

— Vous n'allez pas vous y prendre comme ça, n'est-ce pas ? Tenez. Ça ne va pas être si compliqué.

J'ai dégagé quelques marches et j'ai classé les feuilles volantes par ordre alphabétique, en petits tas bien ordonnés. Et puis j'ai ajouté :

— Quand vous voulez.

Si je n'avais pas été là, je suis sûre qu'il aurait enterré l'ulcère à l'estomac de Charles Bogusewski avec la courbe de température de Peter Halliday, et les poumons gazés de Peter avec celle de Ronald Faculjak.

— Personne ne va plus jamais regarder ces trucs-là, disait-il.

Mais, à mes yeux, cela était inadmissible.

— La bonne tenue des dossiers est essentielle, même quand ils vont au sous-sol. Vous seriez surpris du nombre de fois où les médecins ont besoin de revoir le traitement d'une maladie.

Je n'avais pas voulu être drôle, pourtant il a ri, et très vite on s'est mis à parler et à rire plus qu'à classer les dossiers. Même si je m'en rappelais, les choses qu'on se disait seraient trop niaises et trop absurdes pour mériter d'être rapportées, mais on faisait vraiment de gros efforts pour s'amuser l'un l'autre. C'était certainement la demi-heure la plus agréable que j'avais jamais passée à trier des papiers. Quand on a eu fini, je l'ai aidé à descendre les dossiers aux archives et là on a encore passé dix minutes à parler sans s'arrêter, mais sans dire grand-chose non plus, puis il m'a demandé :

— Voudriez-vous dîner avec moi jeudi ?

****

Éliza m'a prêté son étole de lapin. À sept heures, je n'étais pas prête, à cause du nombre de fois où il avait fallu recoiffer mes mèches rebelles ; par chance, il était en retard, et quand il a descendu la rue on était à la fenêtre en train de le guetter. Éliza m'a garanti que la voiture à deux places qu'il conduisait était un genre d'automobile tout à fait bien.

On a fait le chemin jusqu'à Appleton pour dîner dans un restaurant bien précis. Il a dit :

— C'est ici qu'on mange les meilleurs steaks. Il faut que vous y goûtiez.

Il a indiqué aux serveurs le temps de cuisson du steak et le nombre de glaçons qu'ils devaient mettre dans le verre.

J'ai dit :

— Je crois que je vais prendre une tasse de café.

— Du café! Vous ne voulez pas gâcher un repas comme celui-ci avec du café! Du champagne pour Madame.

— Clement, mais c'est impossible!

— Pourquoi? Vous n'aimez pas ça?

— Je n'en ai jamais bu, naturellement.

— Eh bien, il faut que vous goûtiez au champagne.

Le serveur était déjà parti, qu'est-ce que je pouvais faire?

Il avait raison. À présent, je comprenais pourquoi les gens aimaient l'alcool. Mon champagne était mousseux et presque sucré. Rien à voir avec le whisky que mon père avalait les froides soirées d'hiver.

Après le dîner, on est allés danser.

— Amy, a-t-il dit pendant que l'orchestre jouait *Le Beau Danube bleu* et qu'il me faisait doucement valser, je vais vous appeler Amy.

Un nom si léger, si joli. Personne, pas même Joe, ne m'avait jamais appelée Amy.

Il a continué :

— Ça vous va bien. Vous savez, en français, ça veut dire amour.

J'ai eu chaud au visage et j'ai été obligée de baisser les yeux, mais j'ai bien enregistré l'instant pour pouvoir me repasser ensuite plusieurs fois la façon dont il avait dit ça, me rappeler l'odeur d'amidon sur le col de sa chemise, la chaude pression de sa main dans mon dos.

Finalement, on allait toujours très loin quand on sortait. On est allés à Madison, Fish Creek, Racine et plusieurs fois à

Chicago. C'était romantique et exaltant de rouler si vite sur ces longues routes noires, de découvrir ce que dissimulaient ces portes par lesquelles il m'escortait, sa main voletant dans un bruissement près de ma taille, de danser dans ces endroits obscurs sur de la musique colorée, de manger des steaks et des escargots. J'étais si fatiguée que je m'endormais sur le chemin du retour.

Certains soirs, je disais :

— Pourquoi on ne resterait pas tranquillement dans le coin ? On irait manger un hamburger quelque part ?

Et il répondait :

— Tu as envie d'un hamburger ? Je connais un endroit où on fait les meilleurs du pays.

Et on se retrouvait à l'autre bout de Fort Atkinson, à Sheboygan ou Fond-du-Lac.

C'était exactement comme avec Joe, mais en mieux, puisqu'il n'y avait personne pour me dire : « Tu ne voudrais pas réfléchir davantage ? » ou « Tu es jeune, qu'est-ce qui te presse ? » Quand ma mère disait ça, en vérité, ça signifiait : les amis catholiques, c'est très bien, mais on ne se marie pas avec. Et quand la mère de Joe disait : « Bien sûr, c'est une gentille petite, mais la gentillesse, ça ne fait pas tout », ça signifiait que les luthériennes font d'excellentes voisines, mais pas des épouses. À ma connaissance, Clement n'avait pas de religion, et ça me convenait parfaitement. Maintenant, quand je pensais à Dieu, je le voyais planer quelque part au-dessus de la France, et il ne faisait absolument pas attention à moi.

En règle générale, je ne laissais un homme poser la main sur moi que pour danser, à moins qu'il ne réclame éventuellement un baiser de bonne nuit, mais, la première fois que Clement m'a touchée, on était garés au bord du lac Michigan, une si vaste étendue d'eau qu'on ne voyait pas l'autre rive. Ce soir-là, il s'est contenté de faire courir ses doigts sur ma figure – paupières, joues, contour des lèvres – avec prudence, douceur, mais fermeté aussi, comme s'il peignait les traits sur mon visage. Personne ne m'avait jamais fait ça. Ne sachant pas comment j'étais censée réagir, j'ai attendu de voir ce qui se passerait après.

Et il ne s'est rien passé après ; ça m'a paru durer des semaines, jusqu'à ce que je m'habitue à ses doigts sur ma peau. Alors, malgré toute ma timidité, je n'ai pu m'empêcher de redresser le menton, prête à davantage, il a glissé un doigt sur ma clavicule, près du bord de ma robe, puis m'a embrassée, un baiser aussi léger, fondant et frustrant que du sucre filé.

Quand il m'a dit qu'il m'aimait, j'ai éclaté de rire. Pas méchamment, non, avec légèreté, pour me dissuader moi, plus que lui, de prendre la chose trop au sérieux. À mon avis, il faut être prudent avec les sentiments. C'est une erreur de s'y abandonner sous prétexte qu'ils ont été sollicités. Mais, tout comme Mathilda, Clement savait très bien parvenir à ses fins. Je n'ai pas mis longtemps à céder, à ne plus m'empêcher de le croire, à lui rendre son amour. Ça avait l'air sûr. Ça faisait bien l'impression que ça devait faire. Alors je me suis mise à penser à ce qui allait arriver tôt ou tard ; j'ai imaginé la maison avec l'orme déployant ses branches dans le jardin, la cuisine ensoleillée, le linge propre et blanc, les enfants, quatre ou cinq au moins, qui auraient ses joues roses et mes yeux en amande. Bien sûr, mon travail me manquerait, mais secrètement je n'étais pas mécontente de voir ma route se dessiner ailleurs.

Je lui ai parlé de la ferme et du lac. Je lui ai parlé de leur fraîcheur l'été, de leur étincelante clarté l'hiver. Je lui ai peut-être donné l'impression que c'était pique-nique tous les jours, mais j'avais envie de lui faire plaisir. Et sans doute aussi envie de me faire plaisir à moi-même. C'était un soulagement de faire comme si tout était comme ç'aurait dû être, tableau idyllique attendant mon retour à la maison. Je rêvais de cet après-midi d'été où l'on ramerait ensemble vers mon île. Je le voyais sauter de l'eau comme un brochet, je me voyais l'éclabousser, je le voyais m'asperger puis m'envelopper de ses bras et m'attirer avec lui sous les vagues.

Mais j'aurais dû me méfier, il y avait des indices, si je m'étais donné la peine de les voir. Un soir, on avait prévu d'aller à Chicago ; d'ordinaire, cela signifiait aller danser. J'attendais sur la balancelle, dans la véranda, les mains dans un manchon en peau de phoque.

— Où tu vas comme ça, toute pomponnée ? m'a demandé Thea Martins en sortant.

Elle avait un petit ami qui habitait la rue d'à côté, et il lui donnait toujours rendez-vous ailleurs, au lieu de passer la prendre comme un vrai petit ami.

— Oh, là où il m'emmènera.

Chaque fois qu'on parlait d'un endroit à Thea, elle prétendait en avoir découvert un mieux la semaine précédente.

— Eh bien, bonne soirée.

Elle a agité la main derrière sa tête tout en dévalant l'escalier.

Deux hommes sont entrés pour chercher leurs petites amies, puis cinq filles sont sorties ensemble, elles riaient et leurs souffles faisaient de petits nuages. Mes nouveaux escarpins de danse en tissu étaient jolis, mais pas vraiment adaptés pour attendre dehors à la fin octobre. J'ai arpenté la véranda de long en large, puis fait quelques mètres sur la chaussée, dans la direction où Clement arrivait toujours.

Il habitait dans les quartiers est, ça, je le savais, mais je me suis rendu compte que j'ignorais où exactement.

Je me suis dit que, si je rentrais quelques instants et si je courais à l'étage changer de mouchoir, il allait arriver.

Éliza était couchée sur son lit, elle relisait *Jennie Gerhardt*.

— Appelle à son bureau, m'a-t-elle dit. Il est sans doute en train de négocier un contrat.

Elle avait prononcé les mots « négocier un contrat » de façon désobligeante. Elle n'aimait pas la façon dont Clement abordait les affaires, dont il s'emballait pour chaque nouvelle idée. Selon elle, il aurait dû s'en tenir à une seule chose, une chose infaillible. Elle était contre le champagne aussi.

On a retrouvé le numéro qu'il m'avait donné, et je suis descendue téléphoner. J'ai laissé sonner vingt fois. Puis j'ai rappelé et laissé sonné encore vingt fois. Il est probablement dans le couloir, me suis-je dit. Et s'il répondait juste au moment où je raccrochais? Alors j'ai encore rappelé et laissé sonner trente fois.

Éliza a fermé son livre.

— Viens manger quelque chose avec moi.

Mais je ne pouvais pas. Ce serait affreux si je n'étais pas là quand il arriverait.

— Oh! ma pauvre, a dit Éliza quand elle est revenue de dîner et m'a trouvée toujours assise près de la fenêtre, dans notre chambre. Tu dois mourir de faim.

— Non, j'avais un sandwich.

C'était un mensonge. J'ai enlevé mes chaussures neuves et les ai rangées dans le placard.

Elle a dit :

— Bien, moi, je vais me coucher. Ça ne sert à rien de rester debout comme ça.

Avant d'éteindre la lumière, elle a gentiment ajouté :

— Tu as dû te tromper de jour.

Mais nous savions toutes deux que je ne m'étais pas trompée. Quand je l'ai entendue respirer profondément, je n'ai pas pu me retenir. Je suis sortie du lit pour retourner à ma chaise près de la fenêtre, et c'est là que j'ai fini par m'endormir.

Tout ce souci pour rien. L'après-midi suivant, Thea a frappé à la porte de notre chambre. Elle a dit avec un clin d'œil :

— Il y a un visiteur pour toi en bas. M'a tout l'air de quelqu'un de navré.

J'ai eu chaud aux joues, et je me suis arrêtée un instant devant le miroir.

— Tu es très bien, m'a dit Éliza sans lever les yeux de son livre.

Il était debout dans le parloir, un gros bouquet de tulipes lavande devant la figure. C'étaient des fleurs chères au mois d'octobre.

— Je suis désolé, Amy.

Il me jetait des regards furtifs derrière son bouquet, il faisait semblant d'avoir peur de ma mine ou de ce que je pouvais dire.

— J'ai juste pensé que tu étais peut-être blessé, ai-je dit en lui prenant les fleurs. Ou pire.

En réalité, ce n'étaient pas les seules éventualités que j'avais redoutées.

Il a répondu :

— C'était une urgence. J'ai investi dans une mine de plomb à Hazel Green, tu sais, et j'ai dû aller y faire un tour. Le pays a besoin de plomb en ce moment. Je faisais mon devoir de patriote.

— Mais tu n'aurais pas pu téléphoner?

— Pour réveiller toute la maison? Ce n'est pas ce que tu voudrais.

— La prochaine fois, je resterai assise à côté du téléphone et je décrocherai à la première sonnerie. Comme ça je ne m'inquiéterai plus en me disant que tu as eu un accident.

— Non. Non, je n'aime pas l'idée de te savoir debout à attendre. Ce n'est pas bon pour la santé. Et puis, tu sais, ces réunions durent si tard, parfois, tu ne peux pas imaginer. Et il n'y a pas toujours de téléphone, Amy. Mes affaires sont comme ça. Je dois me rendre là où elles m'appellent. Tu comprends, n'est-ce pas? Tu me pardonneras? Brave petite.

Avec la guerre, il fallait comprendre, les gens étaient amenés à faire des choses qu'ils n'auraient pas faites autrement. C'est ce que j'ai dit à Éliza.

— Pourquoi est-ce qu'il n'est pas en France, m'a-t-elle demandé, si le devoir patriotique l'attire tellement?

Cette question-là, je savais comment y répondre. Un soir où on roulait et roulait et roulait, il m'avait raconté qu'il avait voulu s'engager plus d'un an auparavant, le premier été. À presque quarante ans, il avait fait la queue avec des jeunes qui ne voyaient rien de mieux à faire de leur jeunesse, et le médecin l'avait renvoyé.

Il a dit :

— Je suppose que mon cœur n'est pas aussi solide qu'il devrait. Il paraît que c'est à cause du rhumatisme articulaire aigu que j'ai eu autrefois.

Il a détourné la tête et, pendant qu'il me disait cela, son regard s'est perdu vers les champs plongés dans la nuit, comme si c'était une chose difficile à avouer. Ça me l'a fait aimer encore davantage de penser que, lui qui savait tant de choses, qui pouvait tant de choses, à l'intérieur, il était fragile.

La guerre s'est terminée, mais Clement était toujours débordé. Le lapin suivant, ça a été à cause d'une affaire immobilière à Oshkosh.

— Il faut rester boire un verre avec eux, sinon, ils pensent qu'ils se sont fait rouler.

Et il a déposé dans mes bras une douzaine de roses abricot.

Ce qu'il avançait comme raison semblait assez plausible. Qu'est-ce que j'y connaissais, moi, aux affaires ?

Éliza a dit :

— Les roses devraient être rouges.

Mais qu'est-ce qu'elle y connaissait, aux roses ?

— C'est à la portée de n'importe qui de trouver une rose rouge, ai-je répondu en les arrangeant comme je pouvais dans mon verre à dents. Celles-ci sont spéciales. On les fait venir par train depuis New York.

J'ai dû les appuyer contre le mur pour empêcher le verre de basculer, mais elles ont donné à notre chambre moutarde un ton doré riche et chaud, et elles ont tenu presque une semaine.

La fois d'après, j'ai quitté la véranda au bout d'une heure, pris un bol de soupe au drugstore et puis je suis partie au cinéma. C'était si difficile de devoir toujours donner des explications à Éliza.

Qu'est-ce que c'était, une soirée à attendre par-ci par-là ? Je n'avais rien de mieux à faire. Lui, oui. Il traitait des affaires importantes et si, de temps en temps, il ne pouvait pas les abandonner rien que pour passer un moment agréable avec moi, comment aurais-je pu me plaindre ? Je savais qu'il aurait préféré être avec moi. Il m'aimait tellement, vous voyez. C'était ce qu'il disait et ça me rendait tellement heureuse de croire que c'était vrai.

Et puis l'armée américaine a décidé d'examiner la boîte à vide. Ce soir-là, il a couru depuis sa voiture et franchi les marches d'un bond.

— J'y suis, Amy ! J'y suis !

Il m'a prise dans ses bras et m'a fait virevolter. La buée qui sortait de sa bouche sentait un peu le gin.

J'ai rejeté la tête en arrière et éclaté de rire. Il était tellement excité qu'il avait oublié de me donner les œillets roses qu'il tenait à la main. Par jeu, j'ai tiré sur le bouquet, il a ri aussi et l'a lâché.

— Tu es où ?

J'avais posé la question avec détachement, je m'attendais à l'entendre me raconter une nouvelle association à laquelle je ne comprendrais rien, un nouvel investissement avec les « gars les plus malins » qu'il ait jamais rencontrés, une invention qui fabriquerait une chose dont j'ignorais qu'elle fût nécessaire. J'ai enfoui le nez dans les fleurs, un parfum si sucré.

— Dans l'armée! a-t-il répondu. Ils vont m'employer, m'envoyer à Washington, peut-être en France! Je parie que tu ne devines pas pourquoi.

— Mais la guerre est finie, j'ai dit.

Je me suis rassise sur la balancelle, et il est venu près de moi.

— Je sais, c'est drôle, non? La guerre est finie, et maintenant l'armée veut de moi. Mais tu n'as pas deviné pourquoi.

Il m'a prise dans ses bras et s'est mis à frotter son nez contre mon oreille.

— Clement!

Je l'ai repoussé, gênée.

— Alors, tu ne devines pas?

Il paraissait vexé.

J'ai bien essayé de me faire pardonner, de trouver une réponse sensée ou, du moins, amusante, mais j'avais la tête qui bourdonnait. Mes doigts tripotaient machinalement la ficelle qui retenait les tiges des fleurs. Je n'arrivais pas à réfléchir.

J'ai fini par répondre :

— Non, je ne devine pas. Dis-moi.

— Ils veulent la boîte à vide! Tu ne trouves pas ça incroyable? Ils veulent l'expérimenter à Washington et, si elle leur convient, je pourrai les aider. On l'emmènera partout, dans tout le pays, et en Europe aussi! Je ne peux pas y croire.

À présent il arpentait la véranda, ses chaussures crissaient sur les plaques de neige durcie.

— Attends, laisse-moi t'aider.

Il a sorti un canif en argent et a ouvert la lame. Mais il n'a pu rester en place assez longtemps pour couper la ficelle. Il m'a donné le couteau et s'est remis à marcher.

— Mais si, *je peux* y croire.

Il martelait ses mots avec conviction.

— Je peux y croire. Parce que je sais que c'est une grande invention, une invention capitale.

Il s'est retourné vers moi, a posé les mains sur mes épaules et m'a embrassée.

— Quand?

— Quand quoi?

— Quand pars-tu?

— Dans une semaine. Ça me laisse à peine le temps de me préparer.

Là, il s'est interrompu et a eu enfin l'air de percevoir mon humeur. Il a dit :

— Ce soir, tu vas fêter ça avec moi, n'est-ce pas?

Il m'a pris la main, m'a doucement mise debout et m'a attirée contre son manteau. Il a pressé sa bouche contre mon oreille.

— Ce sera peut-être notre dernière soirée avant très, très longtemps.

Une fine couche de neige faisait crisser les pneus sur la route tandis que nous roulions sans fin cette nuit-là. Quand il a glissé un bras autour de ma taille, je n'ai pas pu me rappeler pourquoi je ne m'étais encore jamais serrée contre lui. Pendant tout ce temps, j'aurais dû me serrer contre lui, très fort, comme s'il ne devait pas y avoir de lendemain.

À Racine, on s'est arrêtés dans une boîte au bord de la route où j'ai goûté mon premier Martini, puis dans une taverne à Kenosha où j'ai dégusté le deuxième, et enfin à Winnetka, où j'ai sifflé le troisième en en sentant à peine le goût.

Comme il me pilotait vers la porte d'un somptueux hôtel de Chicago, une grande femme aux yeux en amande et à la longue nuque gracieuse m'a souri dans le miroir d'un air songeur.

— Regarde, j'ai dit en la montrant du doigt. Si jolie.

Dans la chambre, pendant qu'il téléphonait pour faire monter du champagne, j'ai eu une pensée très bizarre. Ça leur apprendra, je me suis dit. Voilà ce qui arrive quand ils me laissent seule. J'ai failli me mettre à pleurer en pensant ça. Mais il a raccroché et m'a attirée près de la fenêtre pour regarder toutes les lumières, et alors j'ai oublié que j'étais seule. Complètement oublié.

Quand ç'a été fini, j'ai eu peur, j'ai regretté. Je n'arrivais pas à le regarder, sachant ce qu'il avait fait. Je n'arrivais pas à me regarder moi-même. Je gardais les yeux fixés sur les arabesques d'une grande rose dessinée dans le tapis. J'ai dit à la grande rose :

— On n'aurait pas dû.

Je n'arrêtais pas de répéter ça, assise au bord du lit, penchée sur l'oreiller que je tenais serré sur mes genoux.

— On n'aurait pas dû.

Il a doucement posé le drap sur mes épaules. Il était si gentil. Il prenait toute la responsabilité sur lui. Il m'aimait tant, disait-il. C'était plus fort que lui, je ne pouvais pas comprendre ça ? Il me suppliait de lui pardonner, et bien sûr j'ai pardonné. Je comprenais. Et puis j'ai dit :

— Ce n'est pas grave. Bien sûr que ce n'est pas grave. Maintenant on va se marier. Demain matin. Ou cette nuit, peut-être même cette nuit, il doit bien y avoir quelqu'un...

— Tu sais bien que c'est impossible.

Il secouait tristement la tête tout en me caressant les cheveux.

— D'accord, demain matin, alors. Demain, ça sera sûrement possible.

Et là Clement a dit :

— Je croyais que tu avais compris. Je croyais que tu savais. Je suis déjà marié.

5.

Clement et Theresa Owens vivaient avec leurs trois enfants dans une maison de brique sur Prospect Avenue : hauts plafonds, globes roses autour des nouveaux éclairages électriques et heurtoir de porte en forme d'angelot.

Très tôt le dimanche matin, Clement sentit la peau douce de la cuisse d'Amanda pressée contre la sienne. Il se réveilla brusquement et repoussa la couverture.

— Que se passe-t-il ? marmonna Theresa.

— Ça doit être ces poivrons farcis que tu m'as fait manger hier soir. Je t'ai dit que les poivrons ne me réussissaient pas.

Clement descendit au rez-de-chaussée, histoire de se ressaisir.

L'aurore le trouva dans la cuisine, où il sirotait son café en regardant fleurir le jour. Il y avait de la lumière dans la grande bâtisse d'à côté et, de temps à autre, son regard était attiré par-delà la bande de gazon et la haie qui séparaient sa maison de celle de ses voisins. Il vit leur cuisinière se baisser pour sortir quelque chose du four et, soudain, il eut faim.

En allumant le four, il se dit que, au bout du compte, Amy avait été une erreur. Certes, elles n'étaient jamais ravies quand il rompait. L'une d'elles avait eu un éclat de rire désagréable, il s'en souvenait encore. Deux ou trois autres s'étaient répandues en imprécations, mais la plupart pleuraient. Avec les larmes, il savait s'y prendre. Il n'était pas insensible. Il était navré pour elles. Mais toutes savaient, comme il le savait lui-même, que la récréation devait finir un jour ou l'autre. Parfois, ce n'était même pas lui qui cassait. Il n'aimait pas ça mais ne faisait jamais d'histoires : une dame devait prendre garde à sa situation. Mais cette pauvre Amy. S'imaginer qu'il allait l'épouser ! D'où avait-elle sorti cette idée ? Est-ce qu'il n'avait pas été parfaitement clair, depuis le début ? En tout cas, sinon parfaitement clair, assez clair du moins pour qu'une personne sensée comprenne de quoi il retournait. Il soupira, avec le vague sentiment d'avoir été floué par les espérances d'Amy, et il glissa deux grosses tranches de pain dans le four pour les faire griller.

De toute évidence, il espérait la revoir. Quelle autre explication à son comportement ? Il avait convaincu Theresa que le seul endroit possible où construire une maison de vacances, c'était sur ce lac-là, près de cette ville-là, et pas une autre. Pourquoi une maison de vacances, d'ailleurs ? Il avala un peu de café dont l'amertume le fit grimacer.

Bien sûr, ça ne s'était pas passé exactement comme ça. Il versa une cuillerée de sucre dans sa tasse. Il n'était pas si bête. Poussé par la curiosité et le désœuvrement – c'était du moins ce qu'il s'était dit –, il s'était simplement rendu un jour à Nagawaukee, histoire de jeter un œil à ce coin dont elle lui avait tant parlé. Il n'y a pas de mal à ça, non ? Ma foi, les potentialités de l'endroit auraient sauté aux yeux de toute personne un peu imaginative. Le prospectus publicitaire s'était imprimé dans sa tête : de jolis lacs unis les uns aux autres en un collier de saphirs, ou nichés comme les œufs turquoise des merles migrateurs dans le vert des collines. Dans une ville toute proche, il y avait même une station thermale.

Clement examina ses toasts : un côté couleur caramel, parfait. Il retourna les tranches et referma la porte du four, en prenant garde de ne pas faire de bruit. Les Schumacher avaient acheté dans le coin, les Koche et les Steinman aussi. Des brasseurs, des banquiers, des magnats du bois achetaient et faisaient construire partout dans la région. Un jour, il avait montré à Theresa le manoir de pierre des Schumacher sur le lac La Belle, elle était disposée à lui donner l'argent pour investir dans plusieurs sites bien choisis, de longues bandes de terrain donnant sur le lac, jusqu'alors gaspillées à faire paître les vaches. Il serait facile de revendre ces lots à des gens séduits par l'idée de posséder une « propriété », un endroit où jouir du sel de la terre, de la fraîcheur, du grand air et des jeux aquatiques. Clement garderait quelques parcelles, certaines pour les mettre en valeur, d'autres pour les louer – il n'y avait aucune raison pour que seuls ceux qui avaient les moyens d'acheter aient accès à un tel paradis –, et il avait choisi un terrain de cinq hectares pour sa famille.

Il avait fait une affaire avec cet emplacement car la pente côté lac était d'une raideur inquiétante et le seul endroit constructible un peu trop près de l'eau. Il y avait aussi des lacs plus à la mode que celui-ci et des sites plus attrayants, y compris sur Nagawaukee. Mais ces imperfections lui plaisaient : ce n'était jamais une bonne idée d'acheter dans le haut du panier. On ne faisait de l'argent que si l'on savait voir ce que les autres ne voyaient pas. Et Clement, lui, voyait les développements possibles. Il ferait travailler la terre – autre raison pour ne pas choisir un voisinage où l'entreprise serait mal vue. Il projetait de faire un peu d'élevage, peut-être de produire des fromages – il y avait, à Janesville, un cheddar blanc qui faisait merveille –, ou il élèverait des chèvres angoras. Et il allait construire une maison impressionnante.

Son idée, c'était une sorte de temple grec, avec des piliers blancs qui s'élèveraient depuis la vaste véranda jusqu'au toit. À cause de la pente, il faudrait bâtir la maison en longueur, mais c'était sans importance, de toute façon, personne ne la verrait de côté. C'était la façade qui comptait, et la façade serait grandiose. Il mettrait un kiosque en treillage blanc devant, sur la pelouse, c'est là que les amis se réuniraient : des hommes en costume crème et des femmes à ombrelle dont les robes d'été transparentes ondoieraient sous la brise du lac.

L'architecte avait bien tenté de l'orienter vers quelque chose de plus modeste, une petite chose réservée dans les bruns et les verts, un chalet suisse retiré dans les bois, meublé en pin rustique.

— Peut-être, avait-il suggéré, pourriez-vous fabriquer vous-même certains meubles.

Clement n'était pas homme à dédaigner une suggestion. Il aimait s'imaginer en train de scier dans les bois odorants, de fabriquer de beaux meubles robustes auxquels des générations d'Owens donneraient leur patine. Il alla jusqu'à consulter quelqu'un à la scierie ; l'homme lui dessina un petit coffre et lui dressa une liste de bois et d'outils. Un après-midi, il emmena Arthur, son benjamin, à l'arrière du jardin pour avoir de la compagnie et réussit à découper le fond du coffre et deux côtés avant de gâcher trois planches et de s'entailler l'index.

Il dit à l'architecte qu'il ne fabriquerait pas ses meubles lui-même et insista pour qu'on revienne au plan d'origine. À quoi bon construire une maison que les gens ne verraient pas ? Theresa était d'accord. En fait, Clement trouvait ses idées bien meilleures que celles de l'architecte. Elle comprenait l'optique de la maison, le chant du vent qui la traverserait de part en part, la véranda qui, à midi, inviterait les pique-niqueurs à abandonner le lac et, à l'heure des cocktails, offrirait une vue sur le coucher de soleil. Elle avait aussi suggéré que la maison ait trois étages, et des combles spacieux. Elle dessina la cuisine dans un bâtiment à part, reliée à la salle à manger par un passage couvert pour que la maison reste fraîche. Elle insista pour qu'ils achètent aussi deux parcelles à l'est : elle voulait beaucoup de place pour un hangar à bateaux et du terrain, afin que Maynard, Avis ou Arthur – peut-être les trois – y fassent construire leurs propres maisons. C'était comme ça que faisaient les gens, disait-elle. Il savait qui étaient ces « gens » : le genre de personnes qui le parraineraient dans leurs clubs.

Eh bien, tout est bien qui finit bien, s'assura Clement en étalant une épaisse couche de beurre sur sa tartine. S'il n'avait pas connu Amanda, jamais il n'aurait trouvé cet endroit, ce nouveau cadre qui le revigorait, lui donnait l'impression d'être un jeune homme promis à tous les espoirs.

La cuisinière entra tout en nouant son tablier autour de sa taille.

— Encore matinal, Mr. Owens ?

— L'avenir appartient à ceux qui se lèvent tôt, Trudy.

Et, comme pour souligner son propos, Clement mordit une grosse bouchée dans sa tartine beurrée. Puis il offrit à Trudy une tasse de café et s'en resservit un peu.

— Dans ce cas, votre avenir se trouve à travailler au jardin, répondit la cuisinière en sortant la farine. Moi, j'ai des chaussons à faire.

— Un de ces jours, je pourrais bien vous prendre au mot, dit Clement.

Et, emportant son café avec lui, il monta prendre un bain.

C'est cette fichue boîte à vide, se dit-il pendant qu'une cataracte d'eau se déversait dans la baignoire. Si elle avait marché, jamais il n'aurait repensé à Amanda. À la façon dont ce fiasco l'avait affecté, on aurait pu croire qu'il n'avait jamais connu d'échec auparavant. Et Theresa? Il fit la moue en se regardant dans la glace : ses tempes étaient-elles en train de se dégarnir? Une épouse est censée soutenir son mari, et non lui rappeler sans cesse avec des soupirs condescendants qu'il dépense son argent, qu'elle l'avait bien dit, que l'entreprise était risquée et ridicule. Amanda n'avait pas trouvé la boîte à vide ridicule. Elle avait compris ses potentialités, et elle était infirmière, ce qui ne comptait pas pour rien, tout de même. Elle appréciait aussi ses autres projets. Il se souvenait qu'elle l'avait interrogé sur les mines de plomb. Est-ce qu'ils utilisaient des canaris, là-bas? C'était le soir où elle avait poussé des cris en voyant le serveur apporter du caviar à la table. Mais elle y avait goûté parce qu'il avait insisté et elle avait aimé parce qu'il avait dit qu'elle devait aimer. Il se laissa glisser dans l'eau chaude en songeant qu'il était agréable de passer une soirée avec une femme comme ça, une femme qui croyait vraiment en vous.

Pourtant, dans la pénombre de ce bureau de poste, elle n'était pas du tout comme dans son souvenir. Jamais il n'aurait imaginé qu'elle pût encore être fâchée, pas après plus d'un an, néanmoins, il n'avait pas lu une once d'amitié dans son regard. Elle avait vieilli, aussi, ses joues avaient maigri, ce qui, tout bien réfléchi, ne lui allait pas si mal. Il songea que, s'il avait pu toucher son visage ou même seulement sa main, ç'aurait été mieux, ça l'aurait ramenée à lui, mais, avec Theresa dans la voiture garée juste devant et cette femme qui les observait derrière son guichet, c'était impossible.

Et que faisait Amy avec cette petite fille? Dans son esprit, Amanda portait toujours toute la journée sa blouse impeccable d'infirmière et, le soir, restait sagement assise sur la balancelle du foyer.

De l'autre côté de la porte, Clement entendit sa femme reculer la chaise de sa coiffeuse, ouvrir le tiroir dans lequel elle rangeait peignes et épingles à chapeaux et se préparer pour la messe du matin. Il savait précisément comment elle devait se tenir : assise, le dos bien droit devant le miroir, en train de se brosser les cheveux avec détermination.

— Theresa ! Je n'ai plus de savon ! cria-t-il en enveloppant celui qu'il s'apprêtait à utiliser dans le gant de toilette avant de le cacher sous son genou.

— Dans la petite table, répondit-elle.

Et il entendit la porte du dressing se refermer derrière elle. Est-ce qu'elle s'imaginait qu'il allait se lever, grelottant et dégoulinant au milieu de la salle de bains, et fouiller dans tous les tiroirs ? Et s'il avait *vraiment* manqué de savon ?

Mais, après tout, si elle ne voulait plus jamais rien faire pour lui, il l'aurait bien mérité, non ? Clement commença à se frotter. L'idée d'avoir couru après une femme qui se révélait folle l'effrayait un peu. Bon, tout ça, c'était du passé. Theresa allait bien s'apercevoir que, désormais, entre eux les choses redevenaient comme avant.

C'est une leçon, se dit-il, un avertissement. Dorénavant, je vais être fidèle à ma femme.

Cette pensée provoquait toujours en lui un élan d'optimisme. Il poussa un soupir et se coucha dans l'eau chaude et apaisante. Il ferma les yeux et passa le gant de toilette mouillé sur son visage pour attendrir sa barbe. Il se mit à penser à cet appareil qui photographiait les os directement à travers la peau. Est-ce qu'il ne pourrait pas avoir une utilité quelconque dans une exploitation minière ?

Avis Owens, seize ans, longea le couloir à pas feutrés, avec cette robe de chambre et ces pantoufles dans lesquels Clement, un récent et pénible matin, avait compris qu'elle était devenue une femme. Maynard, dix-huit ans, grogna, enfouit sa figure dans l'oreiller, puis, dans un geste aussi désespéré que théâtral, repoussa les couvertures et balança ses pieds nus sur le sol.

Arthur, six ans, se réveilla totalement en entendant l'eau se déverser avec fracas dans le lavabo fixé au mur de la chambre qu'il partageait avec son frère. Il resta allongé, les yeux fermés, à écouter les cintres grincer sur la tringle et les tiroirs de la commode que l'on ouvrait sans les refermer bruyamment. Quand Maynard quitta la chambre, Arthur sortit de son lit et alla s'accroupir en pyjama à côté de sa ville de cubes. C'était le matin qu'il travaillait le mieux, sur fond de verrou de salle de bains s'ouvrant et se refermant sans arrêt, d'eau courant dans les canalisations, de galopades dans l'escalier, de tintements de porcelaine dans la cuisine et, enfin, de claquements de la porte d'entrée, une fois, deux fois, trois fois.

Ensuite, pendant un bon moment, le vacarme du matin se calmait et le seul bruit de toute la maison, alors qu'un rayon de soleil traversait la chambre pour se diriger droit sur le placard, c'était sa respiration un peu nasillarde et le claquement sourd de ses cubes de bois. Pile au huitième carillon de l'horloge du salon, les pantoufles de sa mère chuintaient sur le parquet dans le couloir, après quoi elle se dressait près de lui, s'étirait comme un chat et renouait la ceinture de son peignoir. Puis elle remontait le peignoir, s'asseyait près de lui sur les talons et déplaçait résolument les cubes, comme si elle savait où ils devaient aller. Il la laissait les poser où elle voulait même si, naturellement, il lui fallait les changer de place après. Mais ses efforts pour jouer finissaient par ennuyer Theresa, et elle fondait sur son fils pour l'embrasser. Il respirait son haleine mêlée de café et le parfum sucré de la crème sur ses mains. Enfin, leur journée commençait vraiment.

Theresa avait confié à des bonnes d'enfants l'éducation de Maynard et d'Avis quand ils étaient petits et inintéressants. Mais Arthur était différent, ou peut-être était-ce elle qui l'était, et elle redoutait le mois de septembre, quand il commencerait d'aller à l'école et qu'elle ne pourrait plus l'avoir avec elle toute la journée.

Ce matin-là, après l'église, ils allaient rendre visite à une Mrs. Herman Kessler, qui avait promis de faire un don pour la nouvelle bibliothèque municipale. Theresa savait que les gens qui donnaient de l'argent préféraient le remettre à une personne pleine de gratitude plutôt que d'expédier leur chèque dans un bureau de poste anonyme. Au 62, Newberry Street, ils furent introduits dans un petit salon lumineux, où Mrs. Kessler et son amie Mrs. Jones étaient en train de feuilleter une liasse d'aquarelles.

— Regardez-moi celle-ci ! ordonna Mrs. Kessler, offrant à l'admiration de Theresa une marine agitée où les bleus, les verts et les gris formaient un mélange boueux. Je ne sais pas d'où ma Charlotte tire son talent. Je suis incapable de tenir un crayon, quant à Herman, c'est à peine s'il sait signer son nom.

— C'est ravissant, dit Theresa.

— Remarquable, renchérit Mrs. Jones.

— Cette façon qu'elle a de restituer l'ambiance ! dit Mrs. Kessler en tenant le tableau à bout de bras, les yeux plissés pour tenter de fixer un point, n'importe lequel, sur l'image. C'est la marque d'une véritable artiste.

Theresa approuva poliment. Puis, comme elle avait connu Mrs. Kessler et Mrs. Jones dans plusieurs comités de la Croix-Rouge pendant la guerre, elles évoquèrent la dernière fois où elles avaient vu ou entendu parler d'Unetelle ou d'Unetelle et rirent en se remémorant le jour où elles avaient pelleté cent cinquante kilos de noyaux de pêches pour envoyer des masques à gaz en Europe. Pendant ce temps, Arthur n'avait rien d'autre à faire que de prendre un cookie quand on le lui en proposait et de tourner les pages d'un livre d'images qu'il avait apporté.

— Vous savez, je crois que nous avons aperçu votre fille la semaine dernière au club Milwaukee Turners, dit enfin Mrs. Jones à Theresa. Si ma mémoire est bonne, c'est Avis, son prénom ?

Arthur tendit l'oreille. Il lui semblait toujours étrange que des gens qu'il n'avait encore jamais vus connaissent sa sœur et son frère.

— Comme c'est gentil à vous de vous en souvenir, dit Theresa.

— Elle était avec une autre jeune femme, repartit Mrs. Kessler. Une fille avec un nez affligeant.

— Meta Kunkel. Oui, c'est vraiment dommage, ce nez.

— Je suis sûre que c'est une très gentille petite, reprit Mrs. Kessler avec la suffisance de quelqu'un dont la fille a le nez droit et bien fait.

— Ce n'est pas elle que j'aurais choisie comme amie pour Avis, mais les enfants ne font pas toujours ce qu'on veut, n'est-ce pas?

Theresa trouvait Meta lourde, bruyante, sans humour, bref, peu susceptible d'attirer le genre de personnes qu'elle souhaitait voir auprès d'Avis. Et, surtout, elle aurait voulu que sa fille témoigne davantage d'intérêt aux jeunes hommes de son milieu. Elle était contrariée de la voir – elle qui avait tant de possibilités, tant de talent (bien qu'en matière d'eau Avis n'eût jamais rien vu de plus vaste que le lac Michigan, ses marines *à elle* restituaient vraiment l'ambiance de l'océan) – dilapider ses chances d'être heureuse. Pourtant, se rassurait Theresa, Avis pouvait être très jolie quand elle voulait. En grandissant, elle adopterait certainement une attitude plus appropriée.

Mrs. Kessler sirota son thé et ne répondit rien, mais son regard par-dessus la tasse était plein de mépris et d'arrogance.

— Mon aîné, Maynard, dit Theresa, a trouvé une excellente place. Il travaille à la banque, vous savez. Quand je pense à ce qu'on lui fait faire! Vraiment, l'idée de tout cet argent m'angoisse parfois.

Naturellement, Maynard n'avait encore aucune vraie responsabilité. Le plus souvent, il portait d'un bureau à l'autre des papiers à signer par des responsables. Mais c'étaient des papiers très importants. Et le vice-président ne cessait de lui assurer qu'il irait loin.

— Ainsi, il ne va pas à l'université? demanda Mrs. Kessler tout en mordant précautionneusement dans un boudoir pour que le sucre ne s'envole pas.

— Ma foi, non. Il n'en voyait pas la nécessité. Vous comprenez, il travaillait à la banque comme garçon de courses, l'été, et quand il est sorti bachelier de Saint-John ils lui ont tout de suite proposé une place.

— Je ne dis pas que l'enseignement va lui manquer. Dieu sait que mon Freddy est sorti de l'université aussi bête qu'il y était entré, mais ce sont les amis qu'on s'y fait, la société. Il ne pourra pas progresser sans relations.

— Il ira sans doute d'ici un an ou deux, répondit Theresa sans réfléchir. Ça ne m'étonnerait pas.

Mrs. Kessler et Mrs. Jones échangèrent un regard éloquent – à l'automne, le fils de Mrs. Jones entrait en première année à l'université de Chicago –, et Theresa comprit que, d'une certaine manière, elle s'était montrée à son désavantage.

Mrs. Jones aborda un autre sujet.

— J'ai cru comprendre que vous faisiez construire une maison de vacances.

— Oui, répondit prudemment Theresa.

Qu'allaient-elles faire de cette maison trop longue, sur cette pente trop raide, du mauvais côté du mauvais lac?

— Oh! si seulement je pouvais convaincre Herman de faire la même chose, dit Mrs. Kessler. Ici, impossible d'échapper à l'odeur de la rivière en été. C'est tout simplement intolérable. Mais il refuse de quitter la ville. Quand on part, on laisse filer trop d'occasions, voilà ce qu'il dit. C'est sans doute vrai pour lui, mais moi quelles occasions est-ce que je laisse filer? Et il ne pense pas à Charlotte. Elle ne voit pas pourquoi on devrait rester en ville – surtout quand tous ses amis sont partis. « Tant qu'à rester là, il faut qu'on ait une maison sur le lac Michigan », voilà ce que je dis à Herman. Mais il ne veut pas non plus. Il dit : « Mon père s'est contenté de cette maison. Et je m'en contente aussi. » Ce qui nous rend totalement dépendants des bonnes grâces des parents et des amis qui, eux, ont des maisons de vacances.

Elle sourit à Theresa.

— Nous serions ravis de vous accueillir chez nous dès que la maison sera finie, dit celle-ci. Nous allons nous inscrire au yacht-club et au tennis, et je sais qu'Avis et Maynard seraient enchantés d'emmener Charlotte avec eux dans les soirées.

En réalité, Avis était farouchement hostile à toute inscription dans ces clubs qu'elle jugeait « prétentiards ». Quant à Maynard, il n'était jamais parvenu à attraper le coup au tennis. Mais Theresa était sûre que ces inconvénients mineurs se résorberaient d'eux-mêmes dès qu'elle aurait installé sa famille dans un nouveau cadre où leurs vraies personnalités pourraient s'épanouir. Elle comptait également sur cette maison pour rectifier un problème majeur : l'inconstance de son époux. Et, déjà, elle constatait un changement chez Clement. Le soir, il rentrait à la maison à l'heure pour qu'ils puissent se plonger ensemble dans les plans. Il lui décrivait ses projets avec la même excitation que du temps où il lui faisait la cour, et se montrait impatient de connaître sa réaction. Et il venait souvent frapper à la porte de sa chambre à coucher. Oui, il lui revenait, c'était une certitude, et elle était convaincue que ce nouveau projet, pour lequel il accueillait volontiers ses idées et son argent, comme aux premiers temps de leur mariage, allait le garder auprès d'elle.

Plus tard, lorsque Theresa s'arrêta sur les marches des Kessler et lâcha la main d'Arthur pour plier le chèque et le glisser dans son sac, elle décida que cette visite avait été globalement satisfaisante. Elle était tout particulièrement soulagée que la maison de vacances eût recueilli l'approbation. Jusque-là, elle doutait. Clement, lui, ne doutait pas, mais il s'emballait pour toutes ses idées : son enthousiasme n'était pas une indication. Florence Kessler, elle, n'était pas du genre à acquiescer à n'importe quoi, pas plus qu'Alice Jones.

À présent, Theresa se sentait libre d'imaginer sa famille là-bas : Arthur poussant un petit bateau à voiles avec un bâton le long du rivage, les genoux tachés d'herbe et les cheveux joliment embroussaillés ; Maynard, à la barre d'un vrai voilier, plissant les yeux face à l'éclatante blancheur de la voile, gagnant peut-être même une régate dont il lui présenterait la coupe en argent ; Avis, assise sous le kiosque avec un gentil garçon, un ami de Maynard sans doute, la dernière heure d'un dimanche soir, jouissant de la douloureuse pensée qu'ils ne se reverraient pas pendant au moins une semaine.

Clement et elle ? Non, c'est trop tôt, trop tôt, se dit-elle. Elle n'osait pas y compter. Mais elle gardait l'idée au chaud, comme une graine sous la terre gelée.

À seize heures, tous les jours, Arthur et sa mère faisaient la sieste ensemble sur l'édredon de satin frais qui couvrait le lit de Theresa. Avant de s'endormir, ils restaient étendus, chacun écoutant le souffle calme et régulier de l'autre, et regardant les ombres de l'après-midi tacher le plafond. Parfois, Arthur posait la tête sur le ventre de Theresa et s'émerveillait de ce gargouillis continu, imperceptible à tous sauf à lui.

À cinq heures et demie, il sortait s'asseoir sur les marches de pierre devant la maison pour attendre le retour de Clement. Impossible de le détourner de sa mission, même par le pire des temps. Lorsqu'il pleuvait ou grêlait, il se tenait debout près du mur, sous l'auvent qui protégeait la porte d'entrée. Les jours de soleil ou de neige, il s'amusait à sauter de marche en marche pour tromper l'attente. Il lui arrivait aussi de vagabonder dans tout le jardin et de n'utiliser les marches que comme port d'attache. Jamais, pourtant, il ne quittait la rue des yeux car il craignait, sinon, que son père ne rentre pas, or il savait que son père devait rentrer, même si parfois il le regrettait.

6.

Sur les conseils du pasteur Jensen, Carl avait pris des dispositions pour que Hilda Grossman, cousine au deuxième degré du côté de son père, vienne de Tomahawk veiller sur la maison et sur Ruth pendant le séjour d'Amanda à Saint Michael. Hilda lui fit clairement comprendre que cet arrangement ne l'enchantait pas.

— Je n'irai pas par quatre chemins, Carl, dit-elle en laissant tomber son sac de voyage à ses pieds avec un bruit sourd. Je savais qu'il se passait de drôles de choses dans cette maison. Tu nous prends peut-être pour des idiots, nous autres de Tomahawk, mais on a des oreilles pour entendre. Une autre ne serait peut-être pas venue, mais tu es dans la mouise, et la famille, c'est la famille, donc me voilà.

Elle croisa les bras sur les sommets de sa poitrine et attendit la réponse de Carl.

— Qu'est-ce que tu veux dire par de « drôles de choses » ?

— Je ne sais pas, mais ce que je sais, c'est qu'une femme comme il faut ne se cache pas pendant des mois sur une île, sans parler à âme qui vive, et ce que je sais aussi, c'est qu'une femme comme il faut se noie au grand jour, au vu et au su de tout le monde, et pas en secret, au beau milieu de la nuit. Voilà ce que je sais.

Carl plissa les yeux, comme s'il essayait d'aiguiser sa vue.

— Je ne comprends pas. Où veux-tu en venir ?

— Je ne dirai rien de plus. Ça ne se fait pas de colporter des ragots. C'est ce qu'on m'a appris. Je tenais juste à ce que ma position soit claire.

Mais, pour Carl, elle n'avait fait que rendre les choses encore plus opaques. Que s'était-il passé pendant son absence ? Il aurait dû insister auprès d'Amanda quand c'était encore possible ; désormais, il était hors de question de l'interroger. Cette nuit-là, dans sa chambre, il examina attentivement la photo de Mathilda sur sa table de nuit. Il la souleva par le cadre et la secoua, essayant de... de quoi ?... de la faire parler, de modifier son expression ? Elle souriait toujours, avec l'air de vouloir vivre éternellement.

Pendant une semaine ou deux après le départ d'Amanda, Ruth se montra agitée. Elle errait de pièce en pièce et s'arrêtait pour regarder à chaque fenêtre basse. Elle attrapait des objets sur son passage, de petites choses, légères – sa couverture, son ours, une cuillère, un bas sorti du tiroir d'Amanda –, et les semait distraitement sur son chemin, de sorte qu'à la fin de la journée il y en avait partout dans la maison. Et elle pleurait, bien qu'en vérité le bruit fût plus proche du gémissement, un faible lamento qui semblait toujours en suspens dans sa gorge, près de se déverser à la moindre incitation – et même souvent sans incitation –, inextinguible une fois qu'il avait commencé.

Une fois ou deux, Hilda se tapota les genoux et tendit les bras vers la fillette.

— Viens voir Hilda, viens, dit-elle avec un sourire rassurant à l'intention de Carl.

Mais Ruth se détourna, refusant même d'approcher. Gênée, Hilda parut alors fermer son cœur à Ruth.

— Il y a des gens, rien ne leur fait plaisir, fit-elle en se levant avec brusquerie et en s'époussetant les genoux.

Carl prenait Ruth et la berçait, mais jamais longtemps. Elle glissait de ses bras, filait comme du vif-argent, et il ne pouvait l'arrêter dans ses errances que lorsqu'elle tombait de sommeil dans un coin, épuisée.

Puis un jour, au petit déjeuner, elle tendit son verre à deux mains.

— Que dis-tu ? demanda-t-il en soulevant le broc de lait.

Comme elle ne répondait rien et se contentait de lui pousser le verre sous le nez, il prit conscience qu'il ne l'avait pas entendue prononcer un mot depuis des jours.

— Ruthie, que dis-tu ? répéta-t-il, plus sérieusement cette fois.

Elle continua de se taire.

— Je voudrais un peu de lait, s'il te plaît, fit-il.

Ruth tapa vivement le fond de son verre sur la table.

— Ça suffit, Ruthie.

Il reposa le broc et tendit la main pour lui prendre le verre. Impossible, vraiment, de dire ce qui se passa après. Le lâcha-t-elle exprès ou simplement trop tôt pour que Carl ait le temps de l'attraper ? Toujours est-il que le verre se fracassa sur le sol.

Hilda descendit pour le petit déjeuner alors qu'il était en train de balayer.

— Hilda, Ruth n'aura rien aujourd'hui tant qu'elle ne l'aura pas demandé correctement, dit-il en vidant les tessons dans la poubelle. Elle n'a qu'à parler.

— Je comprends, répondit Hilda en se servant du café comme si elle était chez elle dans cette cuisine.

Voyant qu'elle avait presque l'air heureuse d'avoir l'occasion de punir Ruth, il rectifia ses propos.

— Je ne veux pas dire par là qu'il faut l'affamer.

Hilda lui lança un regard pensif et but une gorgée de café.

— Tu laisses les bonnes femmes te marcher sur les pieds, Carl, tu le sais ça ? Y compris cette petite. Tu ne lui rends pas service en cédant à tous ses caprices.

Carl était furieux de l'entendre parler comme ça, mais peut-être avait-elle raison après tout. Que savait-il de l'éducation des petites filles ? Il s'inquiétait pour Ruth, elle avait perdu deux mamans, rien d'étonnant à ce qu'elle se conduise mal, mais lui, qu'y pouvait-il ? Il espéra que Hilda était meilleur juge et sortit d'un pas rapide pour se diriger vers l'étable.

À midi, Hilda prépara un sandwich au fromage et le présenta à Ruth sur une assiette. Lorsque la fillette tendit la main pour l'attraper, Hilda souleva l'assiette.

— Qu'est-ce qu'on dit ?

Ruth se mit à pleurnicher.

— Avec moi, tes larmes de crocodile ne te mèneront nulle part, jeune fille.

Hilda mordit dans le sandwich et mâcha ostensiblement tandis que Ruth se mettait à hurler.

Alors elle posa le sandwich et farfouilla dans un tiroir. Lorsqu'elle se retourna pour faire à nouveau face à Ruth, elle avait une cuillère en bois à la main.

— Je vais te donner une bonne raison de pleurer, moi.

Elle attrapa la fillette par le bras et lui flanqua trois ou quatre généreux coups de cuillère sur les fesses.

— Ça t'apprendra.

Puis elle saisit Ruth par la taille, la porta à l'étage, la déposa dans sa chambre et referma la porte.

Chaque soir, c'était Hilda qui préparait le dîner, d'habitude des patates à l'eau et un bout de viande qu'elle laissait cuire jusqu'à ce qu'il abandonne la dernière goutte de son jus.

— Elle n'est même pas bien apprise, se plaignit-elle en étalant la moutarde sur sa pomme de terre avec son couteau.

— Que veux-tu dire ? Apprise à quoi ?

D'ordinaire, Carl gardait la tête baissée pendant qu'ils mangeaient, pour ne pas la voir mâcher, mais là il leva un regard intrigué.

— Tu sais bien. Apprise.

Lorsqu'il secoua la tête avec un air de totale perplexité, le visage de Hilda s'empourpra et elle baissa les yeux.

— Tu sais bien. Elle fait pipi dans sa culotte.

Il fut tellement soulagé de lui voir cette mine déconcertée et si peu féroce qu'il éclata de rire. Chose surprenante, Hilda rit aussi.

— Il n'y a pas de quoi rire, protesta-t-elle, mais elle souriait toujours.

L'espace de quelques instants, ils se dévisagèrent, frappés par ce changement, mais ni l'un ni l'autre ne sut comment poursuivre.

— Bien, qu'est-ce qu'on fait pour ça ? finit par demander Carl.

— Je crois que je sais comment m'y prendre.

La méthode d'apprentissage de Hilda consistait à interdire à Ruth de changer de culotte quand elle la mouillait. Ce qui signifiait naturellement aussi interdiction de s'asseoir où que ce soit dans la maison.

— Il faut apprendre à vivre avec ses erreurs, disait Hilda.

Ruth se mit à cacher son linge mouillé et à passer le reste de la journée sans rien sous sa jupe.

Le jour où elle découvrit la combine, Hilda alla cueillir Carl à la porte de derrière.

— Je regrette de devoir te dire ça, Carl, mais une enfant normale, une enfant comme il faut, ne se promène pas toute nue. Tu vois bien qu'elle n'a pas été élevée correctement. Pas étonnant que la sœur soit chez les dingues. Ce qui oblige à se poser aussi des questions sur la mère. Je suis désolée de dire ça, mais c'est la vérité.

Elle n'avait pas l'air désolée de dire ça. Elle avait l'air ravie, triomphante. Carl s'indigna.

— Tu n'as pas le droit de dire des choses pareilles sur ma femme ou sur la famille de ma femme. Si c'est ce que tu penses, tu peux rentrer à Tomahawk. Je te donnerai de l'argent pour le train.

Hilda parut surprise de cet accès de colère.

— Et je te laisserais seul avec une enfant comme ça ? Je sais mieux où est mon devoir, crois-moi.

Elle fit brusquement volte-face, pénétra dans la cuisine et s'affaira au milieu des casseroles. Carl remit sa veste pour retourner à l'étable, même s'il avait décidé qu'il avait fini sa journée, et entreprit de savonner la bride de Frenchie.

Comment osait-elle dire des choses pareilles sur Mathilda et sa famille ? Ce n'était qu'une vieille fille jalouse, qui en voulait à une autre femme, une femme heureuse, une femme qui avait eu un mari aimant. Il frotta furieusement la bride, jusqu'à ce que le chiffon lui glisse des mains et que le frottement de ses doigts sur le cuir lui brûle la peau. Pourquoi était-il impossible qu'une femme se noie, tout simplement ? Il y a tout le temps des gens qui se noient, Amanda l'avait dit. La même Amanda qui n'était même plus capable de lacer seule ses chaussures. Mais ça n'avait rien à voir, s'assura-t-il à lui-même. Bien sûr que tout le monde pouvait se noyer. Ça n'avait rien de louche, rien qui mérite de se poser des questions.

Pourtant, il était rongé par le doute. Un doute sur quoi, au juste, il n'aurait su le dire. Si seulement il avait pu parler à Mathilda, juste quelques minutes. Si seulement il avait pu la voir, alors il aurait su, il aurait été rassuré. Mais les contours de son souvenir continuaient de s'estomper. Parfois, il était troublé de constater que ce n'était pas elle qu'il revoyait, mais sa pose sur une photo examinée la veille. Et alors... alors... Peut-être Hilda, tout en ne sachant rien avec certitude – comment aurait-elle pu savoir quoi que ce soit avec certitude ? –, peut-être Hilda sentait-elle quelque chose qu'il était trop obtus pour percevoir.

****

Ruth se mit à briser des objets. Elle donnait des coups de bâton dans les pots de fleurs sur la rambarde de la véranda jusqu'à ce qu'ils s'écrasent sur les ardoises en contrebas. Elle poussait le broc de lait hors de la table. Elle fit tomber pièce par pièce du manteau de la cheminée la collection d'animaux en verre mexicains de sa grand-mère Starkey. Elle arrachait les pages des livres et déchira en deux les images du stéréoscope. Elle scia le bord de la table de la cuisine avec un couteau à beurre.

— Quelle horrible, horrible enfant !

Hilda arrivait aussi vite que possible, au moindre boum, au moindre crac, mais elle était rarement assez rapide pour attraper Ruth, qui se dépêchait de filer, moitié dévalant l'escalier, moitié glissant le long de la rampe jusqu'à la cave : là, elle s'accroupissait sous le lavoir et se tassait contre le mur, près de l'eau de Javel et de la lessive. Les doigts battaient l'air devant elle, cherchant comme des serres à se refermer sur la peau de son crâne, puis donnaient des claques dans le vide avec une frustration furieuse. Hilda avait du mal à se mettre à genoux. Penchée devant le placard, elle se cramponnait d'une main au lavoir et, de l'autre, tâtonnait à l'aveugle dans les recoins obscurs. De toute la largeur de ses seins et de ses jambes, elle bloquait la fuite par un mur jaune à motifs fleuris. Pour finir, elle déplaçait son poids, enfonçait l'épaule plus profond et parvenait à saisir un bout de jupe ou une poignée de cheveux. Puis elle ramenait Ruth, hurlante, et la traînait dans l'escalier jusqu'au tiroir où se trouvait la cuillère en bois.

Hilda l'accueillait si souvent à la porte avec un sac en papier plein de morceaux cassés, que Carl finit par s'étonner qu'il reste encore un bibelot à détruire dans cette maison. La seule variante au programme se produisit un après-midi pluvieux : la main de Hilda, qui tâtonnait sous le lavoir pour attraper Ruth, s'immobilisa en plein vol. Ce jour-là, Ruth mordit, elle savoura la chair vivante entre ses dents, le goût acidulé et légèrement salé de la peau. L'espace d'une vibrante seconde, la maison fut plongée dans le silence. Hilda fixa sa main avec stupeur puis se mit à crier comme un paon. Carl ne fut pas plus tôt dans la véranda qu'elle lui tendit sa main bandée.

— Mieux vaut que tu le saches, dit-elle. Tu élèves une bête sauvage.

Carl se sentit coupable. Pour obtenir son pardon, il redoubla de politesse, ne s'immisça pas dans sa façon de traiter Ruth, déménagea ses affaires dans la meilleure chambre. Que deviendraient-ils si elle les quittait ?

****

À Saint Michael, il s'arrêta pile dans l'encadrement de la porte du foyer – il espérait que sa belle-sœur allait se reprendre. Amanda avait bougé son fauteuil, elle tournait le dos à la pièce pour pouvoir observer les bois où la neige résistait, opiniâtre, refusant de céder la place au printemps. Il y avait presque un an qu'elle était à l'hôpital.

Elle avait les mains agitées, les doigts de l'une pétrissaient le pouce de l'autre, une habitude qu'il avait remarquée récemment. Il constata qu'on l'avait incitée à s'habiller toute seule – c'était la règle quand un patient était en état de le faire – car sa jupe était tire-bouchonnée et son chemisier boutonné de travers. Sa chevelure bouclée et rebelle, qu'il trouvait plutôt jolie autrefois, ressemblait, ma foi, à celle d'une folle. Il dit :

— Amanda ?

Elle sursauta, ses mains se séparèrent, ses bras retombèrent mollement sur ses genoux.

Elle se tourna vers lui et hocha gravement la tête.

— Bonjour, Carl. Comment vas-tu ?

— Oh ! bien, bien, répondit-il.

Il s'assit sur le siège voisin et tendit le bras pour serrer dans la sienne la main d'Amanda. Elle le laissa faire mais ne lui rendit pas cette légère pression.

— Tu ne veux pas t'arranger un peu ? lui demanda-t-il.

Elle effleura son corsage et ses cheveux, l'air surprise d'apprendre qu'elle n'était pas totalement présentable.

— Euh... oui, balbutia-t-elle. Je... je n'ai pas de glace, tu sais, dit-elle d'un ton de reproche.

— Dans ce cas, je vais t'aider, fit doucement Carl. Les boutons ne vont pas.

Il tendit un doigt hésitant, d'abord vers le milieu du ventre, là où le tissu était de travers, puis, après réflexion, il visa le coin d'étoffe qui remontait trop haut près de son cou.

— Ils ont encore caché mes pantoufles, dit-elle, comme tu peux voir.

Et, pour preuve, elle tendit ses pieds chaussés de bas.

Voir surgir comme ça ses longs pieds minces et ses maigres chevilles parut à Carl presque pire, d'une intimité plus gênante que le fragment de caraco aperçu sous le corsage mal boutonné. Tandis qu'il baissait les yeux pour chercher ses pantoufles sous le fauteuil, Amanda se reboutonna discrètement.

— C'est mieux comme ça, dit-il en lui posant son cardigan sur les épaules.

Il aurait aimé lui lisser un peu les cheveux, tant qu'il était là, debout derrière elle, mais il n'eut pas le courage de les toucher. De toute façon, qu'aurait-il fait ? Il n'avait aucune idée de la façon dont les femmes s'y prenaient pour coiffer leurs cheveux comme elles le faisaient.

— Bien, je ne veux pas te retenir, dit Amanda quand il se tut.

— Oh ! tu ne me retiens pas du tout.

Il s'adossa dans le fauteuil et croisa confortablement les jambes. C'était agréable d'être là, loin de Ruth qui ne parlait pas et de Hilda qui parlait trop. Il comprenait pourquoi elle avait envie de rester.

— Je sais que tu dois rentrer, dit-elle, plus fermement cette fois.

116

Alors il poussa un soupir et se leva. Il lui dit qu'il reviendrait le lendemain, sauf s'il devait attendre le maréchal-ferrant, auquel cas ce serait le surlendemain. Lorsqu'il fut parti, elle renversa la tête en arrière dans son fauteuil, pour retenir les larmes qui lui remplissaient les yeux.

Amanda

Je t'ai dit de rentrer, Mattie. Je te l'ai dit. Oui, je te l'ai dit. Pourquoi est-ce que tu ne veux jamais m'écouter ?

Du jour de ta naissance tu as été un souci. Toi tu ne t'en souviens pas, mais moi oui. Tous ces pleurs qui n'arrêtaient pas la nuit, tellement de pleurs que Maman et Papa n'ont pas supporté : ils ont mis ton berceau dans ma chambre. Tu ne t'en souviens pas, mais je te chantais des chansons. Je te frottais le dos. Je te soulevais, je te faisais sauter sur mes genoux. Je t'emmenais dans mon lit, je calais ta tête sous mon menton, mais tu ne restais pas tranquille. Je m'endormais avec tes pleurs, et ils se déchaînaient comme une tempête dans mes rêves. Non, tu ne te souviendrais pas de ça.

Et puis il y a eu ce premier été, tu es devenue calme, si calme, comme une poupée, couchée là dans ton lit d'enfant, et des boutons rouge vif ont fleuri partout sur ton corps. Papa m'a préparé le divan dans la pièce du fond, au rez-de-chaussée. Il m'a interdit de monter avec Maman et toi, par peur de la contagion ; maintenant je le sais, mais à l'époque je l'ignorais.

J'essayais de m'en tenir à un programme régulier, j'essayais de me laver la figure et les dents le matin en me levant, et le soir avant d'aller me coucher. Je traînais toute la journée dans le jardin et autour de l'étable, ou j'installais par terre mes poupées en carton. Parfois la fille de ferme se rappelait de me faire un sandwich. Sinon, au moment du déjeuner, je me hissais sur un tabouret pour attraper les crackers dans le placard. Je plongeais les cassés, ceux dont personne ne voudrait, dans un pot de confiture de mûres. Le matin, le midi, la nuit, j'entendais Maman chantonner près de ton berceau.

Un après-midi, j'ai dû m'endormir parce que c'est un rayon de soleil chaud tombant sur mon visage qui m'a réveillée. Mes cheveux collaient à la confiture barbouillée sur ma joue. J'étais épuisée, j'avais chaud, j'avais faim. Et il y avait quelque chose d'anormal. Je n'entendais rien, pas un bruit dans la chambre du dessus.

J'ai gravi l'escalier, une marche silencieuse après l'autre, prête à redescendre à toute vitesse dès que j'entendrais les chaussures de Maman sur le palier ou la main de Papa sur la porte. Une fois en haut, j'ai vu l'intérieur de la chambre où tu étais couchée, toute seule, immobile. Je suis entrée. J'ai posé la main sur ton front minuscule. Il était brûlant comme un pain sorti du four.

Alors Maman m'a foncé dessus.

— Ne la touche pas ! Ne la touche pas ! Sors d'ici tout de suite !

Je l'ai à peine reconnue, elle avait les cheveux dans tous les sens, sa robe-chemisier était tachée, ce n'était pas la jolie Maman soignée que je connaissais. J'ai vite retiré ma main, j'ai quitté la pièce en courant, dévalé l'escalier, pris la porte de derrière. J'ai traversé le jardin et cavalé jusqu'aux bois. Les ronces me griffaient la peau, mais j'ai serré les dents, je n'ai pas pleuré. Les branches fines me fouettaient les joues, mais j'ai continué à courir. J'ai couru jusqu'au bord du lac. L'eau était plate et verte. Elle formait comme un chemin lisse depuis l'endroit où je me trouvais jusqu'à une explosion d'arbres et de rochers au milieu : l'île. Là-bas, le soleil tombait droit sur les feuilles pleines de sève, tout rayonnait.

Je me suis promenée sur la rive, retenant mon souffle, sans quitter l'île des yeux. Si j'avais su nager, je me serais jetée à l'eau. Et puis je suis arrivée à un bateau, une petite barque en bois, à la peinture bleu-vert presque effacée. L'avant reposait dans la boue. L'arrière flottait librement, de sorte que, même avec mes maigres forces, j'ai pu la dégager de la rive.

J'ai grimpé dedans, pris une rame et m'en suis servie comme d'une gaffe pour me pousser jusqu'à l'eau profonde. Et puis j'ai ramé, ramé, ramé jusqu'à mon île.

C'était la première fois que je m'y enfuyais. Je croyais que, là-bas, tout irait bien, vous voyez. C'était ce que je me disais à ce moment-là. C'est aussi ce que je me suis dit plus tard. Mais plus tard je me suis trompée.

****

— Alors, Carl, comment était-elle ?

Hilda lui passa le saladier de betteraves au vinaigre.

Carl secoua la tête.

— Pas très bien, je crois.

Hilda opina. Elle mordit une grosse bouchée de son pain beurré puis, avec une délicatesse exagérée, se tamponna les lèvres du coin de sa serviette pour en ôter les miettes et lissa quelques mèches folles derrière son oreille. Pour la première fois, Carl remarqua une coquetterie dans sa façon de pencher la tête. Il s'éclaircit nerveusement la voix.

— J'ai remarqué que Ruthie se comportait mieux.

— Oh, Ruth et moi nous entendons très bien, maintenant, n'est-ce pas, Ruth ?

Hilda tendit une main raide pour tapoter la tête de la fillette, mais celle-ci esquiva son contact.

— C'est une bonne petite aide, poursuivit Hilda.

Elle feignit d'avoir juste voulu récupérer quelques petits pois qui avaient roulé de l'assiette de Ruth sur la toile cirée.

— Ça ne m'étonnerait pas qu'elle commence à me prendre pour sa maman.

Et elle gratifia Carl d'un sourire rêveur qui le fit repousser sa chaise et siffler debout, d'un trait, son restant de café.

— Faut que j'aille en ville. On va manquer de...

Il passa la porte avant d'avoir achevé sa phrase.

****

Ruth s'était arrêtée de casser des objets après la montre de gousset qu'elle avait jetée un soir par-dessus la rampe, du haut de l'escalier.

— C'était celle de mon papa, lui avait dit Carl.

Il avait caressé du pouce le cadran brisé avant d'enfouir son visage dans ses mains. Effrayée, Ruth avait grimpé sur ses genoux pour les écarter.

Dorénavant, elle observait souvent Hilda; elle la prenait en filature, sans bruit, à un mètre cinquante environ, et imitait sa démarche, son port de tête, le geste las avec lequel, du dos de la main, elle repoussait les cheveux sur son front. Cet après-midi-là, assise sur le tapis dans la chambre de Hilda, elle la regardait à sa toilette.

— Un peu d'attention à son apparence peut tout changer.

Elle jeta un œil au reflet de Ruth dans le miroir tandis que, du bout des doigts, elle tapotait la crème sur ses joues plates.

— Tiens, reprit-elle en sortant d'un tiroir le corset des dimanches, celui qui allait sous les vêtements réservés à l'église. Tu as les mains propres? Touche ça.

Ruth passa un doigt prudent sur la bordure du corset.

— De la vraie dentelle belge, dit Hilda. Tu vois comme elle est fine? On ne trouve pas meilleure qualité. Et ça, c'est pour se donner bonne mine, expliqua-t-elle en attrapant dans le fond d'un tiroir un minuscule pot de fard à joues ainsi qu'un rouge à lèvres.

Elle montra à Ruth l'effet produit, l'examina elle-même dans le miroir, puis effaça soigneusement toute trace de maquillage avant de quitter la pièce.

****

— J'ai invité quelques dames, annonça Carl en tapant lourdement des pieds sous le porche de derrière, ce soir-là.

Hilda, qui montait la garde pour vérifier qu'il ôtait bien la boue de ses bottes, plissa les yeux pour scruter l'ombre derrière lui, comme si elle s'attendait à voir une demi-douzaine de femmes massées sur la pelouse.

— Qu'est-ce que tu racontes?

— Je me suis dit que tu devais te sentir un peu seule ici, alors j'ai invité des dames à passer à la maison la semaine prochaine.

120

Il avait pris son air le plus dégagé. Puis, évitant son regard, il se tourna pour pendre soigneusement sa veste à la patère et ajouta :

— Un genre de réception, quoi.

— Carl, tu n'as pas fait ça !

Les mains sur les hanches, elle lui barrait le chemin de la cuisine.

— Quoi ? J'ai fait quelque chose de mal ? Tu n'aimerais pas avoir un peu de compagnie ?

— Je passe toute la sainte journée à courir après cette enfant. Je me brise les reins chaque jour à faire le ménage. Et maintenant tu veux que j'organise une réception !

— Je pensais juste que ça te ferait plaisir de voir du monde. Je me rappelle que ta mère recevait des dames le jeudi.

— Le mercredi. Et que veux-tu que je fasse avec ces gens que je connais à peine ?

— Je ne sais pas ce que font les femmes, fit Carl avec un haussement d'épaules. Jouer aux cartes, j'imagine. Boire du café. Manger un gâteau.

— Un gâteau ! Tu veux que je fasse de la pâtisserie ? Et c'est tout juste s'il y a trois tasses qui vont ensemble dans cette maison.

— D'accord, d'accord, répondit Carl en se faufilant devant elle. Demain, je leur dirai que c'est pas la peine de venir.

— Et elles penseront que je ne sais pas recevoir. Non, le mal est fait.

Elle poussa un gros soupir et retourna à ses fourneaux, touillant vigoureusement avec une cuillère en bois une substance qui commençait à exploser en bulles furieuses.

Pendant toute cette semaine-là, elle envoya Carl à la ville au moins une fois par jour afin d'acheter des fournitures spéciales : des cartes à jouer neuves, de jolis petits blocs de papier, des crayons courts chez Baecke, des noisettes, des fruits secs et du sucre en morceaux chez Mr. Pucci. Elle engagea Thekla Manigold, l'une des jeunes sœurs de Mary Louise, pour donner un coup de main l'après-midi, et ordonna à Rudy de fouiller le grenier pour dénicher des tables de jeu. Trois soirs d'affilée, la conversation du dîner se résuma essentiellement au débat qu'animait Hilda avec elle-même ; à savoir, achetait-elle un gâteau fourré glacé avec des roses jaunes et roses chez Klein ou faisait-elle sa brioche aux fruits qu'on-admirait-tant-à-Tomahawk ? Elle alla jusqu'à coudre un ruban à l'un de ses plus beaux mouchoirs pour confectionner à Ruth un minuscule tablier, puis elle l'entraîna à marcher dans la pièce avec un soin particulier et à s'arrêter devant chaque fauteuil pour présenter le pot de crème et le sucrier sur un plateau d'argent.

— Si la réception est réussie, lui dit-elle, je ne serai pas surprise qu'on lance un club. Ma mère et moi, on appartenait à trois clubs de cartes à Tomahawk, tu sais.

Le soir qui précéda l'événement, sans quitter des yeux la cuillerée de compote de pommes qu'elle versait dans son assiette, elle lança à Carl :

— Tu passeras, n'est-ce pas ? Rien qu'une petite demi-heure, vingt minutes. Je sais que tout le monde voudra te voir. Et puis Ruth se donne tant de mal pour le service.

Carl jeta un œil à sa fille. Depuis des semaines, des mois même, elle ne faisait aucune bêtise mais refusait toujours de parler. Il regrettait l'époque des bêtises – au moins, il y avait du bruit, elles exprimaient quelque chose –, mais qu'y pouvait-il ? Impossible de forcer un enfant à parler. Impossible même de le forcer à casser des choses.

Il mâcha sa viande avec application, pour gagner du temps. Il savait que si Hilda lui demandait de venir c'était pour elle, pas pour Ruth. Mais une demi-heure, qu'est-ce que c'était ? Il pouvait bien se montrer galant quelques minutes pour lui faire plaisir. Après tout, elle s'occupait de sa fille du mieux qu'elle savait le faire. Et si ce n'était pas idéal, elle n'en était pas entièrement responsable, il s'en rendait compte. Il avait connu sa cousine enfant à Tomahawk ; elle aurait difficilement pu devenir autre chose que cette femme dure et désagréable : elle était presque née comme ça.

— D'accord, je passerai, dit-il à Hilda. À quelle heure ?

— Oh ! mettons quatre heures, répondit-elle, radieuse. Laisse-leur le temps de se poser.

Le lendemain matin, elle bouscula tout le monde au petit déjeuner. Dès midi, la brioche était glacée, les coussins retapés, les têtières propres des fauteuils lissées, et les petites cuillères astiquées, exemptes de toute trace de doigt. Pour ne pas perdre de temps ni salir la cuisine, elle ne leur donna que des sandwichs froids au déjeuner.

— Je sais que vous avez mieux à faire que de rester ici à attendre toute cette basse-cour, dit-elle en voyant Carl et Rudy disposés à s'attarder pour le café.

Ils vidèrent scrupuleusement leurs tasses et repoussèrent leurs chaises.

— Tu n'oublies pas? dit Hilda à Carl lorsqu'il fut à la porte. Et tu mettras une chemise propre?

— Je n'oublie pas, lui assura-t-il tout en faisant sauter Ruth une fois ou deux en l'air.

Il donna à la fillette une petite tape entre les épaules pour l'envoyer se promener.

— Maintenant, sois sage.

****

Hilda entra dans la salle de bains en combinaison. Ruth la regarda s'essuyer sous les bras et autour du cou avec une éponge pleine d'eau savonneuse. Elle regarda ses cheveux qui, brossés une centaine de fois, s'élevaient dans les airs pour rattraper la brosse et s'enroulaient ensuite sous ses doigts habiles comme un croissant derrière sa tête. Coincée entre l'armoire et le mur, elle regarda Hilda sortir le corset de l'armoire, glisser les bras dans les bretelles, plisser les lèvres et souffler tout l'air de ses poumons. Un, deux, trois crochets attachés. Elle inspira un tout petit coup, rapidement, et expulsa même cet air-là. Quatre. Puis elles entendirent un craquement. Hilda retint son souffle. Le bruit s'arrêta. Elle respira à nouveau, le bruit revint. Une des coutures était en train de lâcher.

Vite, elle défit les crochets pour donner de l'ampleur.

— Non, non, faites que cela n'arrive pas, murmura-t-elle.

Mais c'était arrivé. Le mal était fait. Sur tout un côté, il y avait une longue déchirure, et pas le temps de la réparer. Elle s'effondra sur le lit et resta assise quelques secondes, tête basse.

Puis elle redressa les épaules, glissa les bras hors du corset et le laissa tomber sur le lit.

— Heureusement, dit-elle à Ruth, que j'ai écouté ma maman et choisi de la qualité le jour où j'ai acheté cette robe. Elle va bien, même sans gaine, tu ne trouves pas ?

Elle se tourna de biais devant le miroir, rentra le ventre et lissa le tissu.

— Il faudra bien que ça aille. De toute façon, de nos jours, plus personne ne porte ces énormes choses. J'entendais Mrs. Lindgren le dire la semaine dernière encore.

Elle se pencha vers le miroir pour examiner son visage et déclara :

— Juste un minuscule soupçon de couleur.

Elle écrasa son doigt dans le pot de fard puis en frotta un petit rond sur chacune de ses joues terreuses.

— Alors ? fit-elle en tournant vers Ruth des pommettes d'un rouge spectaculaire après une si rude friction. De quoi j'ai l'air ?

Ruth pressa la paume de ses mains sur son visage rose.

Hilda fronça les sourcils.

— Tu fais encore ton intéressante, dit-elle. Mais qu'est-ce que je vois là, sur ta robe ? De la moutarde ? Tu ne peux pas porter ça. Dépêche-toi. Je n'ai pas toute la journée.

Pourtant, elles avaient encore largement le temps, et quand Thekla arriva, trente minutes avant l'heure à laquelle on espérait les invitées, Hilda et Ruth attendaient, toutes prêtes, assises à la table de la cuisine pour ne pas déranger les coussins du salon.

À quinze heures vingt, Clara Gutenkunst et Ida Brummer frappèrent à la porte, suivies de près par les autres, de sorte que, dès la demie, heure convenue, ces dames étaient au complet. Thekla montait et descendait l'escalier d'un pas léger pour porter les manteaux, tandis que Hilda invitait ses hôtes à s'asseoir. Il fallait bavarder un peu avant de se mettre aux cartes ; les rafraîchissements viendraient après la première partie.

Au tout début, ce fut un peu difficile, comme l'est toujours ce genre de choses, ces dames ne sachant si elles devaient adresser chaque remarque à la cantonade ou la réserver à leurs deux

124

ou trois voisines. Cependant, la question se régla vite d'elle-même car, toutes se connaissant bien, elles ne manquaient pas de sujets de conversation, d'autant qu'il en était un qui éveillait tout particulièrement l'intérêt général. Certaines posaient des questions assez directes en tendant le cou pour voir tout ce qu'elles pouvaient de la maison, d'autres se contentaient d'attendre les réponses de Hilda avec un sourire poli, mais on en eût difficilement trouvé une que n'animât pas la curiosité morbide d'entendre parler d'Amanda ni de voir ce qu'était devenue la maison « après toute cette tragédie ». Bien sûr, il fallait faire preuve de délicatesse. Après tout, on était chez elle. Et puis il fallait aussi penser à Mary Louise : « Elles étaient tellement liées. » La pièce n'en bourdonnait pas moins de ragots épars.

— Je crois qu'elle a coupé tous ses cheveux.

— Il a fallu cinq hommes pour la tirer de la maison.

— L'a essayé de noyer la petite, voilà ce qu'on m'a dit.

— Oh, cette pauvre petite orpheline !

Avec brusquerie et d'une voix assez forte, Hilda déclara :

— Si nous commencions notre partie ?

Et elle déplia d'un coup sec les pieds d'une table.

— Oh oui ! Jouons, renchérit Mary Louise.

— Comment nous plaçons-nous ? demanda Leota Prunerstorfen.

Celles qui s'apprêtaient à tirer n'importe comment les fauteuils vers les tables hésitèrent.

— Oh ! fit Hilda en parcourant d'un air absent le groupe figé dans l'attente. Je n'y ai pas vraiment réfléchi.

— Hattie pourrait diriger la première table, n'est-ce pas, Hilda ? demanda Mary Louise.

Hattie Jensen, l'une des plus âgées et épouse du pasteur, acquiesça en s'avançant avec grâce vers sa place habituelle.

— Dolly, la deuxième, poursuivit Mary Louise. Albertina là-bas, je crois.

Et – elle savait qu'Amanda l'aurait voulu ainsi – elle continua de mettre toute sa compétence dans la répartition de ces dames en deux groupes d'affinités, comme si elle arrangeait un bouquet.

Hilda attendit que tout le monde fût assis pour donner les cartes neuves et rigides ; elle en tendit cérémonieusement un paquet à Hattie Jensen puis apporta l'autre à sa propre table. La première partie était bien engagée quand on entendit la porte de la cuisine s'ouvrir et se refermer, couvrant le bruit.

— Un instant, fit Hilda.

Ses joues s'empourprèrent soudain, et elle quitta sa place pour se précipiter dans la cuisine.

Rudy venait d'entrer avec Carl ; il se tenait gauchement dans l'embrasure de la porte, son chapeau à la main. D'une voix basse et timide, il souffla à Hilda, lorsqu'elle fut près de lui :

— Vous êtes très jolie.

Elle lui décocha un regard sévère puis se détourna pour attraper le bras de Carl et l'entraîner dans le salon.

— Vous connaissez toutes Carl, naturellement, entonna-t-elle avec une gaieté insolite qui provoqua un échange de regards par-dessus les cartes.

Quelques « ça alors, quelle histoire ! » se chuchotèrent aux deux tables. Avec ses manières hésitantes, Carl était charmant, toutes en convenaient, et elles savaient que son courage lui avait valu une blessure au combat, même si Clara et Ida n'avaient pas oublié qu'il n'était qu'employé aux abattoirs quand cette pauvre Mathilda l'avait épousé.

— Tu vas rester boire quelque chose avec nous, n'est-ce pas, Carl ? Pourquoi ne prendrions-nous pas tout de suite les rafraîchissements ? proposa Hilda.

Hattie Jensen fronça les sourcils : elles étaient au beau milieu d'une partie qu'elle allait sans doute gagner.

Hilda se dirigea vers la porte de la cuisine.

— Thekla, nous sommes prêtes pour le café.

— Bien, répondit la jeune fille. Je l'apporte tout de suite.

Elle ferma son magazine et alla chercher la crème dans la glacière.

— Où est Ruth ? fit Hilda en balayant la cuisine du regard avant de se baisser pour regarder sous l'évier. Je croyais qu'elle était ici avec toi.

— Maintenant que vous le dites, répondit Thekla, tournant vainement en rond pour inspecter la pièce, il y a un bon moment que je ne l'ai pas vue.

— Eh bien, tu aurais dû la surveiller. Trouve-la quand tu auras servi le café et assure-toi que son tablier soit bien mis. À l'heure qu'il est, elle est sans doute d'une saleté répugnante.

Hilda rejoignit ses invitées en souriant, mais darda des regards anxieux vers la porte jusqu'à ce que Thekla eût déposé sans encombre toutes les tasses à café et les deux cafetières sur la desserte.

— La brioche arrive dans un instant, annonça Hilda en commençant le service. Crème et sucre, Mrs. Jensen?

Leota Prunerstorfen, qui, n'aimant pas le café, espérait voir apparaître une théière de la cuisine, fut la première à remarquer Ruth.

— Ruth Neumann, mais que diable as-tu donc sur le dos?

Alors tout le monde se retourna vers la fillette, qui se tenait dans l'embrasure de la porte, portant fièrement le plateau avec la crème et le sucre. La tête hérissée d'épingles à cheveux, les joues barbouillées d'un rouge brillant, elle avait passé ses petits bras dans les bretelles d'un ample vêtement orné de dentelle qui lui tombait jusqu'aux chevilles.

— Mais... elle porte un corset! s'écria Leota en plaquant une main sur sa bouche, choquée par ses propres paroles.

Se disant qu'il valait mieux prendre l'affaire à la plaisanterie, Carl se mit à sourire en regardant Ruth. Elle ne ressemblait plus tout à fait à la petite fille qu'il connaissait, et il retrouvait soudain chez elle l'espièglerie de Mathilda. Cette idée l'attrista, mais elle le réconforta aussi et, en réalité, il en fut presque heureux. C'était la première fois depuis la mort de sa femme qu'il trouvait du bonheur à penser à elle.

Hilda posa précautionneusement la tasse qu'elle tenait à la main sur le plateau. Puis, sans un regard ni à droite ni à gauche, sans s'arrêter pour prendre un manteau, elle traversa la pièce, cingla vers la porte d'entrée et sortit dans cet après-midi frisquet du mois d'avril.

Mary Louise avait soulevé Ruth sous les aisselles.

— On va te nettoyer un peu, lui dit-elle, et elle la porta à l'étage.

— Nous ferions bien de partir, fit Hattie Jensen en éloignant son fauteuil de la table avec une fermeté qui galvanisa le groupe.

Toutes se levèrent. Quelqu'un eut l'idée d'envoyer Thekla chercher les manteaux et, au soulagement général, leur distribution s'opéra dans le bruit et la confusion.

— Elle s'en remettra, dit Ida Brummer à Carl.

— Oui, renchérit Dolly Brennan en lui tapotant l'épaule d'un geste maternel. D'ici au dîner elle se portera comme un charme, vous verrez.

Mais elles ne connaissaient pas Hilda. Le lendemain matin, à l'aube, elle attendait dans la cuisine, ses bagages faits.

— Mon train part à sept heures cinq.

— Mais qui va s'occuper de Ruth ? fit Carl, désemparé.

Elle le toisa avec dédain.

— Cette petite est l'enfant du diable. Il en prendra soin.

****

Le soleil était chaud lorsque Carl revint de la gare, mais l'air bruissait encore du murmure de l'hiver. Il ramassa les œufs et nourrit les cochons pendant que Ruth faisait des dessins dans la boue avec un bâton devant la porcherie. Lorsqu'il eut fini, il la souleva du bourbier, bien décidé à la porter à l'intérieur. Elle poussa des hurlements, se cramponna au poteau de la clôture et tira de toutes ses forces pour lui échapper. Ses bottes maculèrent de traînées boueuses le pantalon de Carl et elle se souilla ; il le sentit à l'odeur. Cinq ans, et elle ne valait pas mieux qu'un animal ! De rage, il donna un coup de pied dans la clôture.

— Eh bien, reste là si tu y tiens !

Il la laissa glisser le long de sa jambe et retomber dans la gadoue. Puis il s'éloigna avec raideur, aussi vite que le lui permettait sa patte folle, et pénétra dans la maison sans se retourner. Là, depuis la fenêtre de la cuisine, il l'observa tout en se préparant un café. Elle avait jeté son bâton et, avec la base de la main, creusait dans la boue des tranchées qu'elle lissait ensuite de ses doigts.

Le soleil perçait derrière la vitre et la pendule de cuisine jaune tictaquait lourdement au-dessus de la tête de Carl. Il ouvrit la fenêtre, Ruth leva les yeux un instant, surprise. Elle parut étonnée de voir la maison, de voir cette fenêtre avec lui dedans. Elle fronça les sourcils et baissa vite la tête, comme si elle n'avait pas voulu regarder.

Bon sang, qu'allait-il bien pouvoir faire d'elle ? Le chat sauta sur le plan de travail et vint se frotter le dos contre son coude. Il inclina sa tasse, avala le marc de café puis la rinça et la laissa sur l'égouttoir. Après un mouvement vers la porte, il se ravisa. Il essuya la tasse avec un pan de sa chemise et la rangea doucement à l'envers dans le placard.

Quand il attrapa Ruth, elle se remit à crier, mais cette fois il tint bon. Il lui donna un bain et lui passa sa plus belle robe. Il peigna sa belle chevelure lisse et lui fixa un énorme nœud bleu en haut de la tête. Puis il enfila une chemise propre, attela le boghei, et ils partirent pour Saint Michael.

Les roues cahotaient dangereusement dans les ornières du chemin, et Carl consacrait toute son attention à la conduite. Lorsqu'ils atteignirent la route bien entretenue qui menait à l'hôpital, tout en haut de la côte, il jeta un œil à Ruth, assise sur la banquette à côté de lui. Le nœud à moitié défait avait glissé, et ses cheveux semblaient n'avoir jamais vu une brosse. Qu'est-ce que c'était que cette touffe sur sa nuque ? Des bardanes ? Une chaussette avait roulé sur sa cheville, la chaussure de l'autre pied s'était délacée. Sa robe faisait de drôles de plis à la ceinture. Elle se désintégrait sous ses yeux. Il encouragea Frenchie d'un claquement de langue et accéléra.

La route était taillée dans un bois touffu, et les branches découpaient en un millier de tranches la lumière du soleil. Au sommet de la côte, les arbres se clairsemèrent et le bâtiment apparut, des briques couleur crème, un cube de cinq étages. À droite, une bâtisse en pierres de Lannon, plus petite et plus récente, abritait le directeur et sa famille, composée d'une femme, de deux garçons rondouillards et d'un setter irlandais. Les enfants et le chien se pourchassaient sur la pelouse verte, ils ne prêtèrent aucune attention à Carl et à Ruth lorsqu'ils entrèrent.

L'endroit était un ancien monastère et l'on avait reconverti les cellules des moines en chambres seules, ou à deux ou à trois lits. Mais, n'étaient les fenêtres et les lourdes portes qui se ver-rouillaient seulement de l'extérieur, l'ambiance était celle d'un établissement thermal, du moins tel que Carl se les imaginait. Il y avait des carreaux bordeaux et crème par terre dans l'entrée et dans le hall, faciles à entretenir mais jolis. L'escalier était en bois sombre, bien ciré. De temps à autre, les couloirs renvoyaient l'écho d'une cacophonie, un cri soudain, un rire qui durait trop longtemps ou un flot d'imprécations crachotantes, mais la plupart des patients, en tout cas ceux qui se trouvaient dans l'aile d'Amanda, gardaient leurs problèmes pour eux.

La réceptionniste connaissait bien Carl, elle leva les yeux de la lettre qu'elle était en train d'écrire, juste assez longtemps pour leur faire signe d'y aller avec un sourire.

— Ce matin, elle est en haut, dit-elle.

Carl ôta son chapeau, gravit l'escalier, qui n'avait pas de tapis, et s'arrêta au deuxième étage pour lisser ses cheveux en arrière, ajuster sa cravate et regarder par la fenêtre les garçons qui, en contrebas, s'évertuaient désormais à grimper sur le chien. La petite main de Ruth trouva le chemin de la sienne.

Il s'immobilisa devant la porte de la chambre 312, s'age-nouilla devant la fillette et tenta de rectifier sa tenue.

— Ruthie, tiens-toi bien, maintenant. Si tu es sage, elle reviendra peut-être à la maison. D'accord ? Sois sage.

Ruth fixa la porte d'Amanda sans rien dire. Carl poussa un soupir, se redressa et frappa.

À l'instar de Ruth, Amanda ne répondit pas mais, de toute façon, elle ne le faisait jamais. Il frappait plus pour l'avertir que pour demander s'il pouvait entrer.

Il ouvrit la porte et poussa doucement Ruth devant lui dans la pièce.

— Regarde qui je t'amène aujourd'hui, Amanda.

Timidement, comme si elle craignait que Ruth ne fût qu'un mirage, Amanda se leva de son fauteuil et tendit la main pour effleurer du bout des doigts le visage de la petite.

Ruth bondit en arrière.

— Je te déteste ! cria-t-elle. Je te déteste !

Carl la considéra fixement, moins choqué par ses paroles

que par le fait de l'entendre parler. Amanda la fixait aussi. Horrifiée par ce qu'elle venait de dire, Ruth s'éloigna à reculons, encore, encore, encore, jusqu'à ce que − « Ruthie, attention ! » mais trop tard − elle perdît l'équilibre et tombât dans l'escalier, rebondissant sur les marches glissantes avant d'atterrir sur le palier.

Amanda fut la première auprès d'elle, elle la prit dans ses bras, la berça, tandis que Ruth hurlait − la lèvre en sang.

— Tout va bien, Ruthie. Tout va bien. Pendant un instant, tu as volé. Je l'ai vu. Tu as vraiment volé.

Enfin, les sanglots de Ruth se transformèrent en larmes silencieuses et elle blottit son visage dans l'épaule d'Amanda.

— Tante Mandy, murmura-t-elle.

— Quoi, Ruthie ?

— Tu peux revenir à la maison, maintenant. Je l'ai chassée.

****

Amanda

Elle était casse-cou, exactement comme toi, Mattie.

Quand tu as appris à marcher, tu courais de pièce en pièce, tu criais, tu riais. Je te disais de faire attention, mais tu refusais d'arrêter. Tu ne voulais jamais arrêter, et puis tu finissais par trébucher, ou par te pincer le doigt dans une porte, et alors qu'est-ce que tu hurlais, qu'est-ce que tu pleurais, comme si, avant toi, personne au monde ne s'était jamais fait mal.

Tu n'avais que quatre ans la première fois que tu m'as suivie dans les bois, l'hiver. J'avais déjà fait la moitié du chemin sur la glace, quand j'ai entendu ta voix.

— Attends, Mandy ! Attends !

Je me suis retournée et je t'ai vue, si gauche sous toutes tes épaisseurs de laine, et la visière de ta casquette de velours marron tombait pendant que tu te démenais pour me rejoindre sur la glace.

— Va-t'en ! j'ai crié − ma voix grondait sur le lac gelé. Fiche-moi la paix !

Mais tu ne m'écoutais jamais, n'est-ce pas ? Pas quand tu avais une idée en tête. Tu as continué de t'escrimer, tes bottes griffaient la glace couverte de neige. Alors j'ai fait demi-tour, bien décidée à te traîner jusqu'à la maison. Pourquoi est-ce que j'aurais dû partager mon île avec toi ? Mais tu m'as rejointe avant que j'aie fait dix pas, et tu as attrapé ma jambe avec tes moufles pour garder l'équilibre.

— S'il te plaît, emmène-moi avec toi, Mandy.

Je n'ai pas pu te refuser.

L'île était mieux, bien mieux à deux. Tu te souviens du petit appentis qu'on a construit là-bas ? Tu te souviens de notre jardin, de nos « cultures » ? Tu voulais des radis et moi je pensais qu'on devait faire des capucines. On a planté les deux, tu te souviens ?

Et tu te souviens quand tu as été reine ? Tu as fait une couronne en chèvrefeuille. Tu t'es peint la figure avec une sanguinaire. Tu disais aux libellules :

— Allez à Suscatoon me chercher du sel...

Les cheveux hirsutes, le visage sale, tu m'as demandé :

— Comment ça s'appelle une reine ? Quel prénom il me faut si je suis la reine ?

— Imogene, j'ai répondu.

Ça m'était venu comme ça, pour la rime, mais toi tu as décidé que tu n'avais jamais entendu de plus joli nom. À partir de là, chaque fois qu'on était sur l'île, tu voulais que je t'appelle Imogene, tu te souviens ? La reine Imogene. Tu te souviens ?

On pataugeait dans l'eau en s'éclaboussant, et quand tu n'avais plus pied tu t'accrochais à moi, tu passais tes petits bras autour de mon cou, tu croisais tes jambes maigrichonnes autour de ma taille, tu ne pesais rien, l'eau te faisait flotter. J'adorais ça, que tu me serres comme ça, que tu aies besoin de moi pour te tenir. Tu te sentais en sécurité avec moi. Tu savais que je ferais attention à toi.

Et puis, je ne sais comment, tu t'es mise à t'éloigner peu à peu. Au début, juste de quelques centimètres : tu lâchais les jambes mais tu tenais les bras serrés, ou bien tu desserrais les bras mais tu gardais les jambes fermées sur moi. Je te disais « non ». Je te disais de bien t'accrocher. Mais tu ne voulais pas.

Tu as commencé à tout lâcher d'un coup, une seconde par-ci, une seconde par-là, tu plongeais, puis tu m'empoignais à nouveau, d'une main tu chassais l'eau de tes yeux, tu toussais. Je te grondais. Je me cramponnais à ta peau lisse et glissante.

— C'est pas prudent, je te disais. Reste avec moi.

Je ne voulais pas te laisser nager loin de moi. Je ne voulais pas te lâcher.

Tu aurais dû m'écouter, Mattie, quand je t'ai dit de faire demi-tour. Tu aurais dû me ficher la paix. Toi et Ruth, avec vos hurlements et vos pleurs – qui criaient mon histoire au monde entier –, vous ne pouviez pas me lâcher ?

Pourquoi m'as-tu lâchée, Mattie ? Je t'ai dit de te tenir. Je ne t'aurais jamais lâchée, c'est toi qui m'as fait te lâcher. Toi. Toi qui m'as fait faire ça. Je ne te le pardonnerai jamais. Jamais !

Attends, Mattie – je ne suis pas en colère. N'aie pas peur –, je ne te gronderai pas. Je ris, tu vois ? Tout va bien. Je ne pensais pas ce que je disais. Tu peux revenir, maintenant, Mattie. Tu m'entends ? Reviens.

7.

Amanda

L'histoire avec Clement Owens, c'était du passé ; un mois au moins s'était écoulé quand je suis rentrée à la maison, en mars 1919, pour tout recommencer, repartir de zéro avec Mattie et Ruth, son bébé.

Le problème, c'est que je ne me suis pas sentie beaucoup mieux à la maison qu'à l'hôpital, et, vu ce qui s'était passé la dernière fois que j'étais rentrée malade, je me montrais prudente.

— Il vaut mieux ne pas trop m'approcher.

J'ai averti Mattie, le lendemain matin, quand je suis revenue chancelante de la traite, après avoir rendu mon petit déjeuner derrière l'étable.

Pourtant, je n'avais pas de fièvre, et maintenant que j'étais loin de l'hôpital j'étais sûre de pouvoir me remettre.

Le troisième ou le quatrième jour, quand Mattie m'a suggéré d'appeler le docteur Karbler, j'ai riposté :

— C'est rien du tout. Je suis infirmière, non ? Je sais ce que je fais.

J'ai laissé tomber la cuisine et m'en suis tenue aux tâches extérieures, malgré mes promesses du premier soir : la seule idée de la nourriture me levait le cœur et l'air frais semblait me faire un peu de bien. Le vendredi, Mattie a annoncé qu'elle m'avait fait un petit plaisir.

— Ça va te redonner de l'appétit.

Et, dans un geste théâtral, elle a sorti le plat de perches du four où elle le tenait au chaud.

Les perches avaient toujours été un de mes plats préférés, pourtant ce soir-là j'ai eu une suée, et c'est à peine si j'ai eu le temps de filer.

— Tant pis, a-t-elle dit plus tard en me nourrissant de crackers et de fromage. Pickles était contente. Elle a mangé un poisson entier.

Puis elle s'est mise à glousser.

— Qu'est-ce qu'il y a?

— Oh! je me rappelais juste la dernière fois que les perches m'ont rendue malade, quand j'attendais Ruth. Pauvre Carl. Il a juré de ne plus jamais retourner pêcher.

Elle a souri.

Mais moi je ne pouvais pas sourire, les mots de Mathilda m'avaient retournée. J'ai bien essayé de les chasser quand elle est partie dans sa chambre. Je me suis levée, j'ai fait les cent pas. J'ai ouvert la fenêtre et plongé la tête dans l'air froid, mais plus je tentais de la fuir, plus l'idée s'installait dans ma tête. D'accord, c'était vrai.

Je m'étais efforcée de faire comme si ce n'était pas ça. Je m'étais raconté que c'était juste le souci, ou le chagrin, ou encore la solitude qui provoquaient vertiges, fatigue et nausées. Mais je n'avais pas besoin d'être infirmière pour me rendre compte que ce qui poussait en moi était plus tangible que la tristesse.

J'avais voulu revenir vers le passé, mais en vain. Rentrer à la maison ne pouvait pas me faire redevenir la petite fille d'autrefois.

Je ne voyais qu'une solution : fuir encore. Alors, quand j'ai été sûre que Mattie et Ruth dormaient, j'ai fait mon bagage et je me suis assise sur le bord de mon lit, une main plaquée sur l'abdomen, pour réfléchir à l'endroit où je pourrais échapper à cette chose.

Je savais qu'il existait des lieux où on était recueillie par les sœurs jusqu'à ce que ce soit fini, même si on n'était pas catholique. Une autre infirmière dont j'avais entendu parler y était allée, et je frissonnais en repensant à la honte et au mépris qu'elle m'avait inspirés. Frieda, elle s'appelait. Peut-être que j'allais me faire appeler comme ça.

J'irais là-bas. Les sœurs m'apprendraient à prier. Peut-être qu'après je resterais, que je deviendrais nonne. Mais elles ne le permettaient sans doute pas. À l'idée que je ne pourrais jamais devenir nonne, je me suis mise à pleurer. C'était idiot de pleurer pour ça : je ne voulais même pas être nonne. Et pourtant j'ai enfoui ma tête dans l'oreiller pour sangloter. Puis je suis restée un bon moment la figure posée sur la taie humide. Au moins, Maman et Papa ne le sauraient pas, je me suis dit. Au moins ils échappaient à ma honte.

J'ai ramené mes pieds sur le lit sans enlever mes chaussures. En bas, Mathilda jouait du piano, elle chantait *Hello, my baby. Hello, my honey. Hello, my ragtime girl.* De temps à autre, on entendait une note discordante, alors j'ai compris que Ruth était sur ses genoux et qu'elle tapotait les touches avec ses petites mains car, autrefois, je m'asseyais sur les genoux de ma mère exactement de la même manière. J'ai été si fatiguée soudain, si fatiguée que j'ai décidé de passer encore une nuit à la maison. Personne ne savait la vérité. Personne ne risquerait de l'apprendre avant des mois. Je pouvais m'autoriser un petit somme.

****

Maman allait toujours dans la chambre du fond quand elle sentait venir une de ses crises. Elle tirait les rideaux et s'allongeait sur le divan, la tête tournée vers le mur, un oreiller pressé contre les oreilles pour repousser le bruissement des cigales et le chant des oiseaux. Mon père lui fermait la porte. Il me disait :

— Tu vois le mal que ça lui fait quand tu ne te conduis pas comme il faut. Maintenant, sois sage et ne fais pas de bruit.

Et puis il sortait.

J'essayais d'être sage et de ne pas faire de bruit. Je montais dans ma chambre jouer avec ma poupée ou regarder mon livre d'images, mais au bout d'un certain temps la peur venait toujours : je pensais à ma mère toute seule dans cette pièce noire, je me disais qu'elle pouvait être en train de pleurer, ou morte, ou partie. Alors je descendais en douce, je tournais prudemment le bouton, sans faire de bruit, et j'entrebâillais la porte, juste pour voir, juste pour être sûre.

Et, naturellement, elle était toujours là, le dos tourné à la pièce, la tête enfouie sous l'oreiller. Sauf la fois où elle n'a plus été là.

Le divan était vide. La couverture qui d'habitude lui couvrait les épaules était roulée en boule sur le sol. La pièce avait beau être petite, je l'ai traversée en courant et je me suis jetée par terre pour regarder sous les meubles. Non, elle était bien partie.

J'ai fouillé partout, dans les chambres, les placards de la cuisine, l'armoire, le garde-manger. J'ai posé la question à la fille de ferme qui était en train d'essorer des vêtements sous le porche de derrière.

— Gert, où est ma maman?

— Elle est forcément que'qu'part. Peut-être qu'elle est allée en ville.

Gert ne connaissait pas Maman comme moi. Maman ne serait pas allée en ville étant malade. Elle ne serait pas partie sans me le dire.

J'ai essayé d'ouvrir la trappe du grenier. Je me suis dit qu'elle avait peut-être été enlevée par des lutins et des sorcières. Je me suis dit qu'elle devait m'appeler, terrifiée, les bras tendus vers moi, dans un endroit que je ne pouvais pas voir. J'ai fini par penser à un coin plausible – les toilettes, dehors –, mais elle n'y était pas non plus. J'ai traversé l'étable en l'appelant, j'ai regardé dans toutes les stalles.

Pour finir, je suis retournée à la maison en courant et j'ai vu que la porte de la cave était ouverte. Je suis descendue lentement dans cette humidité noire, en pressant mon épaule contre le mur pour ne pas basculer du côté vide des marches. Une fois en bas, je l'ai trouvée, elle était assise sur le sol crasseux, le front appuyé contre la pierre qui suintait.

Alors elle s'est tournée vers moi, son visage était d'un blanc étrange dans l'obscurité. Mais ce n'était pas ma mère. Elle s'est moquée de moi.

— Maman! Maman!

Elle singeait mes cris. Et puis elle a levé les yeux au plafond.

— Par pitié, cette enfant est insupportable, faites-la taire.

Je ne savais pas de quel enfant elle parlait. J'ai mis des années à comprendre que c'était moi.

****

En me réveillant le lendemain matin, je savais où je voulais fuir : c'était un endroit où personne ne saurait jamais, personne, sauf Mattie.

Je portais toujours mes vêtements de la veille, en fait, j'avais toujours mes chaussures, je suis descendue d'un pas lourd et j'ai allumé le poêle. Et puis j'ai entrepris de faire du pain perdu, en détournant la tête au moment de casser l'œuf, qui m'écœurait. Mattie adorait le pain perdu.

— Ça va mieux?

Elle a posé la question dans un bâillement, en se laissant tomber sur sa chaise à la table. Mattie était toujours longue à se réveiller.

— Beaucoup mieux.

D'un geste vif, j'ai retourné le pain perdu. Je me sentais vraiment mieux et, un instant, je me suis prise à espérer m'être trompée dans mes déductions de la veille. Mais alors j'ai vu les restes de la perche dans l'assiette du chat et j'ai eu un haut-le-cœur.

Je me suis assise à côté de Mattie et j'ai écarté le sucrier pour pouvoir me pencher tout près d'elle.

— Écoute. Je me disais qu'on pourrait peut-être déménager sur l'île pour l'été, toi, moi et Ruthie. De toute façon, les champs sont loués. Rudy s'occupera des bêtes. Qu'est-ce qui nous oblige à rester ici?

Comme elle ne répondait pas, j'ai continué.

— Ce sera amusant. Comme partir en voyage. Juste toi, moi et Ruthie.

— Oh non! Amanda. Il fait trop froid.

Elle a coupé un bout de son pain perdu.

— Mais non. Il va encore faire froid quelques semaines, c'est tout. On est déjà en avril. Pense comme ça va être facile de transporter les affaires sur la glace.

— Sur la glace! Amanda, tu n'y penses pas! La glace doit être pourrie à l'heure qu'il est. On va passer à travers.

— Non, on ne passera pas à travers. Ce printemps est tellement froid. Je suis sûre qu'elle est bonne. Naturellement, j'irai la première pour vérifier.

Et si je passe à travers, eh bien, tant mieux, c'est ce que je me suis dit avec amertume.

— Mandy, tu n'as aucune idée de ce que cette île peut être triste et froide à cette époque de l'année. Ça va bien une heure l'après-midi, quand tu as envie de faire du patin, mais pas pour y vivre jour après jour, nuit après nuit. Tu oublies que je l'ai fait. Je sais ce que c'est. Il y a des jours où j'ai cru devenir folle.

— C'est vrai, toi, tu l'as fait, n'est-ce pas? Tu as eu cette chance. Et moi, où est-elle, ma chance? J'aimerais bien le savoir. Après tout, qui a trouvé cette île? Sans moi, Carl et toi, vous n'auriez jamais eu un coin aussi tranquille.

J'attaquais sur tous les fronts tandis que Mattie mordillait les pointes de ses cheveux avec nervosité. Il n'était pas facile de la faire changer d'avis, mais je savais qu'en insistant je pouvais y arriver. Après tout, c'était moi l'aînée. Moi qui savais.

Rudy non plus n'a pas aimé l'idée.

— Deux jeunes filles toutes seules, là-bas. Mauvaise idée.

Il claquait la langue en secouant la tête de droite et de gauche.

— Mais on sera trois.

Je l'ai taquiné. Je savais comment le prendre.

— On aura Ruthie.

J'ai décidé de ne pas lui rappeler que moi, en tout cas, on ne pouvait plus guère m'appeler jeune fille.

Pourtant, cette fois il a froncé les sourcils.

— Tu sais très bien ce que je veux dire, Manda. Vous allez geler : il ne fait pas encore si chaud. Vous risquez de mettre le feu à la maison.

— Rudy, ça pourrait aussi arriver ici, a répondu Mathilda.

Même si elle n'était pas vraiment convaincue par mon plan, son changement d'attitude ne m'a pas étonnée. Mathilda était toujours plus disposée à faire quelque chose quand on voulait l'en empêcher.

J'ai rappelé à Rudy qu'on se montrerait, l'une ou l'autre, tous les deux ou trois jours et que, s'il était inquiet, il n'avait qu'à nous rendre visite. J'étais certaine qu'il ne le ferait jamais. Rudy était du genre à attendre et voir venir. Les flammes auraient embrasé toute l'île avant qu'il décide d'aller y jeter un œil. Oh! je les connaissais tous si bien. Tous, sauf moi, et cet autre que, désormais, je portais en moi.

— On fera des signes tous les jours à midi, a dit Mathilda.

Il ne nous a fallu que deux jours pour nous organiser, faire les bagages et convenir avec l'épicier et le boucher qu'ils nous livreraient dans la cabine, sur notre minuscule plage, dès que la glace aurait fondu. Pour le beurre, les œufs et le lait, on irait à la ferme, enfin, Mattie irait. Et bientôt on planterait nos propres légumes.

Rudy n'arrêtait pas d'apporter de l'étable des choses qu'il ajoutait à la pile : des lanternes, des outils, du pétrole.

— Ça vous sera utile. Vous verrez.

Et Mathilda n'arrêtait pas d'entasser des livres.

— Plus que trois, a-t-elle imploré quand j'ai déclaré que le traîneau serait trop lourd.

On oubliait des choses essentielles, mais, comme on n'allait qu'à un kilomètre et demi, il serait toujours facile de revenir. En tout cas, pour Mathilda.

Tout comme il lui a été facile de partir. C'était un jeu pour elle, à peine différent de quand on était petites, quand on allait sur l'île oublier nos vraies vies à la maison. Sauf que, pour moi, c'était sérieux. Je ne serais pas la même quand je reviendrais. Si je revenais jamais.

On est parties le matin, pour pouvoir profiter au maximum de la lumière du jour. Le ciel était gris, la vieille neige était durcie par le gel. Tout à fait le genre de journée où l'on craint que Dieu ne nous ait oubliés, distrait ailleurs par plus de beauté.

Ruth n'avait pas ce souci. Elle marchait devant le traîneau, une stalactite à la main, qu'elle portait comme un flambeau, ses pieds crissaient résolument dans la neige et elle s'annonçait à la face du monde en poussant des cris aigus et dissonants.

Quand on est arrivées au bord du lac, j'ai dit :

— Attendez un instant. Il faut que je teste la glace.

Et j'ai posé la main sur la manche de Mathilda pour l'empêcher d'aller plus loin.

Le mois de mars avait été froid, mais il était tout de même tard dans la saison et on avait eu quelques jours de dégel : Mattie avait raison de s'inquiéter de l'état de la glace. J'ai scruté le milieu du lac, à la recherche des traces noires qui révéleraient l'eau. Tout était plat et blanc. J'ai enjambé la houle du rivage et avancé à pas traînants, lentement, en levant à peine les pieds. À la surface, la glace était laide, grenée, mêlée à de la neige fondue qu'une récente vague de froid avait à nouveau gelée.

J'ai levé une jambe et tapé du pied. Le lac n'a pas protesté. Pas de grognements, pas de grincements, aucun craquement terrifiant. J'ai continué là où l'eau était plus profonde, maintenant, je marchais lourdement, je sautais de tout mon poids sur la glace. Je nous ai vus passer à travers, moi et l'autre, et couler dans cette eau froide, à pic.

— Attends, Tante Mandy ! Attends-nous ! faisait la voix flûtée de Ruth sur la rive.

Je me suis retournée et je leur ai fait signe. Mathilda se tenait debout, petite et immobile, enveloppée dans une cape à capuche bordeaux qui avait appartenu à notre mère. J'ai frissonné en pensant à sa loyauté, elle était prête à faire ce que je demandais, sûre que tout irait bien puisque je le disais. Ruth, éclatante dans son manteau rouge vif, tirait de toutes ses forces sur la moufle de sa mère, la tête et les épaules dangereusement penchées vers le sol. Elle savait que Mattie ne la lâcherait jamais.

Je n'ai pas pensé, à ce moment-là, que mon bébé pourrait un jour être comme ça. Vraiment, je ne pensais pas du tout à mon bébé. Je me concentrais sur une seule chose : nous conduire sur l'île. Comme si je n'avais rien pu faire d'autre.

On a mis Ruth sur le traîneau, Mathilda la maintenait d'aplomb, ainsi que le chargement, pendant que moi je tirais.

142

Plus on approchait de l'île, plus la glace devenait lisse, jusqu'au moment où le traîneau s'est mis à me dépasser. J'ai arrêté de tirer, l'ai attrapé du côté opposé à celui où se trouvait Mattie, et on l'a laissé nous traîner, presque plus vite qu'on ne pouvait suivre sans perdre l'équilibre. J'ai failli tomber, et puis ç'a été le tour de Mattie, et puis encore moi, tandis qu'on filait à toute allure, glissant et riant, des gamines toutes les trois, sorties faire un après-midi de glissades.

L'île était cernée par le collier déchiqueté qu'élevait la glace dans son avancée bagarreuse, comme si elle avait voulu grimper sur la terre. On a dû en faire deux fois le tour avant de dénicher une pente assez douce et basse pour que Mattie puisse l'escalader et nous aider ensuite à la rejoindre, Ruth d'abord, moi après. On a laissé le traîneau avec nos réserves sur la glace et on est allées voir dans quel état se trouvait la maison après avoir été si longtemps fermée.

Avec sa façade gris pâle et ses finitions extérieures vertes, l'été, la maison semblait avoir poussé là avec le reste, mais l'hiver on ne voyait qu'elle au milieu des arbres noirs et dénudés. On a ouvert la porte sur une odeur de bois moisi, d'air froid et de renfermé. Je me suis dit que Rudy avait peut-être raison. Qu'on ne pouvait peut-être pas vivre ici – deux femmes seules.

— Première chose, faire marcher ça, a déclaré Mattie en ouvrant la porte du poêle à bois.

Et puis j'ai pensé que Carl et elle avaient très bien vécu sur l'île dans le froid. Mattie savait ce qu'elle faisait. On passerait cet ultime petit bout de l'hiver, et puis ce serait le printemps.

J'ai dit :

— Je vais chercher du bois.

Les bras croisés sur ma poitrine douloureuse, je suis restée un instant sur les marches de la véranda à contempler la blancheur immense et plate du lac, ainsi que le noir hachuré qui marquait la côte. Entre les arbres, je distinguais le toit de la grange des Tully. Dans une heure ou deux, les gens allumeraient leurs lampes, les fenêtres brilleraient dans les bois comme des yeux et nous regarderaient fixement, nous qui étions si exposées, ici, sur la glace. Peut-être qu'on ne pouvait pas se cacher sur l'île. Peut-être que c'était une erreur.

Mais, en entassant du bois dans le creux de mon bras, je me suis convaincue que, d'ici à l'été, tout serait différent. D'ici à l'été, l'île serait ensevelie sous les feuilles, je pourrais garder mon histoire pour moi, personne ne l'apprendrait.

****

Ruth

Tante Mandy avait une bouche à la base du pouce.

— Qu'est-ce que c'est? je lui ai demandé.

Mon doigt a caressé le rond blanc sur sa peau bronzée.

On était assises dans le grand fauteuil vert, avec moi coincée entre elle et l'accoudoir parce que c'est comme ça qu'on aimait s'asseoir.

— Ça, c'est un cadeau de ta maman, a dit Tante Mandy. Elle me l'a donné pour que je n'oublie pas d'écouter ce qu'elle dit.

— Qu'est-ce qu'elle dit?

— « Ne quitte jamais Ruthie. » Voilà ce qu'elle dit. « Ne quitte jamais Ruth. »

Tante Mandy n'a pas écouté ma maman. Elle m'a quittée. Mais après elle est revenue.

****

Un matin du mois de mai, Amanda était rentrée de Saint Michael depuis un mois environ, le soleil baignait l'herbe comme une promesse d'été, et Carl était assis avec Ruth à la table de la cuisine – ils attendaient leurs petits déjeuners.

— Un de ces jours, Ruth, dit-il, je t'emmènerai sur l'île, là où toi et moi on vivait avec ta maman. Tu aimerais ça?

— Non, fit Amanda.

Avec un claquement, elle reposa sur le réchaud la poêlée d'œufs qu'elle s'apprêtait à porter à table.

— Fichue manique. On se brûle à travers.

Carl la regarda, étonné.

— Comment?

— Elle n'aimerait pas ça. Ruth n'aime pas l'eau.

— Si, elle l'aime. Tu aimes l'eau, n'est-ce pas, Ruth?

Le regard de Ruth passa de son père à sa Tante, et, comme elle ne savait pas ce qu'elle devait dire, elle ne dit rien.

— Je veux que tu fermes cet endroit, dit Amanda, les mains sur les hanches. Bouche-le avec des planches. Condamne-le et oublie-le. Je n'arrive pas à croire que tu veuilles y emmener Ruth, après... eh bien, après tout ça. Mais qu'est-ce qui te prend?

Carl fixait son assiette vide. Il lui prenait qu'il voulait montrer à Ruth l'endroit où avait commencé son existence. Ça l'ennuyait qu'Amanda soit parvenue à effacer Mathilda de la vie de Ruth. À sa connaissance, elle ne racontait rien à la fillette de ce qui s'était passé avant son retour, pas plus qu'elle ne le laissait évoquer l'époque qui avait précédé son départ.

— Ça ne fera que la rendre triste, lui dit-elle. Elle a eu la chance d'être trop jeune pour se souvenir.

Il était d'accord avec Amanda, en théorie. À quoi servirait-il à Ruth de savoir que sa mère nageait comme un poisson-lune et aimait son bacon croustillant? Qu'est-ce que ça changerait pour elle de s'entendre raconter le jour où Mattie lui avait tressé une couronne de rudbeckias et de chicorée? Pourtant, il voulait qu'elle sache, pour l'amour de Mattie. Si Amanda pouvait laisser disparaître Mathilda comme si elle n'avait jamais existé, lui en était incapable.

Il attendit un mardi, jour où sa belle-sœur se rendait à la ville, et se dit qu'il ne faisait jamais que ce qu'elle avait demandé. Il condamnait la maison, non? Et il ne pouvait pas laisser Ruth seule à la ferme.

Il la trouva sous les lilas, la queue du chat lui glissait entre les mains, il l'attrapa par-derrière et la souleva en l'air.

— Aujourd'hui, tu viens avec moi, jeune fille.

Il l'embrassa dans le cou, respirant une bouffée de sa peau d'enfant. Elle, tout à coup assez haut pour se trouver parmi les fleurs, tournait sa figure vers leur mauve odorant.

— Où ça?

— Tu verras.

Il la reposa sur le sol, ramassa sa caisse à outils et la guida le long de la haie de lilas jusqu'au fond du jardin; là, il ouvrit les feuillages et lui fit signe de passer la première sur le sentier qui pénétrait dans le bois.

— On va se promener? fit-elle, habituée à emprunter ce même chemin avec Amanda.

— Tu verras.

Le sentier était étroit, Ruth gambadait devant comme un lapin : à droite, accroupie devant une hépatique, à gauche, chassant un bruant de son perchoir, puis de nouveau à droite pour détacher d'un bouleau un copeau d'écorce blanche. Carl boitait, il essaya d'étirer et de fléchir sa jambe abîmée. Il dépassa la fillette alors que, agenouillée devant une plaque de mousse, elle en caressait les spores de la paume de ses mains. Il disparut dans un tournant et elle courut pour le rattraper. Une fois arrivée au chêne géant où Amanda et elle faisaient toujours demi-tour, elle s'arrêta et attendit. Il lui prit la main et ils continuèrent, elle plus circonspecte, un peu craintive, bien qu'il y eût peu de différence entre la partie des bois dans laquelle ils pénétraient et celle qu'ils venaient de traverser.

Il la sentit freiner derrière lui, ses pas se firent plus courts, plus lents, jusqu'à ce qu'elle se retrouve avec l'épaule de travers et lui quasiment en train de la traîner pour la faire avancer.

— Que se passe-t-il, Ruthie?

Ils s'arrêtèrent – ils étaient encore à plusieurs mètres du rivage –, et il s'accroupit pour la regarder dans les yeux.

— Tout va bien. Ce n'est que de l'eau. Comme un bain. Une baignoire géante.

Il balaya du regard la surface calme, gonflée de vagues douces, et fut satisfait de sa comparaison.

— Exactement comme une baignoire.

Mais Ruth ferma fort les yeux et détourna la tête comme s'il essayait de lui faire avaler de force un médicament.

Désemparé, Carl regarda vers l'est le long du rivage.

— De toute façon, il faut qu'on attende Mr. Tully.

Lorsqu'il lâcha sa main, elle tint bon et leva même le regard pour examiner l'eau, c'était bon signe. Encouragé, il s'assit par terre, retira ses bottes et roula le bas de son pantalon.

— Bien, moi, j'y vais.

Il avançait avec précaution, l'eau froide et les pierres coupantes heurtaient ses pieds blancs et sensibles. Lorsqu'il en eut jusqu'au revers du pantalon, il se retourna prudemment, luttant pour ne pas perdre l'équilibre sur les galets qui lui meurtrissaient les pieds. Il regarda Ruth, de l'autre côté de cette étroite bande liquide. Elle était petite, effarouchée, avec des herbes qui lui montaient presque à la taille. Et c'est en la regardant comme ça que, pour la première fois, il vit dans cette grande bouche, dans l'ébauche de ce que serait sa joue d'adulte, dans le dessin de ses oreilles, non plus le visage de Mathilda, mais son visage à lui. Ce fut un choc de se reconnaître ainsi. Comment ne s'en était-il pas aperçu plus tôt ? Il sentit soudain entre lui et Ruth un lien qui ne pouvait être que de l'amour, et il eut envie de la soulever dans ses bras et de la serrer avec fougue contre sa poitrine. Pourtant, en même temps, à la voir ainsi apeurée, si petite, sans défense, si seule, il éprouva autre chose encore, une chose qui le fit tremper sa main dans l'eau – cette eau qui, tout compte fait, n'était pas comme un bain, mais froide et vaste, impossible à contenir –, tremper sa main loin, presque jusqu'au coude, puis lever le bras et asperger la fillette du bout des doigts. Endurcis-toi. C'était un infime nuage de gouttelettes, si léger, vraiment, et lancé de si loin qu'il ne pouvait pas l'avoir touchée, pas une seule goutte, et Carl eut un rapide sourire, comme si tout cela n'avait été qu'une plaisanterie.

Mais elle se mit à pleurer. Alors il se précipita vers elle en grimaçant à la fois à cause des cailloux et de ses cris.

— Ce n'est rien.

Il s'agenouilla près d'elle, l'enveloppa de ses bras.

— Pardonne-moi. Ce n'est rien.

La barque de Joe Tully racla les rochers. Il en sortit dans le floc-floc de ses grosses chaussures pénétrant dans l'eau et s'immobilisa lourdement.

— Elle est tombée ? Elle s'est fait mal ?

— Non, non, elle va bien. Elle est juste un peu effrayée.

— Tu ferais peut-être mieux de la ramener à la maison ?

— Non, ça va aller. Ça va aller, n'est-ce pas, Ruthie ? Bien sûr que ça va aller.

Ruth avait cessé de pleurer, et, bien qu'elle parût garder les yeux fixés sur Tully, en vérité c'était sa barque qu'elle regardait derrière lui. Carl se redressa, et les deux hommes échangèrent une poignée de main.

— Merci d'être venu, Joe.

Joe hocha la tête. Il ne savait jamais comment répondre aux remerciements dont on l'accablait toujours. Il fit un clin d'œil à Ruth.

— Elle pousse comme la mauvaise herbe, fit-il, songeant que c'était bien cela qu'on disait à propos des petits enfants. Et Amanda ? ajouta-t-il en reportant son regard sur Carl. Elle va bien, maintenant, hein ? J'ai entendu que...

Un instant, il baissa les yeux et fixa ses pieds, puis il recommença depuis le début :

— Alors, elle va bien, n'est-ce pas ?

— Elle va bien, Joe. Viens déjeuner ce midi, tu jugeras par toi-même.

— Peut-être bien. Si tu crois que c'est possible. Je veux dire, si tu crois que ça la dérangerait pas.

— Je suis sûr qu'elle serait heureuse de te voir, Joe, répondit distraitement Carl en brossant la boue sur ses genoux.

Ruth prit place pile au milieu de la barque et garda la tête tournée vers la rive.

— Un jour, j'ai repêché le chapeau d'Amanda par ici, fit Joe en tirant sur les rames. Un chapeau de paille avec un ruban bleu. Je me demande si elle l'a toujours.

Alors il regarda l'île en jetant un œil par-dessus son épaule, gêné de s'être même souvenu d'une chose pareille, il n'avait pas envie que Carl réponde. Mais, perdu dans ses pensées, Carl regardait l'eau : il ne répondit rien.

****

Mathilda avait emmené Carl sur l'île bien avant qu'il y ait une maison. Elle avait annoncé :

— Voilà l'île.

Il avait maladroitement sorti une rame de l'eau, perplexe quant à la méthode à employer pour ramener ces deux ustensiles encombrants dans la barque. Il avait tenu à ramer, même si Mathilda était experte et bien qu'il eût du mal à empêcher l'embarcation de tourner sur elle-même. Il lui lança un coup d'œil, sans bien savoir s'il espérait qu'elle lui donnerait un conseil ou qu'elle n'aurait rien vu. Elle était perchée sur le plat-bord, dans un équilibre précaire. Alors qu'il s'apprêtait à dire : « Fais attention, sois prudente », elle rejeta la tête en arrière et, avant qu'il ait eu le temps de crier, voire d'ouvrir la bouche, elle tomba à la renverse et disparut dans l'eau.

Il se précipita à quatre pattes vers l'endroit où elle avait coulé. L'eau n'en gardait aucune trace. Ce fut cela qui le fit hésiter, ne pas savoir où elle pouvait être, n'en avoir absolument aucun indice, pas une ride sur l'eau, pas une bulle. Sans quoi il aurait sauté derrière elle, même s'il ne savait pas nager. Plus tard, il n'avait cessé de se le répéter. S'il avait su où sauter, il l'aurait fait tout de suite.

Alors il entendit sa voix :

— Carl !

Il entendit sa voix, mais elle n'était pas là.

— Carl ! Par ici !

La voix était dans son dos. Il ne savait pas comment, mais elle avait contourné la barque sans qu'il s'en aperçoive. Les cheveux tombant autour d'elle, elle avait la tête lisse et brillante comme un rat musqué. L'eau clapotait contre ses épaules, mais visiblement elle avait pied. Elle se moqua de lui, se moqua de la peur qu'elle lisait sur son visage.

— Je suis là, Carl. Tu as cru que je m'étais noyée ?

Mais, quand il la vit saine et sauve, quand il fut clair que c'était juste une plaisanterie, Carl ne pensa plus qu'à une chose : il n'avait pas plongé pour la sauver. Plus tard, il se raconta qu'il savait qu'il n'y avait pas de danger, mais c'était faux. Il se raconta qu'il aurait sauté dès qu'il aurait été sûr, une seconde après, deux peut-être. Comment savoir ce qu'il aurait fait avec un petit peu plus de temps ? Mais, secrètement, il savait que c'était un test et qu'il avait échoué.

Pour compenser, il balança les jambes par-dessus le bord de la barque et se laissa glisser dans l'eau, une eau froide qui lui coupa le souffle quand elle atteignit la peau sensible du ventre. Mathilda éclata de rire et s'éloigna pour se diriger vers la rive. Il s'élança derrière elle.

— Je vais t'attraper! Je vais t'attraper!

C'était une poursuite incommode. Leurs pieds glissaient sur les rochers. Ils étaient freinés par l'eau. Mais il fut plus fort, plus rapide qu'elle. Et il l'attrapa, d'abord un bout de manche, puis tout le bras. Elle se retourna vivement pour lui faire face et il eut un instant de trouble, ne sachant pas quoi faire d'elle maintenant qu'il la tenait. Elle, elle savait. Elle inclina la tête d'un air engageant, et il l'embrassa.

Avec tendresse, il songea qu'elle lui avait mené la vie dure. Un soir elle sortait avec lui, puis dansait trop souvent avec d'autres; elle annulait des rendez-vous à la dernière minute, sans raison valable; elle provoquait des disputes, pleurait, décrétait qu'elle ne voulait plus jamais le revoir. Il avait pourtant fini par l'avoir. Par une soirée d'automne au froid piquant, les mots étaient sortis tout seuls, comme malgré lui :

— Épouse-moi.

Qu'avait-elle répondu alors? Il ne s'en souvenait pas, mais sans doute oui, ou bien sûr, ou d'accord, car, très vite ils avaient été mariés.

****

Joe frisa l'eau, ramenant les rames en arrière lorsqu'ils atteignirent l'île, afin que la barque vienne tout doucement heurter les rochers, puis Ruth se sentit à nouveau soulevée et promenée dans les airs avant d'être posée debout sur la terre ferme, une terre complètement différente. Pas très loin, dans les arbres touffus et les herbes folles, se dressait une maison gris et vert.

— Il devrait y avoir du bois de construction derrière les cabinets, dit Carl.

Il prit la main de Ruth et ils gravirent les premiers le sentier envahi par la végétation. À quelques mètres des marches, il s'arrêta.

— On jette vite un œil à l'intérieur ?

C'était la maison qu'il semblait interroger.

Joe bâilla. Carl n'avait qu'à vendre cet endroit et se consacrer aux bonnes choses qui lui restaient. Mais chacun ses lubies. Il dit :

— Bien sûr, comme tu veux.

Carl fléchit les genoux et tapa une fois ou deux du pied sur chaque marche de la véranda. Il était content que la maison soit solide, il l'avait construite en grande partie de ses mains. Finalement, se dit-il, pourquoi ne serait-elle pas en bon état ? Elle n'avait que cinq ans.

Carl pensait qu'ils iraient vivre à Chicago, peut-être même à Toronto, et, tant que ses plans étaient restés vagues, Mathilda s'était montrée enthousiaste. Ils étaient déjà mariés quand il avait compris qu'en vérité elle ne supportait pas l'idée de partir, alors il avait accepté l'offre de son beau-père : il leur payait les matériaux pour se construire un chalet sur l'île. Aujourd'hui, celui-ci lui paraissait étonnamment petit, presque un modèle réduit de la maison qu'il avait si bien connue.

Il ouvrit les placards de la cuisine pour regarder cette vaisselle en porcelaine familière : blanche avec des bateaux verts peints sur le bord, autre cadeau des parents de Mathilda. Ils avaient emménagé dans la première pièce habitable, il y avait eu tant d'élan et de bonheur au début. Carl travaillait à la ferme pour son beau-père, il s'y rendait en barque chaque matin dès l'aube. Pendant un temps, Mathilda l'avait accompagné pour aider sa mère, puis elle avait commencé à rester sur l'île afin d'aménager seule la maison et réalisé beaucoup plus de choses qu'il ne l'aurait cru, y compris pendant les quelques semaines où elle avait toujours l'air malade. Elle désherbait, dessinait les plans de pièces supplémentaires, peignait le plafond de la véranda en bleu clair. Le soir, avec George ou Wally et Rudy, ou avec un ou deux des autres garçons de ferme, ils faisaient flotter le bois derrière eux sur un radeau, c'est comme ça qu'ils avaient ajouté les chambres et une vraie cuisine. Pile quand il commençait à faire trop sombre pour y voir quelque chose, un cri les appelait depuis la jetée, alors ils laissaient tomber leurs outils et descendaient en courant aider Amanda à porter ses paniers de poulet froid, salade de pommes de terre, conserves au vinaigre, tarte à la rhubarbe. Souvent, Mary Louise, la femme de George, l'accompagnait, et c'était comme une fête, oui chaque soir une fête avec Carl, Mathilda, leur maison et leur île au centre du monde.

Mais, en septembre, la vie déserta l'île. Amanda partit pour son école d'infirmières à Madison. La température chuta, pêcheurs et canoteurs se firent plus rares; le lac resta silencieux sous l'air cassant de l'automne. Les feuilles tombèrent; dans toutes les directions, l'eau et la terre au-delà de l'eau parurent plus vastes; livrés à eux-mêmes au milieu de tout ça, Carl et Mathilda parurent plus petits et plus seuls.

****

Le tiroir gauchi sur lequel Joe tirait s'ouvrit avec un craquement.

— Tiens, des crayons, dit-il. On risque d'en avoir besoin pour couper le bois.

— Bien sûr, prends-les.

Joe laissa le tiroir ouvert et Carl jeta un œil à l'intérieur. Au milieu des bouts de crayons et de papier, dans un fouillis de ressorts, de vis et de bobines, il vit un petit canif en argent. Où Mathilda avait-elle trouvé ça ? Il le prit, le glissa dans sa poche et suivit Joe dehors.

Carl n'avait pas fabriqué de volets pour la maison, Joe et lui durent donc en improviser avec le bois qui s'empilait derrière les cabinets. Ça n'avait vraiment rien de compliqué. Mesurer une fenêtre, couper des planches qui s'ajustent entre le rebord et le châssis, en ajouter d'autres pour couvrir la hauteur, clouer le tout ensemble.

— Ça devait être agréable de vivre ici, dit Joe.

Face à la rangée de fenêtres qui courait sur toute la longueur de la véranda, il tenait une couverture terminée afin que Carl puisse la fixer.

— Agréable ? Oui, sans doute.

Carl balançait son marteau avec un geste régulier. En y repensant, il se disait que oui, ç'avait sûrement été agréable. Sur l'île, Mathilda et lui avaient vécu une sorte de lune de miel qui avait duré des mois et des mois. Voilà ce dont il se souvenait : la joie qu'ils avaient de se coller l'un à l'autre, avant la guerre. C'était cette histoire-là qu'il se racontait maintenant, les nuits où il n'arrivait pas à dormir.

Pourtant, à l'époque, cette solitude avec Mathilda l'effrayait un peu. Il l'aimait, bien sûr, jamais il n'en doutait, mais il se sentait presque – oui, c'était étrange –, presque prisonnier. Il savait que c'était absurde, d'autant que lui quittait l'île tous les jours. Si quelqu'un était piégé, c'était elle, mais cela ne semblait pas la déranger. Elle pouvait toujours prendre le canoë, mais elle l'utilisait rarement.

Souvent, le soir, elle attendait sur la petite jetée qu'il rentre à la maison et s'enroulait à lui presque sans lui laisser le temps de sortir de la barque. Plus d'une fois, cette étreinte exubérante avait failli les faire tomber à l'eau. Elle lui racontait avec une foule de détails chaque moment de sa journée, chaque buisson débroussaillé, chaque coq dessiné au pochoir sur le mur de la cuisine, chaque pensée qui lui était venue par hasard. Elle chantait, elle dansait. Un jour, elle décidait que le jaune serait mieux pour la chambre du bébé, le lendemain elle optait pour le bleu, la semaine suivante c'était jaune à nouveau, oui, jaune, c'était définitif. Elle lui parlait du lac, l'eau n'était pas aussi froide qu'on pouvait le penser, de l'école qu'elle détestait tellement petite, c'était drôle, non ? et pourquoi une femme ne voterait-elle pas si elle en avait envie, encore que personnellement elle s'en fichait, et ce coucher de soleil, il n'était pas splendide, oui, splendide ? Et elle riait, se moquant d'elle-même comme de la confusion de Carl, riait d'être si parfaitement heureuse, et lui aussi riait, gêné, heureux de la voir heureuse, sans en être certain toutefois, non, sans en être du tout certain.

Car, d'autres fois, la maison était plongée dans une obscurité silencieuse, les rideaux tirés, quand il mettait le bateau à quai. Il trouvait Mathilda assise dans le noir sur la véranda, en train de sucer une mèche de cheveux, ou lovée sur le lit, les yeux bouffis d'avoir pleuré. Parfois, elle s'affolait pour le bébé. Et s'il mourait ? Et si l'accouchement se passait mal ? Et si c'était un monstre ? Ou bien elle se persuadait que l'eau montait, ou qu'elle allait être emportée par le vent, ou qu'il allait mourir foudroyé dans un champ. Ou alors elle avait juste fait brûler le dîner. Elle ne valait rien comme épouse. Elle ne vaudrait rien comme mère. Il n'aurait jamais dû l'épouser. C'était ce genre de choses qu'elle disait.

Il s'asseyait près d'elle sur le lit.

— Ne t'inquiète pas, mon petit oiseau. Tout va bien se passer.

— Tu n'en sais rien du tout, répondait-elle avec mépris.

Bien sûr, elle avait raison. Mais, à la connaissance de Carl, c'était ce qu'on disait quand on ne savait pas quoi faire.

Alors, pendant qu'il mettait à frire des patates et des œufs, Mathilda apparaissait à la table de la cuisine, un nœud fermait le peignoir autour de sa taille qui s'épaississait, peu à peu l'euphorie revenait, et elle finissait par le régaler une fois encore du récit des concours d'orthographe qu'elle avait remportés, des garçons qui l'embrassaient derrière l'école, des après-midi où Amanda et elle esquivaient leurs besognes pour se rendre ensemble sur cette même île. Elle posait la main de Carl sur son ventre arrondi pour lui montrer comme la peau se tendait, comme le bébé se développait bien. Elle n'arrêtait pas de parler projets, de tous les enfants qu'ils auraient, de la ferme qui allait prospérer grâce à lui, des terres et des vaches qu'ils achèteraient, du deuxième étage qu'ils allaient construire à leur maison sur l'île.

Mais il avait de plus en plus de peine à l'écouter décrire les innombrables moyens par lesquels elle les clouait là, dans cet endroit-là, dans cette vie-là. Il avait fini par se convaincre qu'il n'aimait pas tant le travail de la ferme, qu'il n'y réussissait pas. C'était du moins ce que son beau-père exprimait clairement chaque fois qu'il tournait le dos d'un air dégoûté ou s'acquittait en soupirant d'une tâche qu'il jugeait mal exécutée par Carl, ou pas assez rapidement.

Un soir, il raconta à Mathilda que son père l'avait repoussé si fort pendant qu'il limait un sabot de Frenchie qu'il s'était étalé sous le cheval, par terre, dans l'écurie.

— Faut être doux avec elle, avait grogné Mr. Starkey.

Il avait passé la main le long de la jambe du cheval jusqu'à ce que l'animal lève à nouveau le sabot. Puis il l'avait serré entre ses genoux.

— C'est pas un steak, tu sais.

Mathilda se détourna pour attraper un livre dans la pile près de leur lit.

— Comprends-le, dit-elle. Il a eu Frenchie depuis sa naissance. Il sait ce qui est bien pour elle.

Dans un geste de réconfort, elle posa alors sur l'épaule de Carl une main qui lui fit l'effet d'une brûlure.

— Il peut t'apprendre beaucoup, tu sais, si tu le laisses te montrer.

Mais il savait que le but de Mr. Starkey n'était pas de lui apprendre à s'occuper des chevaux.

****

Carl et Joe finirent de condamner les vitres de la véranda et attaquèrent le côté sud de la maison. Entre deux silences, Joe parlait des prévisions météorologiques de l'almanach pour l'été prochain, de la nouvelle variété de maïs qu'il avait plantée, des poissons qui, ce printemps, semblaient être passés de l'ouest à l'est de Taylor's Bay.

****

Au mois de février, la petite jeune fille que Carl avait épousée s'était métamorphosée en une femme dont chaque pas résonnait lourdement dans la maison. Elle le menait à la baguette, lui faisait déplacer des meubles, réparer un châssis de fenêtre qui laissait passer l'air, poncer une rugosité sur le plancher. Tous les matins, elle le chargeait d'une liste de courses à rapporter de la ferme ou de la ville : couvertures, oreillers, savon, crackers, aiguilles à tricoter de différentes tailles, tapis, livres, bouteilles, et du bois, du bois, toujours du bois, des tonnes de bois pour le poêle tant qu'elle n'eut pas amassé trois ans de réserve. Carl charriait le tout sur un traîneau qu'il tirait sur la glace ; sous son vernis neigeux, elle était douce et noire comme une peau de prune.

Il y avait très peu d'ouvrage à la ferme. Le matin, il coupait de la glace dans Taylor's Bay et la traînait en haut de Glacier Road, jusqu'à l'entrepôt de glace. L'après-midi, quand le temps était clair, Mathilda voulait patiner.

— Il va falloir des années avant qu'elle soit de nouveau aussi parfaite, disait-elle. Je ne peux pas laisser passer une occasion pareille.

Il protestait : à cause du bébé, elle ne pouvait risquer une chute, mais elle se moquait de lui.

— Je ne vais pas tomber, Carl. Je sais ce que je fais.

Il n'avait pas su l'arrêter et, finalement, elle avait eu raison. Elle patinait prudemment, déplaçant d'une jambe sur l'autre le poids ingrat de son corps. Il comprenait pourquoi elle aimait ça : sur la glace, elle pouvait se mouvoir avec la même grâce qu'à l'ordinaire. Et, si elle avait parfois besoin d'agripper son bras pour se stabiliser, eh bien, il était là, non? Il veillait à ce qu'il ne lui arrive rien.

Seulement, plus tard, il n'avait pas été là. Carl se remémora les paroles impatientes d'Amanda : « Elle a dû se dire que c'était une belle nuit pour faire du patin et elle est passée à travers la glace. Ça lui ressemblerait assez. » C'était peut-être vrai. Oui, peut-être Mathilda avait-elle été imprudente, elle était sortie patiner tard dans la nuit parce qu'elle n'arrivait pas à dormir, parce que la glace semblait parfaite. Oui, peut-être était-ce là la fin de l'histoire; il n'y avait pas de coupable, sinon la traîtrise de la glace.

****

Ruth était arrivée au printemps, avec la fonte des neiges. Elle était légère, on aurait même dit qu'elle flottait; pourtant, quand la sage-femme lui avait déposé la première fois le minuscule colis dans les bras, il avait eu peur de le laisser tomber, tant elle était lourde de toute sa fragilité, du besoin d'être protégée à tout prix. Alors il avait compris qu'il ne la laisserait pas tomber, jamais, d'aucune façon. Il s'était arc-bouté fièrement pour porter ce poids énorme, mais dès qu'elle avait ouvert ses yeux gris-bleu il avait éprouvé la première petite morsure du doute. Il avait senti la faiblesse gagner ses bras, puis s'emparer de ses jambes, et il avait dû s'asseoir.

Mathilda n'arrêtait pas de lui demander d'alimenter le poêle. Il ne fallait pas ouvrir les fenêtres. La porte devait être refermée tout de suite. On étouffait dans la maison. Carl avait pitié du bébé, emmailloté dans toutes ces couvertures qui ne laissaient apparaître que son visage rose. Et si elle avait peur? Et si elle avait trop chaud? Comment le savoir?

Une nuit, dans la troisième semaine de sa vie, Ruth se mit à pleurer et Mathilda ne se réveilla pas. Carl se glissa hors du lit, heureux de laisser dormir son épouse épuisée. Il prit sa fille dans son berceau et, l'espace d'une minute ou deux, elle suçota silencieusement son épaule. Lorsqu'elle commença à pleurnicher, il la porta hors de la chambre, dans le salon – les lattes froides du plancher lui glaçaient les pieds. Il s'assit pour la bercer quand les pleurs devinrent des cris, se leva pour se dandiner avec elle quand les cris devinrent des hurlements. Il la faisait s'envoler et descendre en piqué, tout en maintenant d'une main ferme son crâne si doux, sa nuque fragile. Il la secouait tout doucement, dansait avec elle, la tenait serrée contre son cou, et elle continuait de pleurer, de s'époumoner comme si, en elle, il n'y avait de place que pour l'angoisse.

— Arrête ça! Mais qu'est-ce que tu lui fais?

Mathilda posa sa bougie sur la table, lui arracha Ruth des bras et la mit au sein. Le bébé ne cessa pas de pleurer sur-le-champ, mais tout de même assez vite, et Carl fut soulagé en même temps qu'un peu mortifié. C'était donc tout ce qui intéressait Ruth? Une chose qu'il ne pouvait pas lui donner? Puis, écœuré d'en vouloir à un nourrisson, dans un geste de sollicitude, il posa une couverture sur les épaules de sa femme et cala un oreiller sous son coude.

— Tu avais juste faim, n'est-ce pas? chantonnait Mathilda dans le duvet qui couvrait la tête de son bébé. Papa n'a pas compris.

Carl se dit qu'elle semblait heureuse de pouvoir faire une chose dont il était incapable.

— Remets du bois dans le poêle, Carl. On gèle ici.

Il remplit le poêle puis les laissa ensemble, la mère et la fille, et alla se coucher seul.

****

Carl planta encore quelques clous et condamna le haut du volet, puis le bas. Des feuilles jeunes et rondes éclaboussaient de leurs ombres le mur ensoleillé. Trois côtés de la maison étaient fermés. Ils avaient presque fini.

Là, face à cette maison confortable, avec le souvenir de sa femme et de sa petite fille bien au chaud à l'intérieur, il eut honte du farouche désespoir qui jadis l'avait poussé à montrer à Mathilda qu'il ne lui appartenait pas, pas comme elle pensait. Elle pouvait posséder son île, sa maison, la ferme de son père, son enfant, mais lui ne lui appartenait pas. Malgré tout, il n'avait jamais pensé la quitter vraiment, mais partir pour la guerre, ce n'était pas quitter. Il fallait bien qu'un homme soit un soldat. Il fallait bien qu'un homme fasse son devoir. Quand il reviendrait, le père de Mathilda ne pourrait plus secouer la tête d'un air réprobateur, tout serait différent. Quant à elle, elle ferait... oui, que ferait-elle? Qu'attendait-il d'elle?

Elle avait poussé un cri et s'était effondrée sur le sol lorsqu'il lui avait dit avoir refusé l'exemption des chargés de famille.

— Tu as renié Ruth? Tu m'as reniée, moi?

Non, ce n'était pas ce qu'il avait fait, n'est-ce pas? Ce n'était pas ce qu'il avait voulu faire. Il avait juste voulu éviter les prétextes, ne pas se défiler comme un lâche. Ce n'était pas comme si Mattie et Ruth avaient vraiment été dépendantes de lui.

Elle lui avait ordonné d'y retourner, de leur dire qu'il s'était trompé. Elle avait martelé le sol de son poing, atrocement bouleversée; elle avait juré qu'il allait mourir et qu'elle, elle mourrait sans lui. Elle lui avait froidement déclaré qu'il le regretterait. Puis elle avait décrété que Ruth et elle l'accompagneraient, qu'elles resteraient à l'extérieur du camp, qu'elles prendraient un vapeur pour faire la traversée jusqu'à la France. À la fin elle s'était tout simplement mise à pleurer.

Il était navré, mais soulagé aussi, partagé entre l'envie de retirer ce qu'il avait dit, de lui annoncer qu'elle n'avait aucune raison de pleurer, et l'apaisement de savoir qu'il était trop tard. Il ne pouvait rien faire. Il n'avait rien d'autre à lui offrir que des : « Je reviendrai. Tu verras. Je reviendrai avant même que tu te sois aperçue de mon départ. »

Il avait voulu soulever son visage pour l'embrasser.

— Je ne serai peut-être plus là, avait-elle répliqué avec un regard haineux.

Le marteau lui échappa et tomba dans la terre. Jusqu'à cet instant, il avait oublié ces mots-là. Mais elle ne les pensait pas. Il le savait. Elle les avait juste prononcés sous le coup de la colère. Il se baissa pour ramasser le marteau et essuya la saleté sur l'arrache-clou. Puis il enfonça cinq clous dans la couverture que Joe maintenait sur la dernière fenêtre du dernier mur.

****

— Maman !

Le cri venait de l'intérieur de la maison, désormais totalement condamnée.

— Ruth !

Comment avait-il pu l'oublier ? Carl courut vers la porte. Joe entreprit de forcer les planches qu'ils venaient juste de fixer.

— Je suis là, Ruth !

Il ouvrit violemment la porte et un rai de lumière poignarda l'obscurité de la maison.

— Je suis là !

Il finit par la trouver sous le lit de la pièce du fond, celle qui avait été leur chambre, à Mathilda et à lui.

— Ça va, ma chérie. Tout va bien. On ne savait pas que tu étais encore dedans. C'est tout. Ne t'inquiète pas. Tout va bien.

Ruth n'était pas comme Mathilda : elle le crut. Et le laissa la consoler, tandis que, dans la pénombre, il vérifiait que portes et fenêtres étaient bien fermées. Une fois ressorti, il dénoua doucement ses bras et la reposa par terre. Elle serrait dans une main un sac vert, fermé par un lacet de cuir.

— Où as-tu trouvé ça ?

Lorsqu'il avait rapporté ce sac pour Ruth, Mathilda le lui avait arraché des mains.

— Des billes ? Pour un bébé ? Tu es fou ou quoi ? Elle va s'étouffer.

L'idée avait horrifié Carl ; en voyant son expression, Mathilda s'était radoucie.

— Ce n'est pas grave. On va les lui mettre de côté. Quand elle sera plus grande, elle adorera ça.

Et elle avait ajouté – à présent, le souvenir de cette gentillesse lui serrait le cœur :

— J'ai toujours aimé les billes. Ruth a de la chance.

Puis elle avait serré très fort le lacet et déposé le sac au fond du coffre à jouets.

****

Joe, Carl et Ruth remontaient tranquillement le sentier qui conduisait à la ferme, mais, avant qu'ils eussent atteint la porte, la moustiquaire s'ouvrit d'un coup sec pour aller claquer contre le mur. Amanda traversa la véranda d'un pas raide, attrapa Ruth par les épaules et l'attira contre ses jupes.

— Bonjour, Joseph, fit-elle avec un signe de tête sévère. Tu restes déjeuner, n'est-ce pas ?

Sans attendre la réponse, elle baissa les yeux vers Ruth et la secoua légèrement.

— Où étais-tu ? Te voilà dans un bel état.

Elle n'eut pas un regard pour Carl. Elle fit glisser les rubans au bout des nattes de l'enfant, lui peigna les cheveux avec les doigts puis entreprit de refaire les tresses.

— On est allés jusqu'à l'eau – aïe, ça tire – et puis il a fait tout noir.

— Cours montrer à Mr. Tully où il peut se laver les mains avant le déjeuner, dit Amanda en lui donnant une petite tape entre les omoplates pour l'orienter vers la maison.

160

Les voix couvrirent bientôt le grincement de la pompe et le bruit de l'eau tombant dans l'évier.

— ... Au lac ! Au lac ! Comment as-tu pu faire une chose pareille ?

— Pourquoi ne pas l'emmener là-bas ? J'aimerais bien savoir où est le mal. Nom de Dieu, elle y est née.

— Tu n'as plus le droit d'y aller, maintenant.

— Comment ça, je n'ai plus le droit ? C'est ma maison, non ?

— Il fallait y penser plus tôt, Carl. Tu es parti. Tu l'as laissée.

— Oh, ça recommence...

— Oui, ça recommence. Si tu n'avais pas abandonné ta femme et ton enfant, Mattie ne se serait jamais...

Tassée contre la moustiquaire, Ruth se tenait dans l'embrasure de la porte.

— Hé, Ruthie, d'où ça sort, ça ?

Joe souleva le sac que Ruth avait laissé tomber dans la caisse à outils.

— Tu sais ce qu'il y a là-dedans, à mon avis ?

D'une main, il attrapa le sac et le secoua de haut en bas.

— À mon avis, il y a des billes. Et si on jouait aux billes tous les deux avant le déjeuner, Ruthie ? Allez, viens.

Comme elle ne bougeait pas, il s'approcha, l'arracha doucement à la moustiquaire et l'entraîna dans la maison.

— Tu sais jouer aux billes, Ruthie ? Tiens, je vais te montrer.

Les couleurs des petites boules d'argile et de verre l'intéressèrent, et leur douceur si fraîche aussi. Bien qu'elle eût envie de les examiner, de les aligner, de les regarder rouler peut-être, de les frotter entre les paumes de ses mains, elle s'efforça de placer ses doigts comme Joe le lui montrait, de plier correctement le pouce. Pour finir, il la laissa simplement les faire rouler, oui viser et rouler, et de temps en temps elles s'entrechoquaient avec un petit clic satisfaisant.

On est allés là où Tante Mandy et moi on va toujours, et puis quand ç'a été le moment de demi-tour maintenant, on rentre mettre la table pour le déjeuner, on s'est pas arrêtés. On a continué là où je savais pas où allait le sentier, et puis il y a eu des espaces bleus entre les troncs d'arbres et sous les branches, et puis l'eau. Je me rappelais l'eau, c'est un ciel par terre où on tombe et tombe et tombe et tombe. On était au paradis et j'avais peur, parce que c'est là qu'on va quand on meurt.

Il y avait des bosses sur l'eau, elle avait une peau ridée. On est allés dessus dans un bateau et la terre ne ressemblait plus du tout à là où on avait été, même si je savais qu'on avait été pile à cet endroit.

Et puis le bateau a cogné une autre terre.

— Tu te souviens, Ruth ? il a demandé. Maman, toi et moi, on habitait ici quand tu étais un tout petit bébé.

— Je me souviens pas de quand j'étais un bébé, je lui ai dit. Je crois que j'étais un bon bébé. Je crois que je pleurais pas.

— Tous les bébés pleurent, Ruth.

— Non, moi je pleurais pas.

Je connaissais ce que sentait la maison : bois mouillé, moufles et odeur verte de l'eau. C'était l'odeur de là où était ma maman.

Je l'ai cherchée. J'ai regardé dans les endroits secrets, sous la couverture rouge, sous les lits, dans les tiroirs où son odeur était si forte que j'ai cru qu'elle se tenait derrière moi, mais elle n'était pas là. J'ai trouvé une maison de souris faite avec un foulard et du papier, mais elle, je ne l'ai pas trouvée. Pourtant, je savais que Tante Mandy se trompait. C'était là qu'on aurait dû attendre. C'était là qu'elle reviendrait.

Dans la cuisine, j'ai regardé dans les placards. J'ai trouvé un bol, une tasse et une poêle, avec des nids cotonneux pleins d'œufs d'araignée dans le fond. J'ai grimpé sur une chaise pour voir là où étaient les crayons. Je me rappelais qu'elle les taillait avec le couteau.

— Vas-y, Ruthie. Tiens-le bien sur le papier. Grande fille.

Puis la moitié du soleil qu'il y avait sur le sol de la cuisine a disparu. C'était quand le battement a commencé. Poum, poum, poum. Silence. Poum, poum, poum. Alors l'autre moitié du soleil aussi est partie.

Dans les autres pièces, il y avait encore de la lumière, alors je suis allée dans celle avec le coffre où habitaient mes jouets.

Il y avait des feuilles d'arbres dans le coffre, des bouts de bois, des coquilles d'escargots et des cailloux qui avaient été verts, rouges, bleus et jaunes sous l'eau, mais qui étaient tous devenus marron dans le coffre. Elle disait :

— Regarde, en voilà un joli.

Maman était bonne pour trouver les jolis, et elle me les donnait tous.

Le battement est revenu. Poum, poum, poum. Silence. Poum, poum, poum. Silence.

Il y avait les patins de Maman dans le coffre. J'ai touché le dedans tout doux où elle mettait ses pieds, mais je me suis rappelé le morceau brillant.

— Ne mets jamais tes doigts dessus, elle disait.

Elle avait posé des bâtons en bois sur la partie en argent. Le petit sac vert était dans le coffre. Elle disait :

— Pour quand tu seras plus grande.

Cinq ans, c'est plus grand.

Il y avait des cailloux dans le sac. Ça se voyait parce qu'il était lourd, parce qu'il faisait des clic-clac quand on le remuait. C'étaient des jolis, je l'aurais parié. Le lacet était serré. Elle, elle aurait pu le défaire, ou même Tante Mandy, mais moi je pouvais pas.

J'ai emporté le sac dans la chambre de Maman et je me suis assise sur le tapis vert près du lit, là où on disait :

— Maintenant on va faire un gros dodo.

Je me suis servie de mes dents. J'ai de bonnes dents. Il y en a une grise, depuis le jour où je suis tombée dans l'escalier, mais elle marche exactement comme les blanches. Le lacet était en cuir. Il avait bon goût, c'était agréable dans la bouche. Je l'ai travaillé. Je suis une bonne travailleuse, c'est ce que dit Tante Mandy. Je l'ai travaillé jusqu'à ce qu'il se défasse.

Les cailloux dedans étaient jolis. Certains avaient un brun-rouge doux, comme les pots de fleurs, mais les mieux c'étaient des pierres précieuses, avec des couleurs comme un bonbon. Ils étaient tous parfaitement ronds. Ils ont roulé quand je les ai installés sur le sol. Ils ont roulé dans les creux des tresses du tapis, et il y en a deux, un jaune citron et un couleur cannelle, qui ont roulé sous le lit.

Sous le lit, c'est là que je suis allée le jour où les bruits faisaient peur.

— Va dans ta chambre, avait dit Maman.

Mais moi je voulais pas. Elles étaient en colère. Elles me grondaient. Elles disaient :

— Va-t'en, maintenant, Ruthie.

Mais je me suis glissée sous le lit, là où c'était tout bas et tout noir. Tante Mandy s'est baissée.

— Tiens. Tu vois ? Chut, Tante Mandy a des bonbons.

Je voulais rester, mais Maman a dit non.

— Va dans ta chambre. Il n'y a pas de raison d'avoir peur.

Mais je voyais bien que c'était pas vrai.

Sous le lit, c'est une bonne cachette quand on entend les cris, quand on entend la respiration, quand on entend le « Seigneur, oh ! Seigneur, oh ! Seigneur ».

Dans le noir tout en dessous, là où maintenant-on-va-faire-un-gros-dodo, je fais chut et je suçote, je suçote. Je suçote mon bonbon pointu comme une aiguille. Je me couche pour faire un gros dodo et puis je me réveille. Les bruits sont toujours là. Elles n'arrêtent pas de faire les bruits. Je mets mes mains sur mes oreilles, mais elles arrêtent quand même pas. Les chaussures de Maman vont et viennent. Vont et viennent, jusqu'à ce que je sois fatiguée, jusqu'à ce que le bébé crie, et puis plus rien.

J'ai mis les cailloux dans le sac, et puis il y a eu le battement, pile au-dessus de ma tête. Et puis toute la lumière est partie. Il a fait noir comme la nuit, noir comme l'eau quand j'arrivais pas à remonter.

— Maman ! j'ai crié. Maman !

J'ai trouvé où elle était. Mais c'était pas là.

Et alors il est arrivé. Il m'a soulevée, m'a portée dans le soleil et ramenée à l'eau où j'ai pas pleuré. Je suis sûre que j'ai pas pleuré.

Une fois qu'on a été installées sur l'île, Mattie, Ruth et moi, quand je ne dormais pas comme une souche, j'étais un vrai tourbillon, c'est tout ce que je me trouve comme excuse. Pendant les mois d'avril, mai et jusqu'en juin, j'ai chassé le problème de mon esprit et mis de l'ordre dans l'île. Je bêchais le jardin, plantais les graines dans les sillons que Ruth et moi tracions avec une corde. Je faisais les listes pour l'épicier et récupérais les livraisons à la cabine, même les blocs de glace pour la glacière. Ils étaient lourds, mais je les hissais en haut de la côte sur une couverture. Je lavais les tabliers de Ruth, peignais ses cheveux, lui apprenais à compter jusqu'à vingt, faisais attention à ce qu'elle garde ses chaussures aux pieds et n'approche surtout pas de l'eau. La plupart du temps, je veillais sur ses jeux interminables pour m'assurer qu'elle ne prenait ni cailloux ni brindilles dans les yeux, que ses poupées restaient décemment vêtues et son visage d'une propreté raisonnable.

Bien sûr, Mathilda aussi faisait tout cela, mais elle y mettait moins de sérieux et de zèle. Elle disparaissait toujours pour écrire une lettre à Carl ou fourrer son nez dans l'un des bouquins dont elle avait chargé notre traîneau. Maintenant qu'il faisait chaud, elle laissait souvent Ruthie jouer au bord de l'eau pendant qu'elle lisait, et je craignais qu'elle n'entende pas la différence entre le floc des galets que lançait Ruth et le plouf de la petite tombant à l'eau.

Une nuit où la lune était si brillante qu'elle donnait une lumière spectrale, j'ai été réveillée par un bruit d'éclaboussure et par les cris aigus de Ruth. Terrifiée, je suis descendue en courant vers la rive. Mathilda tenait la petite par les bras et la faisait tournoyer le plus vite possible en la traînant dans l'eau ; autour d'elles le clair de lune léchait les vagues comme une flamme.

— Arrête ça ! Arrête ça tout de suite !

Je tapais du pied.

Mathilda a cessé de tourner et fait volte-face, attirant Ruth contre son corps, les bras noués autour de la taille de l'enfant, les pieds de la petite, ballants, qui dégoulinaient sur l'eau. Mais

Ruth n'était pas assez grande pour couvrir la nudité de Mathilda. J'ai été choquée : elles deux, comme ça, toutes nues, là où n'importe qui pouvait les voir. Je ne savais pas où poser les yeux. J'ai fait demi-tour, je me suis précipitée dans la maison et, à tâtons, j'ai suivi le couloir obscur jusqu'à ma chambre.

Je me suis couchée sur mon lit, les mains pressées sur la poitrine pour apaiser mon cœur emballé. Puis je les ai laissées glisser plus bas. Je les ai laissées palper à travers le fin coton de ma chemise de nuit cette partie qui commençait à gonfler comme de la pâte à pain. J'ai essayé, comme je le faisais depuis des semaines, de pousser pour le faire tomber ; il était costaud : il refusait de descendre.

Mais, à l'intérieur de moi, il a bougé.

****

— Tiens-toi tranquille. Celles-là sont collées.

Amanda essayait d'attraper les cheveux de Ruth dans une poignée de bardanes.

— Bien. Tu as l'air d'une sorcière.

Elle ricana pour faire comme si c'était un jeu, et Ruth pouffa.

— Maintenant, un peu de ça sur tes joues.

Doucement, elle étala le fard sur la peau douce de la fillette.

— Pas trop. Maintenant, tu te rappelles nos exercices ?

Ruth hocha la tête.

— Bien, alors sous les couvertures, les yeux fermés, et souviens-toi : pas un mot, quelle que soit la question qu'il te pose.

Amanda voulait retenir Ruth loin de l'école le plus longtemps possible. La première année après sa sortie de Saint Michael, personne ne lui avait tenu tête. La petite n'avait que cinq ans, après tout et, entre ses mois de mutisme et ses accidents de propreté, elle ne semblait pas prête pour le jardin d'enfants. Mais, l'année suivante, ç'avait été plus difficile. Amanda avait dû rappeler à Carl qu'il ne connaissait rien aux enfants, il ne s'imaginait pas le traumatisme qu'avait subi Ruth en perdant sa mère, et elle lui apprenait plus que n'importe quelle école. Ce dernier point, au moins, était vrai. Sans être un génie de l'arithmétique comme l'avait été Amanda, Ruth connaissait déjà additions et soustractions, et, même si elle détestait le cruel Struwwelpeter, elle pouvait lire chaque mot de son histoire. Elle savait reconnaître les arbres à leurs feuilles, les oiseaux à leurs chants, et désigner au moins quatre constellations. Elle comprenait que le bleu et le jaune formaient le vert, savait faire la différence entre une vache de Guernesey et une jersiaise, et avait élevé un agneau dont la mère était morte de la maladie de Carré.

Si Carl s'était montré plutôt facile à convaincre, Amanda savait bien que la précocité de Ruth n'impressionnerait pas le conseil d'établissement. Quand il envoya son mandataire, elle fit comme si Ruth était malade et alla jusqu'à mettre en scène une crise d'épilepsie convaincante.

— Peut-être feriez-vous mieux d'attendre dans le salon, Mr. Schmidt, dit-elle posément tandis que Ruth, langue pendante, était saisie de soubresauts et aboyait.

Tout avait marché à merveille la première fois mais, cette année-là, Carl revint chercher une paire de pinces qu'il avait laissées dans sa chambre et trouva le membre du conseil d'établissement sur le canapé. Mr. Schmidt dit :

— C'est très triste ce qui arrive à votre fille. J'espérais qu'elle irait mieux cette année.

Lorsqu'elle entendit Carl grimper l'escalier quatre à quatre, Amanda comprit qu'elle ne pourrait rien faire de plus. Ruth devrait aller à l'école.

Deuxième partie

8.

C'était un matin qui empestait le fumier, une odeur âcre, au début, lorsqu'elle pénétrait dans les narines, mais attirante et agréable comme celle d'un bon fromage à mesure qu'elle s'attardait dans l'air. L'école et sa cour de récréation étaient entourées de champs, tous fraîchement épandus et qui séchaient au vent chaud de septembre. Sur une petite colline à l'extrémité ouest de la cour, douze filles s'étaient installées, la plupart les jambes croisées à l'indienne, la jupe ramenée entre leurs cuisses, leur panier de déjeuner dans les bras. Le groupe formait la totalité de l'effectif féminin de Lakeridge School, à l'exception de Ruth Neumann, qui déjeunait toujours toute seule.

Certaines, qui avaient fini de manger, se laissaient aller en arrière, appuyées sur leurs coudes, le menton tendu pour attraper les ultimes rayons de soleil de l'année. Tout en haut de la colline, il y avait Imogene Lindgren, assise les genoux de travers, les jambes à l'oblique, comme les grandes. À huit ans trois quarts, Imogene affichait déjà clairement une féminité affirmée, et bien qu'aucune de ses camarades, pas même elle, n'eût été capable de définir cette qualité, toutes l'examinaient avec attention, comme si elle avait un jeu d'avance.

Pour les garçons aussi Imogene était fascinante et, presque à leur insu, ils étaient toujours deux ou trois à graviter autour d'elle, faisant de timides incursions dans sa direction avant de vite battre en retraite ou de virer de bord vers la cible plus sûre de l'une de ses demoiselles d'honneur.

— Regarde ça, tiens, regarde ça, fit l'un d'eux en cinglant sur elle pour lui enfoncer le doigt dans l'épaule.

Puis il roula sa paupière jusqu'à la retourner complètement, rouge et luisante au-dessus du blanc de l'œil, et tourna la tête dans tous les sens afin de faire profiter du spectacle le plus large public possible.

S'élevèrent des hurlements et des gémissements ravis. D'un geste vif, plusieurs filles portèrent les mains à leurs visages en gloussant, une qui était assise à flanc de colline bascula sur le côté. Si Imogene ne dédaignait pas ce genre de plaisir, elle savait ne pas le montrer : elle roula elle-même des yeux dégoûtés avant d'enfourner la dernière bouchée de son sandwich au jambon.

Constatant qu'un éclaireur avait ouvert la voie, un petit groupe de garçons s'approcha. Imogene les observa du coin de l'œil tout en terminant ses pickles, plia soigneusement le papier paraffiné qui avait protégé le sandwich de la saumure et s'essuya les doigts avec le mouchoir blanc bien propre que sa mère avait ourlé de dentelle. Chez les plus jeunes, le jeu à la mode ces dernières semaines était une variante de cache-cache et de chat, garçons contre filles. Il était entendu que quiconque se faisait prendre risquait un bisou ou l'obligation de dévoiler un bout de petite culotte, encore qu'un refus de l'une ou l'autre des parties pouvait, sans trop de difficultés, différer la récompense jusqu'à ce que sonnent la cloche et, avec elle, l'heure de la délivrance.

Abandonnant leurs paniers le long du mur de l'école, les filles partirent à toute allure chercher des cachettes pendant qu'on comptait jusqu'à cent. À quarante, Imogene nota avec un mécontentement croissant que chaque buisson, chaque recoin de la cour avait été si souvent occupé qu'il était désigné par un traître sentier de poussière piétinée. À cinquante, elle renonça à sa quête d'un endroit où elle serait introuvable et courut vers les trois buses de béton, vestiges de travaux d'écoulement abandonnés dans un coin de la cour, pareils aux ruines d'un temple dédié à quelque divinité oubliée. De toute façon, ce genre de cachette était plus à son goût : elle pouvait facilement bondir de l'un des tunnels, renverser la situation et devenir l'assaillant.

À soixante, elle rampait à quatre pattes dans le premier et en ressortait illico, horrifiée par les tortueuses et interminables colonies de fourmis qui en couvraient le sol. Le deuxième tunnel, elle allait s'en apercevoir, était déjà occupé, mais Imogene s'accroupit un instant à l'entrée pour regarder à l'intérieur.

Ruth Neumann était dans un état épouvantable, comme d'habitude. Sur un côté de sa tête ses cheveux fins étaient à moitié sortis de sa natte et lui faisaient une boule emmêlée sur l'oreille, l'ourlet de sa jupe était décousu. Elle était si ouvertement bizarre que, presque dès la première semaine où elle était arrivée à l'école, quatre ans auparavant, elle avait servi de bouc émissaire. Imogene elle-même s'était parfois jointe à ses camarades dans des railleries peu charitables portant d'ordinaire sur l'incisive supérieure droite de Ruth : la racine était morte et la dent avait pourri jusqu'à devenir grise comme une mine de crayon – une dent de lait qui se cramponnait à sa gencive malgré ses onze ans. On avait agrémenté plus d'un cours morose du dessin d'un visage avec un grand sourire, dont la bonne dent était crayonnée, et intitulé « Ruth », l'ingénieuse création étant ensuite offerte au regard de tous dès que la maîtresse avait le dos tourné.

Ruth semblait rarement ne fût-ce que s'en apercevoir, ou alors elle contemplait tranquillement coupables et rieurs, non pas d'un air de reproche, mais avec curiosité, comme si elle voyait quelque chose d'anormal sur leurs figures. Au début, l'expérience fut dérangeante, puis elle finit par devenir ennuyeuse, et, au bout du compte, seuls ceux qui n'avaient pas trouvé d'autres moyens de conserver leur prestige vinrent percer sa solitude.

Dans la buse, Ruth était juste assise, elle examinait la surface grêlée du béton, elle jouissait de sa fraîcheur à travers le coton de sa jupe. Dès que son corps avait chauffé un coin, elle en changeait pour un plus frais. Quelques colonnes de fourmis progressaient autour d'elle, mais ça ne semblait pas la troubler. De temps en temps, elle prélevait une bille d'argile de la petite poignée qu'elle avait dans la poche et l'envoyait dans le tunnel, juste assez fort pour la faire rouler jusqu'au bord, sans qu'elle tombe.

Imogene était non seulement la souveraine des cours moyens, mais aussi la championne de billes de l'école, en tout cas, c'était ce que tout le monde croyait, elle y comprise. Or voici ce qu'elle vit en lorgnant dans le tunnel : un calot bleu, un tout petit peu asymétrique, roulait lentement, lentement, très lentement jusqu'au bord du tunnel où il venait heurter en douceur un calot brun, puis s'immobilisait. Autrement dit, elle vit une joueuse de billes capable de la battre.

Cela ne la contraria pas. Imogene appréciait le savoir-faire, surtout s'il pouvait lui être utile. Elle pénétra en canard dans l'entrée de la buse, bloquant à l'extérieur une bonne partie de la lumière. Ruth lui jeta un œil mais ne bougea pas.

— Qu'est-ce que tu fais là ? lui demanda Imogene.

Ruth ne répondit pas mais baissa les yeux vers sa main et fit rouler une autre bille, lentement, lentement, très lentement jusqu'au bord du tunnel.

Froissée, Imogene oublia toute ébauche de complaisance.

— Écoute, tu joues aux billes, fit-elle en frappant le béton du plat de la main. Je vois bien que tu joues aux billes. Alors pourquoi tu le dis pas tout simplement ?

— Puisque tu vois bien que je joue aux billes, pourquoi veux-tu que je le dise ? rétorqua Ruth, tournée vers la paroi fraîche près de sa main.

Puis elle cligna des yeux en direction d'Imogene, dont la silhouette sombre se découpait contre le bleu dur et brillant du ciel, et elle sourit, découvrant complètement sa dent noire.

Les doigts d'Imogene la picotaient là où ils avaient frappé le béton. Elle plissa les yeux un instant, hésitante, puis laissa se dissiper sa colère. Oubliant la cachette, indifférente aux fourmis, elle rampa près de Ruth afin de lui expliquer son excellent plan.

Imogene convoitait une agate bleue comme le ciel à midi. On ne sait comment, cette bille était tombée entre les griffes de Bert Weiss, un garçon de huit ans déjà fanfaron et suffisant, qui se mettait les doigts dans le nez souvent et en public. Elle avait envie de cette agate, mais elle était aussi parvenue à se convaincre qu'il était de son devoir de la libérer du gros sac de billes graisseux que Bert gardait dans son pupitre.

Jusqu'alors, semblait-il, elle s'y était mal prise. Elle s'était entraînée pendant des mois et avait soutiré ses secrets à un grand de sa connaissance, déjà en cinquième et lassé de jouer aux billes : un peu de salive sur le doigt pour certains tirs, les épaules dans une position particulière pour d'autres. Les ourlets et le devant de ses jupes avaient définitivement viré au marron, à force d'être accroupie ou à genoux dans la saleté. Elle était devenue bonne puis n'avait cessé de se perfectionner et avait gagné beaucoup de billes magnifiques à d'autres enfants, tant que son propre sac en cuir souple était presque plein à craquer. Dans les parties du début, l'agate bleue apparaissait souvent au milieu des calots bruns, des billes de verre vertes, rouges et jaunes, des volutes arc-en-ciel et des œils-de-chat, mais Bert, toujours attentif aux occasions de contrarier le plaisir des autres, remarqua l'intérêt d'Imogene pour cette bille précise et, quand la fillette visa mieux, il la retira du jeu.

Oui, il la retira du jeu. Comme ça. Elle disparut comme ça, elle tomba dans le sac gris informe, et il serra le cordon d'un coup sec pour en chasser l'air frais sous les yeux d'Imogene. Il ne la ressortit plus.

Mais maintenant Imogene avait un plan.

— Hé, Bert, chuchota-t-elle le lendemain, s'adressant à la chevelure grasse devant elle.

Miss Crawley entamait sa litanie crissante sur les lettres qui venaient au-dessus de la ligne et les lettres qui venaient en dessous de la ligne dans l'écriture cursive.

— On joue aux billes tout à l'heure à la récré, pigé ?

— Non, les billes, c'est bon pour les bébés, répondit Bert dans son épaule.

— Non, j'ai une bonne idée. On va jouer par équipes.

Miss Crawley se détourna de la série de *l* qu'elle était en train d'admirer au tableau.

— Qui bavarde ? Je ne tolérerai aucun bavardage pendant que je parle. Compris ?

Elle se retourna vers le tableau.

— Il ne faut pas confondre le *l* et le *i*, qui est moitié moins grand et qui, naturellement, a le point. Désormais je ne veux plus voir ces gros points gribouillés sur vos *i*. Inutile de dessiner un nid à rats. Ce qu'il faut ici, c'est juste effleurer le papier avec le crayon. Comme ceci.

Elle tapota une série de petits coups de craie au-dessus de sa rangée de lettres. Certains restèrent invisibles.

— Vous voyez? dit-elle.

Devant Imogene, Bert haussa les épaules pour acquiescer à sa proposition, au moment précis où miss Crawley, tout sourire, faisait volte-face vers la classe. Son sourire retomba aussitôt.

— Bert, tu me pousses à bout. As-tu quelque chose à dire qui intéresse le reste de la classe?

Le plan fonctionna exactement comme l'avait prévu Imogene. Elle laissa Bert choisir son partenaire, Otto Schmidt, puis lui demanda de décider quel serait son partenaire à elle. Il étudia le groupe des spectateurs, triant rapidement les bons joueurs de ceux qui savaient à peine tenir une bille entre le pouce et l'index. Ce fut alors qu'il avisa Ruth : elle se tenait peut-être un peu plus près que d'habitude et mâchouillait une petite peau près d'un ongle, les yeux baissés sur ses chaussures, espérant apparemment se joindre au groupe sans se faire remarquer. Le cœur d'Imogene eut un petit sursaut lorsqu'elle vit les yeux de Bert se plisser avec une jubilation de triomphe.

— La voilà, ta partenaire. Ruth la Dent noire. Maintenant, on joue.

Au début, l'agate bleue resta emprisonnée dans le sac et, à cause d'elle, Imogene eut du mal à se concentrer sur le jeu. Même sans le vouloir, au départ elle joua plusieurs mauvais coups et sacrifia un œil-de-chat abricot, l'un de ses préférés, au petit sac graisseux. Ruth manqua admirablement chaque tir, suivant à la lettre les instructions d'Imogene. Elle semblait incapable d'empêcher la bille de lui glisser des doigts et, quand elle voulait se mettre à genoux, se prenait sans arrêt le talon dans l'ourlet de sa jupe. Grâce à de telles performances, la malice de Bert finit par triompher de sa prudence : il sortit la bille bleue.

— Elle est pas jolie? souligna-t-il en l'astiquant sur le devant de sa chemise jaunâtre. Qu'est-ce que tu me donnes si je la mets dans le jeu?

— Une pièce de cinq cents, répondit tout de suite Imogene.

— T'as pas de pièce de cinq cents.

— Si, j'en ai.

— Alors montre.

— Je peux en avoir une.

— Ha! Ha! Dans cinquante ans! Non, à mon avis, il me faudrait mieux que ça pour risquer cette merveille.

Imogene bouillait de colère. Cette bille n'avait aucune valeur pour lui. C'était de la pure méchanceté.

— Bien, qu'est-ce que tu veux, alors?

— Je veux...

Il regarda autour de lui en passant la langue sur ses lèvres maigres.

— ... Je veux la dent noire.

Il dévisageait Ruth.

Quelqu'un grogna un rire. Un autre produisit un bruit de haut-le-cœur qui fut récompensé par un tourbillon de petits ricanements. Imogene fixa Ruth. L'espace d'un instant elle hésita, lorgnant du coin de l'œil la bille bleue, toute brillante d'espoir dans la main de Bert.

Puis elle dit :

— N'y compte pas. C'est ridicule.

Elle tendit la main pour ramasser les billes qui lui restaient dans le cercle.

— Attends, dit Ruth. Je vais le faire. Tu vois, de toute façon elle est bonne à arracher.

Elle ouvrit les lèvres et, du bout de la langue, fit jouer la dent d'avant en arrière.

— Tu devrais pas, répondit Imogene. C'est pas juste.

— C'est ma dent. J'en fais ce que je veux.

Elle sourit à Imogene, un sourire aussi large et radieux que celui qu'elle lui avait adressé dans la buse.

— Allez, on joue.

— La dent d'abord, dit Bert.

Mais juste à ce moment-là miss Crawley arriva dans la cour pour sonner la cloche.

— Après la classe, reprit Bert.

Il fit tomber l'agate dans son sac et serra le lacet d'un coup sec.

****

Lorsqu'on les libéra enfin dans l'après-midi de septembre, une couche de nuages gris avait corsé l'odeur du fumier pour la transformer en âcres miasmes. Ruth quitta le bâtiment parmi les dernières ; les enfants, groupés à plusieurs mètres de la porte, commençaient à se donner des coups de poing dans les bras et de brefs coups de pied dans les chevilles en attendant qu'elle apparaisse. Ils se calmèrent immédiatement pour la regarder sortir de la poche de sa robe un bout de ficelle volé dans le placard à fournitures pendant que miss Crawley s'absorbait dans les emplois du temps des cours élémentaires. L'attacher à la petite dent ne fut pas une mince affaire : la ficelle glissa plusieurs fois avant que Ruth soit sûre qu'elle tenait bien ; puis, enfin, elle se déclara prête et se dirigea vers la cabane à outils de l'école, la ficelle pendillant de sa bouche.

— T'as pas peur que ça fasse mal ? demanda une gamine près de son coude.

— Pas trop. Je l'ai fait bouger pendant le calcul, répondit Ruth en ouvrant la porte de la remise.

Elle dut se mettre à genoux pour attacher la ficelle à la poignée.

— Maintenant, qui va claquer la porte ? demanda-t-elle en regardant Imogene.

Celle-ci hésita. L'idée d'arracher cette dent à la gencive de Ruth lui donnait la nausée. Mais Ruth la fixait toujours. Pour finir, Imogene prit une ample respiration et attrapa la porte.

— Prête ?

— Prête.

Imogene inspira encore et retint son souffle. Les yeux grands ouverts de Ruth étaient toujours posés sur elle, et les siens tellement plissés qu'ils étaient presque fermés. Alors elle claqua la porte le plus fort qu'elle put.

Il y avait du sang partout. Il parut gicler dans toutes les directions, coula à flots de la bouche de Ruth, dégoulina partout sur sa robe. Sans réfléchir, Imogene sortit son mouchoir et le pressa dans la main droite de Ruth. Celle-ci baissa sur lui un regard vide, quelques gouttes suintèrent entre les doigts qu'elle tenait sur ses lèvres, tachant de rouge le tissu blanc. Elle jeta des yeux inquiets à Imogene, qui eut l'air légèrement dégoûtée.

— Sers-t'en, dit-elle avec impatience.

Et Ruth fourra le mouchoir dans le trou à vif.

La dent pendillait à la poignée de porte, gris nacré, rouge là où elle avait été arrachée. Ruth la détacha puis l'astiqua avec un coin propre du mouchoir.

— Voilà, fit-elle en la tendant à Bert. Maintenant, on joue.

Gagner l'agate fut facile. Ruth tira, et la bille fut sortie du cercle, sortie du jeu, après quoi celui-ci n'eut plus guère d'intérêt.

Imogene sentit dans sa poitrine une irrépressible envie de courir le plus vite possible à la maison et d'aller s'asseoir près de sa mère, sur le long canapé du salon. Mais elle serra les dents et marcha à côté de Ruth – elles allaient dans la même direction. Sur le chemin, Ruth pressait la langue dans ce tout nouveau trou, et Imogene ne cessait de faire rouler la bille bleue dans sa poche. Elle lui semblait lourde, souillée. Elle la sortit, s'attendant presque à la voir tachée, mais le bleu brillait toujours, indifférent au sang versé pour sa capture.

— Fais voir.

Ruth tendit la main.

Imogene hésita un instant avant de déposer l'agate au milieu de la paume de Ruth. Celle-ci la prit entre le pouce et l'index de sa main gauche et la tourna vers le soleil. Elle tenait la bille devant un œil, fermant l'autre.

— Regarde, on voit dedans.

— Passe-la-moi, dit Imogene.

Ruth lui rendit la bille. Elle avait raison : on voyait dedans. Imogene examina les couches de bleu plus foncé qui la parcouraient et un petit nuage d'une couleur plus claire flottant près du bord.

— Je la garderai toujours, dit-elle. Sens comme elle est douce.

Elle la posa sur la joue de Ruth et de la paume de sa main la fit lentement rouler vers la tempe.

Elles continuèrent de marcher en s'arrêtant de temps à autre pour regarder sous un autre angle l'intérieur de la bille, elles se la passaient, se la repassaient, clignant des yeux quand le soleil les éblouissait.

— Ma mère dit que ta mère est morte, fit Imogene.

Elle regarda Ruth du coin de l'œil, ne sachant comment elle allait réagir. Est-ce qu'on pleurait quand on entendait parler de sa mère morte?

Mais, occupée à astiquer la bille sur l'ourlet de sa robe, Ruth parut à peine faire attention.

— Oui.

Enhardie, Imogene poursuivit sur le sujet. Après tout, c'était intéressant. Elle ne connaissait personne d'autre qui n'ait pas de mère.

— Comment elle est morte?

— Elle s'est noyée.

— Dans le lac?

— Bien sûr. Où veux-tu qu'on se noie, sinon?

— Il y a de l'eau ailleurs que dans le lac Nagawaukee, tu sais.

— Ben, c'est quand même là qu'elle s'est noyée. Dans le lac Nagawaukee.

Imogene avait récupéré la bille, elle la frotta entre ses mains avant de poser une question encore plus audacieuse.

— Tu étais là quand c'est arrivé?

Ruth réfléchit un moment.

— Je suppose, répondit-elle enfin. Je me suis noyée aussi.

— N'importe quoi. Si tu t'étais noyée, tu serais morte.

— Des fois on meurt, d'autres fois non. La noyade, c'est comme ça.

Ruth avait parlé avec tant d'autorité qu'Imogene sentit lui échapper sa position de fille qui sait, qui est la plus intéressante, a la bonne réponse, sait à quoi on joue et combien de temps. Elle contre-attaqua.

— Moi, ma mère elle m'a trouvée dans le jardin, comme dans le *Livre vert des fées*.

— Vraiment?

Ruth parut convenablement impressionnée, et Imogene se sentit à nouveau magnanime.

— Tu seras sûrement plus jolie quand cette dent aura repoussé, dit-elle.

Ne sachant pas quoi répondre à ça, Ruth lança la bille en l'air et la rattrapa.

Imogene dit dans un souffle :

— La perds pas.

— T'inquiète, fit Ruth en la lançant encore une fois, histoire de prouver qu'elle pouvait le faire.

Elle la rattrapa et la rendit à Imogene, qui la glissa dans sa poche.

Elles avaient atteint le croisement où Imogene bifurquait.

— Bien, dit celle-ci, je te revois demain, j'imagine.

— Attends un peu, fit Ruth en plongeant la main dans sa poche. Tiens.

Elle lui tendait le mouchoir plein de sang.

— Faudrait peut-être le laver ? dit Imogene en s'écartant un peu.

Ruth regarda le mouchoir et acquiesça, comme si elle venait juste de remarquer qu'il était sale, puis elle entreprit de le plier soigneusement. Sans la quitter des yeux, Imogene rectifia :

— Tu peux le garder.

— Tu es sûre ?

— Bien entendu, j'en ai plein. Bon, à bientôt.

Elle fit encore quelques pas vers sa maison puis se retourna. Ruth était toujours immobile sur la route, elle la regardait.

— Ruth ! cria Imogene. Tu la veux ?

Elle brandissait la bille qu'elle avait sortie de sa poche.

— Non. Elle est à toi. À demain.

Imogene agita la main et, toute à la joie de son trésor, parcourut mi-courant, mi-bondissant le chemin qui conduisait à sa maison. De son côté, Ruth n'était pas pressée. Si Imogene s'était retournée encore une fois, elle l'aurait vue faire demi-tour et repartir vers l'école. Elle marchait avec le menton très haut, posant scrupuleusement un pied devant l'autre, comme si elle tenait quelque chose en équilibre sur sa tête. Le temps qu'elle gagne la cour de récréation, le soleil se couchait en traînées cramoisies et l'odeur du fumier s'atténuait dans la fraîcheur du soir, pimentant à peine l'air d'une touche de richesse organique.

Elle retourna aux buses et choisit encore celle où Imogene l'avait trouvée ce matin-là. Mais, cette fois, elle prit son élan pour grimper sur le cylindre de béton. Au premier essai, elle ne sauta pas assez haut pour atteindre le sommet et retomba par terre, s'éraflant légèrement le coude dans sa chute. Au deuxième essai, elle prit un mauvais appel et, au dernier instant, évita l'obstacle. Au troisième essai, elle courut si vite qu'elle perdit le contrôle de sa course, planta les pieds dans la poussière à peu près à trente centimètres du tunnel, s'envola en vrille, alla taper contre le béton et se retrouva assise presque au sommet. Il ne lui restait plus qu'à s'agripper fermement avec les cuisses, à se tortiller jusqu'en haut, et voilà, elle y était.

À force de grimper petit à petit, collée contre le béton, sa robe lui était remontée jusqu'au cou, alors elle se pencha à gauche d'abord, à droite ensuite, pour la dégager. Puis elle croisa les chevilles. L'après-midi avait été couvert, mais le béton avait tout de même absorbé assez de la lumière du soleil pour lui chauffer les mollets. Pendant un moment, elle se pencha en arrière, étira son corps en travers de la voûte du tunnel et contempla la cour de récréation la tête en bas. En se concentrant très fort, elle pouvait presque croire que les arbres et le chèvrefeuille pendaient d'un ciel vert et que les rivières orange et rouge du couchant inondaient un sol bleu pervenche, mais bientôt le sang battit à ses oreilles et son coude écorché commença à lui faire mal. Elle se rassit, cracha sur ses doigts et frotta l'endroit douloureux avec un peu de salive rose.

Elle ramena méticuleusement sa robe sur ses genoux puis tira de sa poche le mouchoir bordé de dentelle et le lissa sur sa robe. Il était bien un peu raide là où le sang avait séché, mais elle parvint à l'aplatir suffisamment. Avec délicatesse, elle pinça les bords en dentelle entre trois doigts de chaque main et posa la couronne sur sa tête. Puis, assise bien droite sur son trône, elle contempla la cour de récréation vide déployée sous ses yeux.

9.

Tout s'était bien passé. Ils s'étaient accommodés de la situation. Amanda avait du mal à y croire chaque matin, quand le grincement de la chaise de Carl la réveillait, alors qu'il s'habillait pour aller traire les vaches. Elle songea affectueusement qu'il ne pouvait pas s'empêcher de remuer cette chaise. Presque comme s'il voulait lui faire savoir qu'il était debout, que leur journée commençait.

Pendant un an ou deux, on s'était bien interrogé sur qui allait rester, quels arrangements prendre au juste et puis, sans bien savoir comment, ils avaient fini par devenir une famille, s'étaient réparti sans difficulté les tâches de la vie quotidienne, et désormais les jours tournaient comme une roue à trois rayons. Ainsi, même si Carl était perturbé ces derniers temps, Amanda et Ruth s'arrangeaient pour s'adapter à son humeur.

Joe s'était mis à passer régulièrement depuis le jour où Carl l'avait invité à déjeuner, et, le vendredi soir, il emmenait Amanda voir un film et manger une petite friture. Ils éprouvaient l'un pour l'autre une affection fondée sur leur amour passé et qu'ils préservaient en évitant toute conversation personnelle. Si Joe en espérait davantage, il n'y fit jamais allusion, sauf en demandant parfois si Amanda ne sortirait pas un samedi. Elle refusa toujours. Le samedi, c'était le soir où Carl et elle écoutaient leur émission à la radio.

Tout cela aurait été suffisant, vraiment, plus que suffisant, mais alors il avait fallu que Ruth trouve Imogene.

La première fois qu'elle avait parlé d'Imogene, le soir où elle était rentrée les joues maculées de sang, Amanda avait senti le sien se vider de ses veines. Elle avait été tentée. La réplique, elle l'avait sur le bout de la langue : « Il n'y a pas d'Imogene. Tu ne peux pas connaître d'Imogene. »

Mais bien sûr qu'il y avait une Imogene, et Ruth la connaissait.

— Tu as bousillé cette robe, avait dit Amanda en tirant le vêtement avec un peu trop de brusquerie par-dessus la tête de la fillette. Je doute de pouvoir la ravoir.

— Imogene dit que c'est les fées qui l'ont apportée.

La voix de Ruth était assourdie par le tissu contre sa bouche.

Amanda se pencha au-dessus de la pompe pour dissimuler son visage.

— Tout ça c'est des histoires, Ruth.

Carl non plus n'était pas intéressé par les fées. Il posa une main sur le front de Ruth, l'autre sous son menton, et repoussa sa tête en arrière pour examiner ses gencives.

— Tiens, fit-il en humectant son mouchoir avec le contenu d'une bouteille qu'il gardait derrière la boîte de farine. Ça va te faire du bien.

Ruth grimaça, le goût était mauvais, mais elle ne remua pas la mâchoire et laissa son père la soigner.

Bien entendu, il était faux de dire que Ruth avait trouvé Imogene. Imogene avait toujours été là, Amanda le savait bien, car, après sa sortie de Saint Michael, elle s'était souvent rendue à la boutique de pêche pour s'assurer que rien chez l'enfant ne trahissait les tristes circonstances de sa naissance. Tout en sachant que, pour protéger son secret, elle devait se tenir aussi loin que possible de la fillette, on aurait dit qu'elle ne pouvait se retenir de l'approcher.

Mary Louise poussait Imogene devant elle, afin qu'Amanda pût l'admirer, mais sans lâcher son épaule.

— Tu ne trouves pas qu'elle a grandi ? Genie, tu connais miss Starkey. Dis bonjour.

Mais Imogene restait immobile, comme obéissant au message transmis par les doigts de sa mère.

Quand Ruth avait commencé l'école, Amanda s'était trouvée plus souvent en ville. Elle était dans la boutique un jour du mois de mars où Imogene se sentit faible et prise de vertiges, et elle fut la première à s'apercevoir qu'elle avait la scarlatine. On aurait pu convaincre le médecin de la laisser rentrer chez elle, mais elle insista pour rester en quarantaine avec les Lindgren.

— On ne peut pas prendre le risque de contaminer Ruth, déclara-t-elle, balayant d'un geste les protestations de Mary Louise. Qui plus est, Imogene a besoin de moi. Je n'ai pas oublié ma formation d'infirmière.

La maladie d'Imogene effraya tant Amanda qu'elle ne vivait plus quand elle songeait à ce qui pourrait arriver, mais une fois le vrai danger passé elle regretta que la convalescence ne dure pas éternellement. Elle fabriquait des poupées en carton pour la petite, pas ces poupées bêtes et raides qui se tiennent par la main comme une clôture, mais des silhouettes qui avaient l'air de vraies femmes capables de présenter les habits qu'elle découpait dans des catalogues. Ces poupées de carton qui ne servaient à rien qu'à être regardées, rien qu'à être exposées, n'avaient jamais intéressé Ruth, mais Imogene les adorait.

— Regarde ! fit-elle un soir à sa mère, écartant d'une tape la taie d'oreiller que Mary Louise était en train de repriser pour grimper sur ses genoux, une feuille de papier à la main.

Amanda avait dessiné des moustaches sur le visage de la fillette et lui avait colorié le bout du nez en noir.

— Miss Starkey m'a appris à écrire les chiffres.

— Ils sont magnifiques, ma chérie, dit Mary Louise, mais ce soir-là elle eut une conversation avec Amanda.

— Demain, je ramène Genie avec moi au magasin. C'est injuste de notre part de t'empêcher de voir Ruth et Carl, et puis je crois que maintenant elle se porte plutôt bien. Je veux dire que, grâce à toi, elle est complètement rétablie. Je ne sais pas ce qu'on aurait fait sans toi, Mandy. J'étais tellement inquiète. Mais, à présent, tout est rentré dans l'ordre, n'est-ce pas ?

Ainsi, Imogene partit le lendemain matin, main dans la main avec sa mère, et Amanda rentra à la ferme. Elle ne cessa pas pour autant ses visites, et Mary Louise était toujours heureuse de lui faire admirer sa fille.

— Amanda, je voudrais que tu voies comme Imogene est bonne en additions. Combien font cinq plus sept, Genie?

Plus tard, ce fut :

— Combien font cinq fois sept, Genie?

Plus tard encore :

— Combien font cinq fois sept plus soixante-quinze, moins cinquante-sept?

Jusqu'à ce que les opérations deviennent si rapides et si complexes que seules Amanda et Imogene connaissaient le résultat.

À mesure que celle-ci grandissait, il eût été normal qu'Amanda favorise une amitié entre les deux fillettes, mais elle ne le fit pas. Quelque chose l'inquiétait chez Imogene, une chose qui lui faisait juger risqué de les mettre ensemble. Elle avait remarqué cette chose un dimanche matin alors que, de l'autre côté de la rue, elle regardait la famille sortir de l'église, la petite sur les épaules de son père : Imogene était le portrait craché de Mathilda.

****

— Ça fera quinze cents, s'il vous plaît, fit Imogene de sa voix la plus adulte.

Elle s'était hissée sur un tabouret derrière le comptoir dans la boutique d'articles de pêche de sa mère, afin de pouvoir atteindre la caisse.

— Tu as une pièce de cinq cents, Arthur? demanda l'homme au garçon qui se tenait près de lui. Je te la rendrai à la maison.

— T'en fais pas. C'est toi qui me l'as donnée.

Ses cheveux lui tombèrent devant ses lunettes pendant qu'il fouillait dans sa poche.

— Mon fils et moi, on envisage de monter une société de croisières sur le lac à Nagawaukee Beach, dit l'homme. S'il y avait un bateau qui faisait le tour du lac, vous le prendriez, les filles?

— Papa, dit Arthur.

Il se trémoussait d'un pied sur l'autre, gêné, et fixait le sol.

— Nagawaukee Beach, c'est trop loin, dit Ruth.

— Mais il t'arrêterait où tu voudrais autour du lac et te ramènerait.

— Il tournerait juste en rond? demanda Imogene.

— Un grand rond qui ferait tout le tour du lac. Et ce serait un beau bateau, avec deux ponts et un bastingage en acajou. Et des coussins en velours rouge sur les sièges. Ou des rayures marine, peut-être.

— J'aime bien le rouge, dit Imogene. Il y aurait à manger à bord?

— Possible. C'est une bonne idée. Tu ne trouves pas que c'est une bonne idée, Arthur?

— Oui, répondit poliment le garçon. Tu ne crois pas qu'on devrait rentrer maintenant?

Quand la porte se fut refermée derrière eux, Imogene dit :

— Tu connais la grosse maison blanche avec les piliers? En descendant la route depuis les Franciscains? Elle est à eux.

Quiconque s'était déjà rendu sur le lac connaissait la maison aux piliers.

— La Maison Blanche, disaient certains en souriant d'un air narquois derrière leurs Martini, tandis qu'ils passaient devant en bateau, mais elle ne les en attirait pas moins. Qui aurait cru qu'il y avait tant d'argent dans les marais?

Ils faisaient allusion au boom foncier en Floride, qui avait consolidé la fortune des Owens non parce que, comme tout un chacun, Clement Owens avait su quand acheter mais parce qu'il avait su quand vendre.

Imogene appuya sa tête sur une main, soupira, et promena nonchalamment l'autre dans une boîte de plombs. Ruth gardait un œil sur elle tout en flânant dans la boutique, à examiner la marchandise : des pots remplis de vers et de sangsues, des bacs pleins de vairons, des rouleaux de fil de pêche, des paniers de flotteurs en liège rouge et blanc. Elle serrait les mains dans son dos. Tante Mandy disait toujours : « On regarde, mais on ne touche pas. »

Ruth voulait avoir son magasin à elle quand elle serait grande. Mais pas obligatoirement une boutique où on vend des appâts. En fait, elle préférerait sans doute une mercerie, une épicerie, ou peut-être un kiosque à bonbons : un endroit où la marchandise n'était pas vivante et ne faisait pas autant de saletés. Ce qu'elle voulait, c'était un stock d'articles, tous bien rangés sur leurs étagères, et sur le comptoir une grande caisse avec plein de minuscules tiroirs. Comme Mrs. Lindgren, elle n'aurait pas besoin de regarder pour savoir ce qu'ils contenaient.

Quand on avait un magasin, il suffisait d'attendre que les gens entrent et racontent ce qu'ils ont fait depuis la dernière fois, et c'était ça que Ruth aimait. Elle aimait les livres de comptes avec leurs colonnes spéciales pour les crédits et les débits, et la façon bien nette dont Mrs. Lindgren dessinait ses chiffres.

Mrs. Lindgren était bonne pour écrire les chiffres, mais pas pour les additions et les soustractions, alors parfois Imogene devait vérifier ses opérations. Elle mettait moins de temps à faire les additions dans sa tête que les autres à les poser sur le papier. Ses autres corvées, elle les détestait. Pour la poussière, elle faisait juste semblant en se promenant avec son chiffon, et, chaque fois que Mrs. Lindgren leur demandait, à elle et à Ruth, de nettoyer quelques bacs, le plus souvent elle se contentait de pomper l'eau et bavardait pendant que Ruth faisait tout le décrassage. Ruth s'en fichait. C'était amusant de travailler tant qu'Imogene était de bonne humeur, parlait des gens qu'elles connaissaient toutes les deux ou de ce qu'elle avait fait avec ses cousins du Nord. Ruth espérait un jour ou l'autre faire fonctionner la caisse, mais Imogene disait qu'il valait mieux pas, que sa mère n'apprécierait pas.

Après leur sanglant après-midi deux ans auparavant, Imogene avait recherché la fréquentation de Ruth : c'était son droit puisqu'elle était populaire et, surtout, curieuse. Adorant les drames, elle attendait de Ruth qu'elle fasse et dise des choses insolites. Pour garder cette compagnie, Ruth avait eu l'intelligence de se conformer à ses désirs. À présent que la curiosité l'avait depuis longtemps cédé à la familiarité et la familiarité à l'affection, elle continuait pourtant de sentir qu'il valait mieux intéresser Imogene, sans quoi celle-ci ne tarderait pas à lui conseiller de rentrer chez elle. Ruth saisit un couteau dont la lame était plate et courbe.

— À quoi il sert ? demanda-t-elle, histoire de dire quelque chose.

Cela exigeait de gros efforts, parfois, d'avoir Imogene pour amie.

— Beurk. À enlever les écailles. J'ai horreur des poissons.

Imogene avait prononcé tout bas ces derniers mots pour que sa mère, en train de faire sa comptabilité dans la pièce du fond, n'entende pas. Mrs. Lindgren lui disait toujours qu'elle devait leur être reconnaissante : les poissons lui payaient ses robes, les rubans de ses cheveux, du poulet au déjeuner, des billets de train pour Milwaukee, une maison bien chauffée. Ruth trouvait l'idée rigolote : elle voyait une perche, debout sur sa queue, un panier à provisions sur une nageoire, en train de choisir un joli calicot et sept boutons de nacre à la mercerie.

Imogene continuait à soulever des poignées de plombs qu'elle laissait filer dans leur boîte entre ses doigts.

Alors Ruth eut une idée : elle allait lui proposer une chose, une chose si énorme et si importante qu'elle n'arrivait pas à croire ne pas s'en être déjà servie.

— Tu veux voir où ma mère est enterrée ?

Imogene se redressa.

— Vraiment ?

Elle descendit du tabouret.

— Bien sûr. Si t'as envie.

Ruth avait dit ça comme si de rien n'était, comme si elle avait encore une centaine de choses tout aussi intéressantes à lui montrer, question d'humeur.

— Maman, on sort, cria Imogene au rideau dans son dos.

— Amusez-vous bien, les filles. Ne rentrez pas trop tard, répondit la voix de Mrs. Lindgren.

Ruth aimait bien la façon dont Mrs. Lindgren les traitait, comme si elles étaient assez grandes pour savoir ce qu'elles avaient à faire, c'était tellement différent de Tante Mandy, qui n'arrêtait pas de rouspéter, alors même que Ruth avait quatorze ans et Imogene presque onze.

Ruth ne se donna pas la peine de faire tout le chemin jusqu'à la grille du cimetière : une fois au pied du mur de pierre, elle se propulsa au sommet et balança les jambes par-dessus.

Imogene regimba.

— Ruth, tout le monde peut voir sous ta robe !

— Et alors ? Y a que des morts ici.

Elle se mit debout sur le mur et attrapa une branche de poirier qui pendait au-dessus de sa tête. Elle approcha du tronc jusqu'à pouvoir passer les genoux sur la branche et resta pendue là.

— T'inquiète. Personne peut me reconnaître.

Sa voix était assourdie par sa jupe rabattue sur son visage.

— Ruth, s'il te plaît ! dit Imogene, mais elle gloussait et, à son tour, elle escalada le mur. Aide-moi à grimper.

Trop petite pour atteindre la branche sur laquelle Ruth venait de se rasseoir, elle leva les bras aussi haut que possible au-dessus de sa tête en griffant l'air du bout des doigts.

Ruth se pencha vers elle dans un équilibre précaire, faisant porter tout son poids, puis celui d'Imogene, sur son pied qu'elle avait glissé sous une autre branche. Mais elle n'eut pas la force de hisser la fillette.

— Il faut que je lâche, dit-elle.

Et elle la laissa tomber dans l'herbe douce du cimetière.

— Descends, maintenant, exigea Imogene. On y va.

D'habitude, Ruth n'aimait pas venir au cimetière. Quand elle grimpait le sentier caillouteux avec Amanda, à chaque pas ses pieds reculaient discrètement, et elle avait toujours trop chaud ou trop froid. Elle plaignait aussi sa mère et ses grands-parents, coincés là, douze pas en arrière, six, sept, huit en avant, à cuire ou à geler, sans rien à regarder – même si elle savait que, puisqu'ils étaient au paradis, les morts se fichaient pas mal de ce genre de considérations. Mais ce jour-là, alors qu'elle froissait l'herbe sous ses pieds en compagnie d'Imogene, l'endroit lui parut différent, comme une cour de récréation.

— Regarde celle-là, fit Imogene en s'arrêtant devant la pierre avec le bateau sculpté dessus.

— C'était un capitaine de la marine marchande, répondit Ruth d'un air important. Il s'est noyé, comme ma mère.

En vérité, elle ignorait totalement pourquoi Albert Morgan avait un bateau sur sa tombe, mais elle pensait qu'il ne lui en voudrait pas de lui inventer une histoire.

— Et voilà ceux de la guerre.

Ça, c'était vrai : c'était Tante Mandy qui lui avait dit.

— Il y a un bébé, là, dit Imogene.

Elle lut les dates sur la pierre, puis elles se mirent en quête d'autres enfants, tout en se demandant l'effet que ça faisait d'être déjà sous terre pour toujours, mangé par les vers.

— Leurs âmes vont au paradis, dit Ruth. Tante Mandy m'a raconté que toutes les âmes d'enfants vont au paradis.

— Bien sûr, tout le monde sait ça.

Ruth

Quand on a trouvé la tombe de ma mère avec le chèvre-feuille vert touffu qui poussait derrière, j'ai presque regretté d'avoir amené Imogene. Faudrait pas aller sur la tombe de sa mère morte juste pour impressionner une copine qui s'ennuie. J'ai passé mon doigt sur les lettres qui formaient le nom de ma mère, en espérant qu'elle croirait que j'étais venue rien que pour la voir, en espérant qu'elle me pardonnerait.

Imogene a dit :

— C'est drôle.

— Quoi ?

— Elle est morte le jour de mon anniversaire. Le 27 novembre. La même année aussi.

On s'est regardées. C'était une idée bizarre, et qui faisait peur aussi, comme si pendant un instant un coup de vent avait ouvert la porte entre le monde des vivants et le monde des morts.

— Peut-être que tu es sa réincarnation.

J'avais dit ça pour plaisanter, pour chasser la peur.

— Ça veut dire quoi, réincarnation ?

Alors je lui ai expliqué ce que Rudy m'avait raconté sur les âmes : quand leur corps mourait elles en prenaient un autre, on pouvait avoir une autre vie, la vie d'une tout autre personne ou même celle d'un chat ou d'un chardonneret, et on pouvait être une personne qui avait vécu longtemps avant. Rudy et moi on n'y croyait pas vraiment, mais tout de même, après ça, j'ai cherché ma mère chaque fois qu'une bête naissait à la ferme. Aucune n'avait l'air de me connaître comme je savais que ma mère m'aurait connue, et de toute évidence c'était pareil avec Imogene.

En retournant vers la ville, on a parlé de ce qu'on serait dans nos autres vies et de ce qu'on avait peut-être été avant.

— Je suis sûre que j'ai dû être une célébrité, a dit Imogene. Au moins une ou deux fois. Peut-être Pocahontas. Tout le monde dit que je dois avoir du sang indien. J'ai les cheveux très noirs alors que mes deux parents sont blonds.

— C'est pas comme ça que ça marche. Quand tu reviens, tu ressembles plus du tout à la personne que tu étais. C'est pas comme si tu étais quelqu'un de la famille.

Et puis, comme je regrettais d'avoir partagé ma mère avec elle, j'ai ajouté :

— De toute façon, qu'est-ce qui te fait croire que tu as été quelqu'un d'exceptionnel ? Il est plus probable que tu as été quelqu'un d'ordinaire. Il y a beaucoup plus de gens ordinaires que de gens célèbres, tu sais.

J'avais dit ça méchamment, en voulant que ce soit méchant ; j'ai attendu qu'elle se mette en colère, mais Imogene était trop sûre d'elle pour laisser rien de ce que je disais la troubler.

— Oh ! je suis sûre qu'on était célèbres toutes les deux.

Elle s'est arrêtée, m'a attrapée par le bras pour que je me tourne vers elle et m'a regardée dans les yeux, sans ciller.

— Je sais ce que tu étais, a-t-elle dit enfin. Tu étais un espion chinois. Tu as les yeux un peu bridés et tu es toujours tellement muette, à observer les gens. Tu sais des choses, mais tu les dis pas.

Elle a souri, elle était contente de son histoire.

Pourtant je ne savais rien. Je trouvais juste vraiment bizarre qu'Imogene soit née pendant qu'on se noyait, ma mère et moi.

****

Quand Ruth ouvrit la porte de la cuisine, Amanda leva les yeux des tiges de rhubarbe au rouge brillant qu'elle était en train de couper en dés.

— Où étais-tu passée toute la journée? Tu savais qu'il fallait désherber les haricots, que les plants de pommes de terre sont pleins de bestioles, et je te parie que les oiseaux ont mangé une bonne douzaine de tomates.

Ruth poussa un soupir. Elle aurait aimé que les choses cessent de pousser. Autre avantage dans un magasin : tout restait en l'état, juste comme c'était.

— Je vais m'en occuper maintenant, dit-elle en faisant demi-tour pour ressortir.

— Tu vas te faire dévorer toute crue dehors, à cette heure-ci. Il y a un temps pour tout.

D'une main, Amanda tenait ensemble cinq tiges de rhubarbe sur la table; de l'autre, elle brandissait un long couteau.

— De toute façon, ajouta-t-elle – elle tranchait d'un geste vif les tiges craquantes en reculant juste assez vite les doigts pour qu'ils échappent à la lame –, j'ai fini ton travail.

Honteuse, Ruth fixa le sol.

— Papa a dit que je pouvais sortir.

— Inutile de pleurer sur ce qui est passé. Lave-toi les mains, je vais te donner un rubis.

Ruth actionna la poignée de la pompe et commença de se laver les mains.

— Peut-être que tu aimerais amener Imogene ici, dit tranquillement Amanda.

— Comment?

Ruth fit semblant de ne pas avoir entendu à cause du grincement de la pompe et du bruit de l'eau.

Amanda plongea un morceau de rhubarbe dans le sucre.

— Je disais : pourquoi n'amènes-tu pas Imogene ici?

Ruth tendit le dos de sa main à Amanda pour qu'elle y pose la rhubarbe en équilibre sur son doigt, comme un rubis dans une bague. Entre elles, c'était un jeu qui remontait à l'époque lointaine des méprises enfantines.

— Ce ne serait pas amusant de se retrouver ici toutes les trois? Tu n'aimes pas être ici avec moi?

— Si, répondit Ruth.

La vérité, c'était qu'à la fois elle aimait et n'aimait pas. Tout en mastiquant sa rhubarbe, elle sentait l'amour d'Amanda,

insidieux et irrépressible, se resserrer autour d'elle dans la touffeur de la cuisine, le mélange aigre-doux lui fit pincer les lèvres
et plisser les yeux. Pour la première fois, elle s'aperçut que ce
qu'elle aimait chez Imogene, c'était aussi qu'elle n'ait rien à voir
avec Amanda.

****

Carl était assis par terre dans l'une des chambres de la
maison de l'île, les tiroirs de la coiffeuse étalés autour de lui. Un
rectangle de lumière tombait sur le sol entre les planches de la
fenêtre qu'il avait forcées pour entrer. Tous ces tiroirs, les placards, les interstices entre les murs, le dessous des lattes du plancher, il les avait déjà fouillés plusieurs fois. Depuis des mois,
maintenant, il prenait la barque pour se rendre sur l'île – parfois
une fois par semaine, parfois chaque jour, pour voir.

C'était comme dans la grande roue. Un jour il se sentait
détendu, serein, certain que l'histoire d'Amanda était vraie :
Mathilda et elle avaient habité sur l'île parce qu'elles aimaient
l'endroit, parce que Mathilda voulait vivre dans la maison
qu'elle avait partagée avec lui. Puis commençaient les doutes,
les incertitudes s'échafaudaient, jusqu'à ce que, n'y tenant plus,
il abandonne son ouvrage pour se précipiter dans la maison
avec une seule idée en tête : chercher des indices d'autre chose.

Il essaya de ne plus en approcher. Il se disait : admettons
que tu trouves quelque chose, et alors ? Ça ne changera rien.
Concentre-toi sur ton travail. Mais il se désintéressait de la
ferme, pensait à un recoin qu'il n'avait pas encore fouillé, imaginait nettement le liseré blanc d'une lettre d'amour pliée ou le
scintillement doré d'une bague offerte en souvenir. Un homme
avait séduit sa femme. Il y avait plus de six mois désormais que
Carl le soupçonnait. Il lui restait juste à en trouver la preuve.

Il n'avait découvert qu'un seul indice. Il tira de sa poche le
canif en argent, comme il le faisait dorénavant plusieurs fois par
jour, et l'examina. C'était un bon canif, de prix, pas une chose
qu'aurait pu oublier l'un des ouvriers ayant construit la maison.
De plus, il connaissait tous ceux qui avaient travaillé sur le

chantier, leurs initiales ne correspondaient pas à CJO. L'objet avait appartenu à un autre homme.

Et alors ? Et alors ? Et alors ? ne cessait-il de se répéter encore et encore et encore. Ça ne voulait peut-être rien dire. Ça ne voulait sûrement rien dire. Mais dans ce cas, comment expliquer la réaction d'Amanda quand il lui avait montré le couteau ?

Sans arrêt, il repassait dans sa tête les images du matin où il avait retrouvé dans son tiroir à chaussettes le canif découvert des années plus tôt, quand il s'était rendu sur l'île avec Joe et Ruth. Il l'avait posé sur la table du petit déjeuner et avait demandé à Amanda si elle savait à qui il appartenait – un objet de cette valeur devait être rendu à son propriétaire. Elle s'en était emparée, l'avait retourné dans ses mains et immédiatement repoussé vers lui.

— Comment veux-tu que je le sache ? Avec toute la camelote qu'on entasse ! J'aurais voulu que tu voies ce que j'ai trouvé derrière la glacière la semaine dernière.

Elle avait débarrassé l'assiette de Carl avant qu'il ait terminé et raclé les derniers petits morceaux d'œuf dans la poubelle en marmonnant :

— Je ne suis tout de même pas responsable de tous les vieux couteaux qu'on peut retrouver dans les tiroirs.

À l'époque, il ne lui était même pas venu à l'idée que l'attitude d'Amanda pût avoir un rapport quelconque avec Mathilda. Sa belle-sœur était toujours très tendue et prompte à s'offenser, sa réaction n'avait donc rien d'inhabituel. Et puis il avait presque oublié sa femme. Sinon oublié, du moins enfoui quelque part. Il avait honte de se l'avouer, mais depuis quelque temps, quand il pensait à elle, il lui semblait presque qu'elle avait été mariée à un autre, un ami qu'il aurait bien connu autrefois, mais perdu de vue depuis longtemps. Elle lui manquait avec la même nostalgie que lui manquait sa jeunesse, et, même en s'y efforçant, il ne retrouvait en lui aucune trace de la souffrance intolérable et du sombre désespoir qui l'avaient submergé au début. Il plaignait Mathilda, qui avait perdu une si grande partie de sa vie, il plaignait Ruth, qui n'avait pas connu sa mère. Mais il y avait longtemps qu'il avait oublié de se plaindre lui.

Ce fut alors qu'il entendit la voix de Mathilda. La première fois ce fut dans l'étable, juste quelques bribes, un mot ou deux, ou peut-être même pas un mot entier mais un bout de mot et une inflexion de voix, une note si caractéristique et si familière que Carl dit tout haut « Mathilda », sans réfléchir, et leva les yeux vers le grenier à foin, sûr de la voir assise là, des brins de paille jaunes pris dans ses cheveux noirs, à balancer les pieds en lui souriant. Bien sûr, il ne la vit pas. Bien sûr, elle n'était pas revenue à la vie. Et pourtant il la savait là, quelque part. Il tendit l'oreille, mais la voix avait disparu, couverte par les cris de Ruth qui appelait les oies pour leur dîner.

La deuxième fois qu'il entendit la voix de Mathilda, il était en train de poser une pierre à lécher près de la source. Cette fois, elle était beaucoup plus distincte. Elle chantait *Bleu lavande* et semblait sortir d'un bouquet de joncs de la passion. Il avait beau savoir qu'il s'agissait juste d'un souvenir, libéré dans sa tête avec une précision aussi intense qu'inexplicable, il avait beau savoir qu'il ne verrait rien, il ne put s'empêcher de suivre la voix ; à chaque pas, ses pieds s'enfoncèrent davantage dans la terre limoneuse, riche et noire comme l'encre. D'un geste circonspect, il écarta les tiges raides des roseaux, leurs feuilles coupantes, et se trouva nez à nez avec la chanteuse.

— Salut, Papa. Regarde toutes les mauves sauvages que j'ai cueillies pour Tante Amanda.

Carl perdit l'équilibre et tomba à genoux. Après cet épisode, quasiment tout ce que faisait Ruth lui rappela Mathilda : sa façon de hausser les sourcils en parlant, d'incliner la tête pour faire ses devoirs, de s'asseoir les jambes repliées sous elle, d'écarter largement les doigts quand elle voulait insister sur quelque chose. Il avait envie de lui attraper les mains, de serrer ces doigts pour les réunir. Mais, finalement, il fronçait les sourcils et détournait le regard.

Ce fut à cette époque qu'il ressortit le canif du tiroir à chaussettes. Alors qu'il tournait et retournait le manche d'argent entre ses doigts, testait le tranchant de la lame sur le gras de son pouce, il se surprit à s'interroger sur les insinuations de Hilda des années plus tôt. Qu'est-ce qui pouvait pousser deux jeunes femmes à aller vivre seules sur une île ? Et pourquoi y rester tout l'automne ?

Rudy ne lui fut d'aucun secours. Un soir, Carl le coinça dans la sellerie.

— J'ai ben essayé de faire revenir les filles à la maison, Carl, dit Rudy tout en frottant énergiquement la bride qu'il était en train de huiler. J'ai pris la barque. Et j'y ai dit : « Les filles, maintenant vaudrait mieux rentrer. Va faire froid. »

— Qu'est-ce que ça veut dire « j'y ai dit » ? À qui as-tu parlé ?

— Ben...

Rudy regarda fixement le mors, comme pour faire surgir une image du passé dans le métal brillant.

— Je crois ben que c'est à Mattie que j'ai causé. J'ai jamais beaucoup vu Amanda, ou alors elle faisait juste un signe depuis la véranda. Je vois pas ce que ça change. L'une ou l'autre, c'était du pareil au même quand ça les prenait.

— Quand ça les prenait ? Tu veux dire qu'elles avaient déjà fait ça avant ?

— Pas comme ça, non, elles avaient pas vécu là-bas. Mais quand elles étaient gosses, c'était là-bas qu'elles allaient : dès que Mrs. Starkey leur demandait quelque chose à la maison, elles fonçaient droit vers l'île. Ce qu'on a pu se crever la paillasse à les chercher, Mr. Starkey et moi, avant de comprendre. Bien sûr, il leur passait un savon quand elles filaient, surtout à Manda. Tu sais, c'était l'aînée, elle aurait dû avoir plus de jugeote, tout ça. Mais il aimait ça aussi, qu'elles se serrent les coudes. « J'ai jamais eu de frère », y me disait, et je savais ce qu'y pensait.

Ce genre d'évocation impatientait Carl.

— Mais cette fois-là, Rudy, à l'époque où elles vivaient là-bas, que t'a répondu Mattie quand tu lui as dit qu'il était temps de revenir à la ferme ?

— Oh ! tu sais comment était Mattie, Carl. Même Mr. Starkey y pouvait pas lui faire faire ce qu'elle voulait pas. « Non, Rudy, on est bien ici », voilà ce qu'elle a dit. Et puis la petite et elle avaient bonne mine, elles avaient l'air en bonne santé. En fait, elle s'était un peu enrobée, arrondie, comme qui dirait, donc je savais que tout allait bien. Maintenant, si j'avais parlé à Amanda, ç'aurait peut-être été différent. C'est une brave fille. Elle fait ce qu'on lui dit. Mais tu sais comment était Mattie. Elle s'est plantée là, les mains sur les hanches, et elle a secoué sa jolie tête. C'est tout juste si elle m'a laissé sortir de la barque.

Rudy claqua la langue et, pour conclure, se tourna et suspendit la bride à son clou.

Vieux faible, se dit Carl, qui laisse deux filles lui dicter sa conduite. Mais il savait qu'à sa place il n'aurait pas agi autrement.

Il y avait des larmes dans les yeux de Rudy lorsqu'il se retourna pour lui faire face.

— Je sais ce que j'aurais dû faire, Carl – j'y ai repensé des tas de fois depuis –, j'aurais dû prendre Ruthie. Si j'avais ramené Ruthie avant que la glace arrive, elles l'auraient suivie, et rien de tout ça ne serait arrivé. J'aurais dû y penser, je me dis. Tous les jours, je me le dis.

— Ça va, Rudy, fit Carl.

Il posa une main apaisante sur l'épaule du vieil homme. Amanda avait raison. Ce qui est fait est fait, inutile de pleurer.

C'était tout juste si elle l'avait laissé sortir de la barque. Ce fut ce qui frappa Carl lorsque, plus tard, il repensa à cette conversation. Pourquoi? Pourquoi ne pas lui avoir offert un café, un morceau de gâteau? Qu'est-ce qu'elles fabriquaient sur cette île, que Rudy ne devait pas voir?

Sa perplexité dura environ une semaine. Il ne voyait aucune explication plausible. Puis il se souvint de Mme Tisonnier.

****

C'était à peine un village, ce bled sur lequel ils étaient tombés, avec McKinley et Sims, un après-midi de grisaille. Quelques bicoques crasseuses. Une porcherie vide. Une église sans clocher avec un pan de mur écroulé. Il ne devait pas y avoir grand-chose à voir avant la guerre, et maintenant le village n'était plus qu'un tas de pierres déserté.

Non, pas totalement déserté. Henny Sims était sorti à toute vitesse de derrière l'une des maisons en reboutonnant son pantalon.

— Y a un homme là-dedans ! Nom de Dieu, enfin, je crois bien que c'est un homme.

À cet instant précis, une vieille femme était apparue à la porte, le dos tellement voûté qu'elle devait tendre le cou pour lever les yeux vers eux, ses cheveux gris formant comme une auréole autour de sa tête. Elle parlait français, et McKinley traduisit :

— Il est à moi, disait-elle. Vous l'aurez pas. Je le garde. Il est à moi.

Puis elle avait brandi ce que Carl avait pris pour une canne – en réalité, un tisonnier – et, à deux mains, l'avait pointé vers eux comme s'il suffisait à tenir trois hommes armés en respect.

Les Américains avaient échangé un regard, Sims avait haussé les épaules.

— De toute façon, à ce que j'ai vu il est pas en très bon état. Je crois qu'il lui manque au moins une oreille.

— Foutons-lui la paix, à ce type, avait dit Carl, impatient de quitter l'endroit.

— Pour moi, c'est d'accord, avait renchéri McKinley. Un type assez désespéré pour vivre avec *ça* devrait avoir le droit de déserter.

Mathilda n'avait vraiment rien d'une vieille bique, mais Carl avait compris tout à coup que cette vieille femme, Amanda et elle avaient toutes les trois fait la même chose. À ceci près que la malheureuse Mme Tisonnier cachait un Français, poussé par des années de guerre au bord de la folie et sans doute au-delà, tandis que Mathilda et Amanda, elles, hébergeaient juste un tire-au-flanc américain, un gars qui laissait les autres, y compris Carl, faire le sale boulot à sa place et risquer leur peau pendant qu'il se la coulait douce avec deux femmes pour prendre soin de lui.

Le poing de Carl se referma sur le canif en argent et il le fit claquer brutalement sur la table. Elles avaient planqué un tire-au-flanc. Un tire-au-flanc dont les initiales étaient CJO.

Il y avait un impossible abîme et, en même temps, à peine un pas à franchir entre l'idée de ce tire-au-flanc caché dans la maison de l'île et la certitude qu'il avait aimé Mathilda. Lui avait-elle rendu son amour ? Bien sûr que non. Elle s'était montrée bonne avec lui, elle avait cru bien faire, de façon peu judicieuse, peut-être même avait-elle espéré que, le cas échéant, quelqu'un ferait la même chose pour Carl. Bien sûr que non elle ne l'avait pas aimé.

Mais cette pensée démangeait, brûlait. L'amour fait faire des choses, avait déclaré Amanda, après on ne peut plus que regretter. Qu'avait-elle voulu dire ? Carl asticota l'idée, tira dessus comme on tire sur une petite peau près d'un ongle, petit à petit, jusqu'à ce que ça saigne, jusqu'à ce qu'il lui faille savoir, coûte que coûte. Alors, une fois de plus, il se retrouva dans la maison sur l'île, en train de forcer les lattes du plancher, d'éventrer les châssis des fenêtres, de fourrager dans chaque tiroir, en quête d'une preuve.

Enfin, la force qui l'avait propulsé tout l'après-midi commença à refluer, et il remit dans la coiffeuse les tiroirs étalés partout dans la chambre. Il était fourbu, calme soudain, sûr de perdre son temps, rien de mal ne s'était produit sur l'île, c'était juste un accident, un malheureux accident par une froide nuit de novembre. Il se sentait ridicule, comme toujours au terme de ce genre d'épisodes, et il jeta un œil par-dessus son épaule avec l'impression superstitieuse que quelqu'un l'observait – Mathilda peut-être – et riait de sa folie. Il quitta la maison et souqua lentement, en prenant de temps à autre appui sur les rames pour laisser le vent frais de l'après-midi lui sécher la peau. Pauvre Mattie, avoir perdu des années et des années de magnifiques journées d'été.

****

— Ôte tes coudes de la table, Ruth, dit Amanda en lui passant une assiette de pain blanc. Combien de fois faudra-t-il te le répéter ?

Carl garda les yeux rivés sur son assiette. Il aurait dû reprendre Ruth plus souvent, il le savait, ne pas tout laisser à

Amanda, mais pour les coudes il n'avait même pas remarqué. Il dit :

— Ce jambon est excellent.

— Je suis contente qu'il te plaise. Je savais qu'après les fossés tu aurais besoin d'un bon repas.

Il se trémoussa sur sa chaise.

— En fait, je ne me suis pas occupé des fossés. Passe-moi les pommes de terre, Ruth. On a arrosé les jeunes arbres dans le verger aujourd'hui.

Le couteau d'Amanda se posa avec un petit bruit sec sur le bord de son assiette.

— Je croyais t'avoir expliqué l'importance de ces fossés, Carl.

Son index tapotait la table.

— Mon père faisait toujours en sorte que les fossés soient nettoyés pour la première semaine de juin, on est déjà dans la troisième. Et si on a une grosse pluie ? Ce champ sera inondé.

— Et si on n'a pas de pluie ? Ces jeunes arbres sont en train de sécher sur pied.

— Carl, dans une ferme il faut anticiper. Tu ne peux pas te contenter de courir d'une urgence à l'autre. Tu n'iras jamais nulle part comme ça.

— Qu'est devenu ce bébé ? demanda Ruth tout à trac.

Elle tenait sa fourchette en l'air, une tranche de betterave embrochée dessus.

Pendant un moment, personne ne répondit, le temps qu'il fallut à Amanda et à Carl pour décider s'ils étaient soulagés ou fâchés d'être distraits dans leur dispute.

— Quel bébé ? finit par demander Rudy.

— Tu reprendras bien des tomates, Rudy ? fit Amanda en lui tendant le plat.

— Le bébé qu'on a amené à sa mère, reprit Ruth. Comment est-ce qu'il s'était perdu ?

— Un bébé perdu ? fit Carl. Qui a perdu un bébé ?

— Elle doit parler d'un agneau, répondit Amanda.

— Je ne parle pas d'un agneau. C'était un bébé, il pleurait, alors on l'a amené à sa mère.

— C'est la cigogne qui a amené le bébé à la mère, dit Rudy.

— Non, fit Ruth, c'est nous. Moi et Tante Amanda.

— Tante Amanda et moi, rectifia Amanda.

— C'est peut-être quelque chose que tu as lu dans un livre, dit Carl.

— Cette petite, toujours un bouquin à la main, renchérit Rudy.

— C'était pas dans un livre, rétorqua Ruth.

Elle repoussait ses betteraves sur le bord de son assiette, en faisant des dessins avec leur jus rose.

— Tu es sûre ? fit Amanda. Parce que moi, parfois, quand je lis une histoire, j'en rêve, et au réveil je ne sais plus ce que j'ai lu, ce que j'ai rêvé ou ce qui est vraiment arrivé.

Ruth posa un coude sur la table, le menton dans sa main. Elle fixa le sol par-dessus son épaule, loin des autres.

— C'était un vrai bébé, dit-elle, maussade.

— Moi, je me rappelle une promenade avec toi quand t'étais qu'un tout petit bout de chou, dit Rudy. Tu devais avoir une colique pas possible parce que t'arrêtais pas de pleurer.

Ruth le dévisagea, la mine renfrognée.

— Non, c'est pas vrai ! J'ai pas pleuré !

Amanda fit grincer sa chaise en la reculant de la table. Elle attrapa Ruth par le col et la hissa sur ses pieds.

— Ruth Sapphira Neumann, fais des excuses à Rudy, et tout de suite !

Ruth se cacha la tête dans ses mains.

— Pardon, Rudy. Excuse-moi de t'avoir crié dessus.

— C'est rien, ma chérie.

Il lui fit un clin d'œil.

— Maintenant, file dans ta chambre, dit Amanda.

Elle suivit Ruth hors de la cuisine et la regarda grimper l'escalier.

— Ruth, dit-elle lorsque celle-ci fut arrivée en haut.

Ruth s'arrêta mais ne se retourna pas.

— Je te mets un bout de tarte de côté.

10.

Amanda

— Nager!

La petite voix chantonnait à mon oreille.

— Nager! Nager!

J'ai ouvert les yeux et vu Ruthie debout près de mon lit, comme chaque matin depuis deux semaines. Elle tapait dans ses mains.

— On va nager.

— D'accord, ma chérie. Chut, chut, oui, on va nager.

Je l'ai attirée dans le lit près de moi. On était mi-juillet, et il faisait une telle chaleur que, la nuit, le seul contact du drap sur mon épaule me faisait transpirer et m'empêchait de trouver le sommeil. J'avais l'impression de n'avoir fermé les yeux que depuis une heure.

— On dort encore une minute.

Mais Ruthie ne tenait pas en place. Elle faisait des bonds sur le matelas, gigotait dans mes bras, et, toutes les cinq minutes, le mot « nager » jaillissait de sa bouche dans un murmure. J'ai fini par renoncer. Au moins, l'eau nous rafraîchirait.

— Ne fais pas de bruit, Ruthie. Tu vas réveiller ta mère, ai-je dit en bataillant avec ma natte défaite.

— Chut, chut!

Elle sautait sur le lit et tapait à nouveau dans ses mains.

Je me suis dirigée vers elle, les bras tendus, et elle a sauté dedans en poussant un formidable cri de victoire. Je l'ai portée hors de la maison, jusqu'au lac.

On a nagé, encore qu'on pût difficilement appeler « nager » ce que je faisais dans l'eau, et nous étions en chemise de nuit puisque Ruth n'avait pas de maillot et que, moi, je n'aurais pas pu rentrer dans le mien, même si j'avais pensé à le mettre dans mes bagages.

On a joué un moment là où on avait pied, moi assise par terre dans le lac, laissant l'eau fraîche chevaucher le haut de mes cuisses et ceindre ma taille, Ruth accroupie : elle mouillait son derrière mais gardait les genoux au sec. J'ai traîné mes bras dans l'eau fraîche avant d'en tapoter mon cou. Ruth faisait des éclaboussures qui nous trempaient l'une et l'autre ; l'impression de lancer quelque chose que ses doigts ne pouvaient pas retenir et la vision de cette constellation de gouttelettes l'enchantaient. Ensuite, elle a doucement posé les paumes sur l'eau pour tester la surface puis a plongé les mains dessous, et là elle a examiné ses doigts qui semblaient n'avoir plus rien de commun avec ceux qu'elle connaissait au sec. Elle a voulu attraper de jolis galets et a éclaté de rire lorsque, pour tout butin, son poing s'est refermé sur l'eau, car les pierres étaient beaucoup plus loin qu'elles n'en avaient l'air.

En général, elle ne tardait pas à s'écarter, et je devais courir derrière elle. J'avais de l'eau jusqu'au genou, et elle, elle nageait presque. Je soutenais son petit ventre crispé avec la paume de ma main, mais elle n'avait presque pas besoin de mon aide. Elle flottait et barbotait comme une tortue, le cou tendu pour garder le menton hors de l'eau, avec de vigoureux battements de pieds.

Immanquablement, à un moment donné, elle se sauvait à toute vitesse. Elle avançait un peu puis s'arrêtait pour s'assurer que j'avais bien remarqué. Je détournais les yeux, faisais semblant de n'avoir rien vu, attendant qu'elle se glisse sous le saule dont les branches retombaient jusqu'à l'eau. Alors je l'appelais.

— Où est Ruth ?

Et je l'entendais rire sous l'arbre.

— Je me demande où peut bien être passée Ruthie.

Pour finir, j'écartais le rideau de feuilles, la prenais dans mes bras et regagnais le rivage avec elle, en fendant l'eau d'un pas lourd.

Ce matin-là, Mathilda se tenait dans l'encadrement de la porte. J'ai posé Ruthie sur la plage, et elle a filé en courant rejoindre sa mère. Mais Mathilda ne la regardait pas. C'était moi qu'elle fixait, moi, debout, avec ma chemise de nuit plaquée sur le ventre.

Un matin, j'avais quatorze ans, Mathilda six, elle a fait irruption dans notre chambre pendant que je m'habillais. À l'époque, je vérifiais qu'elle était bien au rez-de-chaussée ou profondément endormie avant de me changer, mais ce jour-là elle m'a surprise. J'avais déjà la chemise de nuit par-dessus la tête, et ma robe était posée à l'autre bout de la chambre. Elle s'est immobilisée sur le seuil, les yeux écarquillés.

— Ferme la porte ! j'ai dit.

Mais elle restait là, à me fixer. Lentement, elle a levé les deux mains vers sa poitrine et dessiné deux petits ronds dans l'air. Elle n'avait pas de mots pour décrire l'impossible. Je n'étais plus la sœur qu'elle connaissait.

Mais, là, Mathilda a murmuré :

— Amanda.

Et c'est tout.

J'ai rattrapé Ruthie, l'ai serrée contre moi. J'avais besoin d'elle pour couvrir la boursouflure de mon secret.

****

Les feuilles d'érable étaient encore petites comme une main d'enfant et pourtant, l'après-midi, le soleil était aussi chaud qu'en juillet. Le calendrier avait une semaine de retard sur le temps, tout le monde voyait que l'été était là, mais l'école n'en continuait pas moins, interminablement, refusant de céder et qu'on en finisse avec elle.

Imogene et Ruth marchaient sur le trottoir avec Ray et Louis, mais ils n'étaient pas vraiment ensemble.

— Qui tombe dans le caniveau met sa mère au tombeau ! dit Louis.

Cela inquiéta Ruth. Est-ce que ça valait aussi quand, en fait, la mère était la Tante? Elle posa scrupuleusement les pieds et fut soulagée, lorsque le trottoir s'arrêta, de pouvoir se mouvoir librement sur le bord de la route. Sur le chemin, Ray et Louis donnèrent un coup de pied dans une pierre, soulevant un nuage de poussière.

— Oh! toute cette poussière, fit Imogene en tournant la tête.

Alors Ray tapa plus fort pour que le nuage soit plus gros. Il dit :

— On pourrait faire un truc.

— Ouais, renchérit Louis. C'est ça, on fait un truc.

— On pourrait aller que'que part.

— Ouais, on va que'que part.

Louis s'arrêta et se retourna pour attendre Imogene et Ruth.

— Vous voulez aller que'que part?

— Où ça? demanda Imogene.

— Je sais pas. Ailleurs.

Imogene lança un œil à Ruth et dit :

— Nous, on connaît un endroit.

Ruth fit la moue.

— Non, on peut pas, Imogene, murmura-t-elle. Ça va pas plaire à ma Tante.

— Alors on y va sans toi, repartit Imogene, rejoignant d'un bond les garçons.

Ruth les regarda qui commençaient à descendre la route. Elle le regrettait, mais elle était incapable de bouger de là où elle se trouvait. Elle savait qu'elle avait raison.

Dix pas, onze pas, douze pas, Imogene revint en courant, l'attrapa par la main et la tira en avant.

— S'il te plaît, Ruth, viens. Je veux pas y aller sans toi. S'il te plaît, gâche pas tout.

Ce fut ainsi que, à contrecœur quand ils atteignirent le sentier, Ruth les suivit dans les bois. Ils étaient verts, mais d'un vert tendre, les feuilles ne formaient pas encore ces murailles denses, impénétrables, mais se chevauchaient à peine, composant un paravent de dentelle festonné. Des branches raides fabriquaient des pousses souples, et le sentier de terre était tapissé de petites orties brillantes et de jeunes herbes à puces qu'écrasaient aisément les grosses chaussures des enfants.

— On doit prendre le bateau, dit Imogene d'un ton suffisant, une main sur le plat-bord. On va monter dedans et vous, les garçons, vous le pousserez à l'eau, ordonna-t-elle.

Ils obtempérèrent puis grimpèrent à bord en se mouillant les pieds, mais ce fut Ruth qui emboîta les rames dans leurs tolets et se mit à ramer. Après tout, c'était la barque de sa famille.

Louis se glissa sur le banc à côté d'elle.

— Laisse-moi faire, dit-il.

Et elle le laissa faire.

Ils parcoururent la distance qui les séparait de l'île en zigzaguant un peu.

Imogene était à l'avant.

— Je vais voir si l'eau est bonne, annonça-t-elle en laissant pendre ses doigts par-dessus bord. Géniale ! Vous savez que Ruth est née sur cette île ? ajouta-t-elle un instant plus tard. Et c'est là que sa mère est morte. C'est pour ça que Ruth a pas le droit de se baigner.

Ruth se renfrogna. Imogene ne devait pas raconter ces choses-là.

— Elle ne s'est pas noyée sur l'île.

Imperturbable, Imogene poursuivit :

— Bien sûr, je voulais pas dire sur l'île même, mais quelque part dans le coin. Elle a pu couler pile ici, oui, pile à cet endroit.

Elle se pencha et poignarda l'eau d'un doigt.

Ruth regarda. On pouvait longtemps fixer l'eau sans jamais voir plus profond qu'un mètre ou deux. Tout un univers pouvait exister là-dessous et on ne le connaîtrait jamais.

Pendant un temps, quand elle était petite, Ruth avait cru que sa mère était une sorte de sirène qui habitait une maison dans le fond du lac. Dans la journée, l'idée lui plaisait et elle brodait dessus interminablement : elle donnait à la Mathilda qu'elle voyait sur les photos un jardin d'algues marines, des voisins, imaginait un bureau de poste sous-marin où elle venait chercher les galets sur lesquels Ruth égratignait des messages avant de savoir écrire. Mais, quand elle dormait, ces images inoffensives se transformaient en cauchemars. Dans ses rêves, des mains sortaient des vagues pour s'emparer d'elle, la tiraient par les pieds, par les cheveux, l'entraînaient vers le fond jusqu'à ce que, enfin, elle se réveille, cherchant son souffle.

Ruth cligna des yeux puis les leva vers Imogene.

— Non, dit-elle. Je ne crois pas que c'était ici.

— Dites, fit Louis en s'appuyant sur les rames, je vais où, maintenant?

Ils étaient presque arrivés à l'île.

— Fais le tour par la droite, répondit Ruth. Il y a une plage.

Ils traînèrent la barque le plus haut possible sur la petite bande de sable et, pour faire bonne mesure, enroulèrent l'amarre à un jeune arbre.

— Hé, allons voir la maison! dit Ray.

— Elle est condamnée par des planches, lui répondit Ruth.

Ray y courut quand même, en tête, et poussa la porte. Il cria :

— Elle est ouverte.

— Allez-y, fit Ruth au bas des marches. Je vous attends près du lac.

Et, tandis que les trois autres pénétraient dans la maison, elle fit demi-tour pour retourner vers le lac.

Un saule poussait si près de la rive que les vrilles de ses branches retombaient sur l'eau, là où elle était peu profonde, formant une sorte de maison. Une liane enroulée autour de la main, Ruth s'y suspendit une seconde ou deux, histoire de voir si elle pouvait supporter son poids, tout en fouillant la voûte du regard. L'eau y paraissait plus immobile, d'un vert plus sombre. Le fracas des vagues bondissant à l'assaut des rochers semblait plus fort, alors que les bruits de l'extérieur – les rires et les discussions des autres enfants – lui parvenaient comme assourdis. Si elle existait, c'était là qu'aurait vécu la sirène. Mais maintenant Ruth savait qu'elle n'existait pas, bien sûr.

Alors, soudain, les autres furent de retour.

— Y a rien, là-dedans, dit Ray. Juste un tas de machins et de meubles.

— Je l'ai trouvée jolie, dit Imogene, loyale. Comment ça se fait qu'elle soit ouverte, Ruth? Vous allez revenir y vivre?

— Non, pas que je sache.

— Y a peut-être un vagabond, là-dedans, suggéra Louis.
Et Ray renchérit :

— Je parie que c'est une planque de gangster.

— C'est faux, répondit Imogene. T'inquiète pas, Ruth.

Mais Ruth n'écoutait pas, elle pensait encore à la grotte sous
le saule.

Louis ôta ses chaussures.

— Moi, j'y vais.

— Moi aussi, dit Ray en déboutonnant sa chemise.

Les garçons se déshabillèrent, ne gardant que leurs sous-
vêtements, puis firent la course pour entrer dans l'eau, en criant
lorsque leurs pieds glissaient sur les rochers.

— Elle est pas froide ! brailla Ray. Venez !

Imogene y était déjà, pataugeant précautionneusement, en
tenant bien haut le bord de sa jupe.

— Si, elle est froide, Ray Johnson.

Elle se retourna vers Ruth.

— Ma mère dit que l'eau n'est vraiment assez chaude pour
se baigner qu'en juillet. Elle piquerait une crise si elle savait que
j'y ai trempé même un orteil si tôt dans l'année.

Elle n'en continua pas moins d'avancer, toujours plus profond, puis perdit l'équilibre et se retrouva assise avec un plouf.
Les garçons s'esclaffèrent et elle rit avec eux en écartant ses cheveux mouillés de sa figure.

— Bon, au point où j'en suis, autant nager. Viens, Ruth.
Viens avec moi. Elle est bonne. Je te jure.

Louis souffla un jet d'eau entre ses dents.

— Ouais, viens, Ruth ! Viens dans l'eau !

Ils l'aspergèrent en criant, fort, toujours plus fort, rivalisant
de hurlements, mais comme elle restait réticente, à faire non de
la tête, ils finirent par s'en désintéresser.

— Regardez, j'ai trouvé un trou d'eau, fit Ray, et il disparut.

— À moi, dit Louis quand la tête de Ray refit surface.

— On va voir lequel des deux nage le plus loin sous l'eau,
déclara Imogene. C'est moi l'arbitre.

Ruth les observait, les frondaisons du saule drapaient ses
épaules comme une cape.

Tante Mandy l'avait répété soir après soir, quand Ruth était pelotonnée au lit, les yeux fermés :

— Tu adorais te cacher sous le saule, là où on a pied.

Elle lui racontait une de ses histoires « de l'ancien temps » pour l'endormir.

— Ta maman et moi, on criait : « Où est Ruthie ? Où est notre petite fille ? » À la fin, tu n'y tenais plus. Tu éclatais de rire et on te trouvait. On te trouvait toujours.

Ruth se baissa pour défaire ses lacets.

Lentement, les yeux rivés sur les trois enfants pour penser à autre chose, les mains solidement menottées aux lianes du saule, elle avança avec précaution dans l'eau froide. À présent, Imogene se livrait à une démonstration de natation, plongeant et jaillissant comme une grenouille dans l'eau turquoise.

Ruth pénétra timidement dans le lac, elle redécouvrait la sensation oubliée de l'eau fraîche sur la peau, des rochers que les algues rendent visqueux sous les pieds, du soleil qui étincelle à travers les gouttelettes posées sur les cils. De plus en plus profond, elle avançait contre les vagues qui lui opposaient une douce résistance, ridait la surface de l'eau de la paume de la main, fléchissait les genoux pour sentir le frisson et la caresse de l'eau autour de ses cuisses.

— Eh, voilà Ruth ! cria Louis.

Ray était en train de montrer à Imogene comment se pincer le nez pour faire un saut périlleux. Il dit :

— Eh, Ruth, tu veux nager ? On va t'apprendre. Tu vas voir, c'est super-fastoche.

Tous trois se dirigèrent vers elle, à un rythme régulier, et l'eau faisait des V derrière eux.

****

Où était-elle ? Amanda tira vers elle le bord du rideau, comme si ces quelques petits centimètres de tissu pouvaient dissimuler Ruth en train de remonter l'allée. Elle aurait dû être rentrée depuis une heure, or les moutons étaient là, quasiment dans le jardin, alors qu'elle lui avait demandé de les mener au pré l'après-midi. Soudain lui vint une idée qui la fit presque vaciller. Elle savait où était Ruth.

En effet, une fois au lac, elle constata que la barque avait disparu. Tout en longeant d'un pas vif la courbe que la baie imprimait au rivage, elle songea avec amertume qu'elle allait devoir une fois encore emprunter celle de Joe Tully.

N'étant jamais utilisée, la barque des Tully était crasseuse, il y avait des limaces collées aux bancs, mais Amanda la nettoya avec deux ou trois poignées d'herbe puis la mit à l'eau d'une seule et forte poussée. Elle grimpa dedans avec tant d'adresse, au tout dernier moment, que ses pieds demeurèrent parfaitement secs. Elle rama avec vigueur jusqu'à ce qu'elle entende leurs cris rauques comme ceux des mouettes quand elles se battent pour un poisson. Alors, à l'autre bout de l'île, elle jeta un œil par-dessus son épaule et elle vit : une petite tête noire glissant à la surface de l'eau, deux garçons l'encourageant, et Ruth dans le lac, avec eux.

Combien de fois lui avait-elle dit de ne pas approcher de l'eau ? À un moment ou l'autre, Carl, Mary Louise, Joe même, tous l'avaient suppliée de les laisser apprendre à nager à Ruth. Comme ça, elle n'aurait rien à craindre, prétendaient-ils. Plus besoin de s'inquiéter. Un espoir illusoire, Amanda le savait bien. Mathilda nageait comme un poisson et ça ne l'avait pas empêchée de se noyer. Ruth n'aurait rien à craindre de l'eau si elle n'en approchait pas, c'est tout. Et voilà qu'elle était plongée dedans jusqu'à la taille, avec à côté d'elle deux garçons qui arboraient la nudité insolente de leurs torses blancs étriqués.

****

Ruth entendit la voix d'Amanda avant de la voir cingler vers eux.

— Mais qu'est-ce que tu fabriques ? disait le cri.

Il était si virulent que, bien qu'elle eût les oreilles à moitié sous l'eau, Imogene l'entendit, s'arrêta de nager et laissa ses pieds toucher le sol. Tous dévisageaient Amanda, trop abasourdis pour répondre.

— Qu'est-ce que tu fabriques ici ? glapit-elle à nouveau.

La question visait clairement Ruth.

— Je... je nage, répondit-elle.

Amanda entendit la voix de Mathilda sortir de l'eau à côté de Ruth.

Imogene riait.

— Ben, elle nage pas encore vraiment. Mais on lui apprend.

Amanda entendit le rire de Mathilda sortir de l'eau à côté d'Imogene. Ses yeux allèrent de l'une à l'autre. Elle regarda les garçons et leurs grands sourires. Et elle sentit la colère sourdre profondément dans son ventre puis enfler comme une vague, envahir chaque artère, chaque veine, avant de finir par gonfler jusqu'à ses yeux et le bout de ses doigts. Elle entendit sa propre voix, comme lointaine, imiter celle de Ruth.

— Tu nages. Eh bien, je vais t'apprendre à nager, moi !

Les enfants la regardèrent fixement commencer de souquer vers eux par l'arrière. Elle approchait de plus en plus, à longs coups de rame vigoureux, l'eau bordait l'arcasse et giclait dans le bateau. Les garçons les premiers, Imogene ensuite, reculèrent, reculèrent, avant de faire enfin volte-face et de courir vers la rive. Quant à Ruth, elle resta immobile, elle attendait.

Amanda dirigea la barque droit sur elle dans les bas-fonds, si près que leurs visages se trouvèrent au même niveau, et Ruth vit à quel point sa Tante avait la mâchoire crispée. Elle vit la sueur lui mouiller la racine des cheveux. Elle vit les ridules, autant de minuscules coupures au bord de sa lèvre supérieure.

— Quoi ?...

Elle ne put rien articuler d'autre avant qu'Amanda ne se penche vers elle, une main tendue. Ruth la saisit.

— Monte là-dedans, dit sa Tante en la tirant énergiquement.

Ruth tomba dans la barque, la tête sur le banc.

— Relève-toi.

Elle eut peur : la voix ne ressemblait pas à celle d'Amanda. Mais elle obéit tout en lissant sa robe trempée sur ses genoux, sans lever les yeux de l'eau qui dégoulinait autour de ses pieds.

Amanda commença à ramer. Elle ne regardait pas Ruth,

ses yeux restaient fixés sur l'île, derrière l'épaule de la jeune fille. Les dents serrées, elle tirait sur les rames jusqu'à faire saillir comme des fils de fer les veines de ses bras. Elles s'éloignaient de plus en plus vers le milieu du lac, mais Ruth ne se retournait pas.

Amanda s'arrêta enfin. Elle souleva les rames et les laissa s'égoutter avant de les ramener dans la barque. Puis elle se leva et fit un pas vers Ruth. Un violent coup de tangage lui fit attraper les plats-bords pour rétablir son équilibre. Elle attendit sans bouger que cessent les oscillations de la barque, puis se remit en marche en direction de Ruth.

— Debout, lui dit-elle lorsqu'elle fut tout près. Debout sur le banc.

— Non. Qu'est-ce que tu fais ? Je ne veux pas.

— J'ai dit : debout sur le banc.

Lentement, Ruth ramena les pieds sur le banc et, tout aussi lentement, déplia les genoux. La barque tangua et elle s'accroupit aussitôt, cramponnée aux plats-bords.

— Debout, Ruth.

— Mais... Tante Mandy !

— Il faut que je te donne une leçon, Ruth !

Elle avait une voix stridente, exaltée.

— Debout !

Avec plus de lenteur encore que la première fois, Ruth se mit debout.

— Tourne-toi.

Ruth se tourna. Amanda se posta derrière elle, si près que la jeune fille la sentait sans même qu'elle la touche.

— Je t'avais dit de ne pas approcher de l'eau, Ruth.

— Excuse-moi.

— Je te l'avais dit, et tu l'as fait quand même. Je ne peux donc pas te faire confiance ?

Ruth se redressa d'un air de défi. Sur l'eau verte, le soleil faisait étinceler, scintiller des diamants et des étoiles dont l'éclat l'éblouissait. Fais-le, se dit-elle. Vas-y. Fais-le.

— Puisque tu t'approches de l'eau, il faut que tu apprennes à nager.

Amanda la poussa avec rudesse, mais pas assez toutefois

pour que Ruth n'ait pu garder l'équilibre si elle avait essayé. Or elle n'essaya pas. Elle décolla au-dessus de l'eau, son ombre était noire sur les vagues au-dessous d'elle, puis elle tomba enfin.

En se refermant sur elle, l'eau s'engouffra dans ses oreilles, dans ses yeux. Elle s'enroula autour de ses jambes, de ses bras, de son cou. Elle l'attira vers le fond, voulut la presser contre son sein. Pendant un instant, Ruth la laissa faire. Pendant un instant, elle coula.

Puis il y eut un sursaut de panique. Elle se débattit, lutta contre cette onctuosité qui refusait de la repousser. Elle donna des coups de pied, encore et encore, battit des bras et, pour finir, remonta.

Sa tête surgit à l'air libre, elle aspira, avala une pleine gorgée d'eau. Elle constata avec soulagement qu'Amanda était juste là; debout dans la barque, les yeux baissés vers l'eau, elle la regardait.

— C'est pour toi que je fais ça, Ruth. Il faut que je t'apprenne à nager, répéta-t-elle.

Puis elle s'assit et se mit à ramer vers la rive.

Cette fois, le désarroi s'ajouta à la panique de Ruth.

— Arrête! fit-elle, haletante.

Elle eut à nouveau de l'eau plein la bouche.

Elle agitait bras et jambes dans tous les sens. Ses pieds se prenaient dans sa robe. Ses mains frappaient l'eau. Mais ça allait, elle le savait. Elle savait maintenant qu'elle arriverait à rester à la surface quelques instants, le temps qu'il faudrait à sa Tante pour venir la repêcher.

Mais Amanda ne vint pas la repêcher.

— Allez, nage, cria-t-elle en soulevant les rames de l'eau.

La barque n'était qu'à quelques mètres. Ruth battit des pieds, s'agita. Elle lança les bras en avant, l'un après l'autre, pour tenter d'attraper le canot. Sans savoir comment, elle commença à avancer. L'étendue d'eau entre elle et l'embarcation diminua de plus en plus, jusqu'à ce qu'elle arrive presque à toucher la poupe. Elle tendit la main, attendant qu'Amanda l'attrape, la hisse à bord, la sauve, mais sa Tante replongea les rames dans l'eau, et la barque fila sur le lac.

Amanda répéta plusieurs fois la manœuvre, elle laissait

Ruth approcher presque assez pour se tirer d'affaire, puis s'éloignait à coups de rame. Ruth hurla, avala l'eau au goût verdâtre; elle supplia sa Tante d'arrêter, de venir à son secours, mais, ne tournant la tête que pour s'orienter et essuyer ses larmes sur l'épaule de sa robe, Amanda continua de ramer.

Elles avaient quasiment atteint la rive quand Ruth cessa de crier. Elle était trop fatiguée, elle avait trop froid. Enfin, Amanda rangea les rames dans le bateau. Elle resta assise, immobile, jusqu'à ce que Ruth arrive à sa hauteur, puis elle sourit et lui tendit la main. Elle se pencha vers Ruth, mais Ruth continua de nager.

Quelque part de l'autre côté de la barque, un poisson sauta hors de l'eau. Ruth l'entendit retomber avec un grand plouf. Amanda l'entendit aussi, elle sursauta et, d'instinct, pivota dans la direction du bruit. Quand Ruth la vit se détourner, elle retint sa respiration et plongea. Elle s'enfonça sous l'eau pour ressortir derrière le rideau du saule pleureur.

Les vagues suçaient bruyamment les rochers, des bouts de soleil tombaient entre les feuilles, griffonnant sur l'eau éclats et taches de lumière. Elle s'assit sur le fond, les genoux ramenés sous le menton. Entre les branches, elle voyait Amanda regarder fixement l'endroit où elle avait disparu. Elle voyait son visage comme à travers une loupe, plein d'incrédulité et de frayeur.

Puis Amanda bondit et plongea à l'oblique de la barque. Une des rames glissa derrière elle. Elle s'agitait, disparaissait, griffait l'eau de ses mains, giflait l'air. Elle hurlait :

— Ruth! Ruth, reviens!

Mais Ruth ne répondit pas. Elle aurait aimé laisser Amanda la sauver, mais c'était trop tard. Elle n'était plus en train de se noyer. Enfin, elle écarta les branches du saule et fendit l'eau, non pas avec la grâce d'Imogene, mais dans une débauche d'éclaboussures qui ne l'en propulsait pas moins régulièrement. Ses pieds soulevaient de l'écume dans son sillage, pour que tout le monde voie bien qu'elle savait nager.

11.

Amanda

Mattie n'a pas dit : « Comment as-tu pu faire une chose pareille ? » comme je l'aurais dit à sa place. Ce n'était pas dans sa nature, je le déplorais presque. C'était dur de devoir tout endosser seule, remontrances et culpabilité. J'avais parfois l'impression de pouvoir à peine me traîner sous le poids de tout ça.

Non, au lieu de ça, elle a osé poser cette question :

— Qui est le père ?

Penser à lui et à ce qu'on avait fait ensemble m'a donné un goût de fiel dans la gorge. Je lui ai répondu :

— C'est sans importance. Je ne le reverrai jamais, je ferai tout pour ça.

Et s'il m'était peut-être arrivé d'espérer autre chose, si une fois ou deux m'était venue l'envie qu'il apparaisse et me prenne dans ses bras avec une histoire quelconque qui arrangerait tout, alors même que je prononçais ces mots, je savais que ça ne se produirait jamais.

Les deux jours qui ont suivi, Mathilda m'a très peu parlé, mais le troisième soir elle s'est plantée, en larmes, à la porte de ma chambre.

— Ma pauvre Amanda. Ce doit être horrible pour toi.

— C'est moi la fautive. Si je n'avais pas fait de bêtise, ça ne serait jamais arrivé.

Et puis moi aussi je me suis mise à pleurer. Qu'est-ce qu'on allait devenir, l'autre et moi ?

Mattie est venue me rejoindre dans mon lit, et on a dormi ensemble, comme autrefois quand elle était petite et avait besoin d'être consolée.

Le lendemain matin, elle m'a annoncé qu'elle avait un plan.

— On va dire qu'on l'a trouvé.

— Trouvé où ?

— Oh ! n'importe où, ça n'a pas d'importance. Une fille serait venue nous voir. Oui, elle savait que tu étais infirmière, alors elle serait venue nous demander de l'aide. Une malheureuse fille de ferme. Mais l'accouchement a été terrible. Oui, le pire accouchement que tu aies jamais vu dans toutes tes années d'infirmière.

— Il n'y en a eu que trois.

Elle a secoué la tête avec impatience.

— Peu importe. Ç'a été un accouchement terrible, elle a saigné, saigné, beaucoup saigné. Tu as fait tout ce que tu as pu. Tu as fait tout ce qui était humainement possible, mais en vain.

Sa tête s'est affaissée de façon théâtrale et des larmes se sont prises dans ses cils.

— Il n'y avait personne d'autre, absolument personne pour élever cette pauvre petite créature, alors tu me l'as amenée. Parce que tu savais que je serais bonne avec elle et que je l'élèverais avec ma fille et comme ma fille.

Pendant un moment j'ai protesté : je ne pouvais pas lui demander une chose pareille. J'ai insisté : j'allais trouver une autre solution ; je ne pouvais pas l'entraîner là-dedans. Mais n'était-ce pas ce que j'avais déjà fait ? En lui demandant de m'accompagner sur l'île, n'avais-je pas espéré, sans savoir comment, qu'elle s'occuperait de moi comme je m'étais toujours occupée d'elle ?

Mon fardeau m'a paru s'alléger quand j'ai entendu le plan de Mathilda. Finalement, je n'avais peut-être pas gâché nos vies. J'allais être Tante Mandy pour ce bébé comme je l'étais pour Ruth. Je le prendrais sur mes genoux, le bercerais pour qu'il s'endorme. J'embrasserais sa tête toute douce, je lui apprendrais à compter, je le protégerais contre le monde entier. Et moi aussi je serais protégée. Personne ne saurait jamais ce que j'avais fait.

Cette nuit-là, pour la première fois depuis notre arrivée sur l'île, je me suis agenouillée avec Ruthie et Mattie sur le tapis vert près du lit de Mathilda, et j'ai chuchoté avec elles quand elles ont récité « maintenant on fait un gros dodo ». Mais je n'ai pas pu dormir. J'étais trop soulagée. Pour la première fois, je me suis sentie tout excitée à l'idée de ce bout de chou qui roulait en moi en donnant des coups de pied, comme si – petit garçon ou petite fille – il partageait mon excitation. En caressant mon ventre rond et ferme, j'ai murmuré :

— Mathilda sera ta maman, mais moi je t'aimerai toujours.

Et j'ai vraiment senti que, désormais, je serais capable d'aimer ce petit être remuant.

— Vas-y, j'ai dit. Danse.

Je suis restée allongée une heure ou plus sans dormir, et puis j'ai réveillé Mathilda.

— On va emmener Ruthie se baigner.

Pendant que Mattie et Ruth barbotaient près du bord, j'ai nagé loin vers le milieu du lac. J'ai fait la planche pour hisser mon bébé comme une petite île pâle sur l'eau noire, et j'ai souri au blanc laiteux de la lune.

Après, je nous ai préparé un festin – bacon-purée et framboises copieusement arrosées de crème. Ruth s'est endormie sur ses framboises, mais à l'est le gris du ciel se nacrait déjà quand, à bout de forces, Mattie et moi nous sommes traînées jusqu'à nos lits.

****

C'était une erreur d'avoir fait ça à Ruth – la pousser à l'eau comme ça. Amanda essaya bien de se raconter qu'au moins maintenant la petite nageait, mais, dans le fond, elle savait que son intention n'avait pas été de lui apprendre. Quelle avait été son intention au juste, elle l'ignorait, et cela l'effrayait. Elle se surprenait parfois à lever les yeux vers le ciel. Que penserait Mathilda ?

Elle avait voulu récupérer Ruth ; ça, c'était une certitude. Ruth était à elle, et pas à ces garçons, ni même à Imogene. Le souvenir de la scène l'indignait encore, le stupide barbotage des enfants, leurs voix stridentes. Elle devait encore se secouer, oui même trois ans plus tard, pour se débarrasser de l'amertume qu'elle avait ressentie alors. Comment Ruth pouvait-elle la trahir pour ces étrangers ? Leur destin, c'était de braver l'eau ensemble, d'émerger triomphantes de cet élément qui leur avait tout pris. Au lieu de quoi Amanda sentait insidieusement que le lac aurait pu la déposséder encore. Depuis cet après-midi-là, Ruth, qu'elle avait autrefois ramenée à la vie, qu'elle avait portée en sang dans l'escalier, Ruth que l'école lui avait arrachée, oui, Ruth lui filait entre les doigts.

En général, la petite se montrait subtile dans ses fugues, elle mettait juste plus de temps que d'habitude à faire ses corvées dans l'étable, plus de temps à rentrer de l'école, demandait conseil à son père plutôt qu'à Amanda, alors qu'avant c'était elle, oui, toujours elle. Un changement imperceptible à quiconque, mais pas à Amanda. Elle savait qu'il ne fallait pas réagir, qu'il fallait laisser la petite s'éloigner – elle finirait bien par lui revenir –, mais c'était impossible. C'était presque plus fort qu'elle : elle se retrouvait toujours en train d'essayer d'agripper Ruth, mais chaque fois qu'ils se refermaient ses doigts ressemblaient à des griffes, et cette petite, qui autrefois s'accrochait à elle comme à sa vie, reculait.

Amanda se disait que ça ne durerait pas éternellement, c'était impossible. Et puis, en attendant, Ruth lui avait amené Imogene.

— Les filles !

Tout en s'essuyant le visage avec sa manche, elle les appelait au bas de l'escalier. Elles avaient promis de l'aider à mettre des tomates en conserve, et l'eau était en train de bouillir, il faisait déjà chaud dans la cuisine.

Elle aimait bien les appeler, elle aimait bien les savoir toutes deux dormant sous son toit, comme ç'aurait toujours dû être.

— Les filles, répéta-t-elle, renforçant sa voix d'une note d'impatience. Vous n'allez tout de même pas passer la journée au lit.

Toujours pas de réponse. Amanda grimpa l'escalier et ouvrit la porte de la chambre de Ruth. Quand elle était réveillée, son visage de seize ans, cette rondeur enfantine qui s'effaçait au profit d'une ossature adulte, semblait presque un affront à Amanda, comme si cette évolution participait des efforts de la petite pour se métamorphoser en un être méconnaissable. Mais lorsqu'elle dormait, pelotonnée sur elle-même comme en ce moment même, elle était toujours la fillette qu'Amanda connaissait si bien. Et puis il y avait Imogene, son trésor, elle aussi paraissait plus jeune que son âge, étalée ainsi en travers du lit, un pied au galbe parfait dépassant du bord. Amanda le prit dans le creux de sa main.

Que serait devenue sa petite Ruth, livrée à elle-même, repoussée par ces horribles enfants de l'école ? Alors que l'agrément d'Imogene l'avait rendue sinon populaire, du moins acceptable ; de ce fait elle avait appris à tenir compte de ce que les autres, et pas seulement sa Tante, pensaient d'elle. Elle s'était mise à se friser les cheveux et à faire des sourires exactement comme n'importe quelle fille. Elle voulait même une coupe au carré. Si l'enfant apeurée et farouche qui lui était, semblait-il, exclusivement attachée lui manquait, Amanda savait cette évolution positive et en était reconnaissante à la petite dont le pied reposait dans la paume de sa main.

— Imogene, réveille-toi, fit Ruth.

Elle souleva soudain la tête de son oreiller et réveilla en sursaut la fillette, qui, suffoquant, arracha son pied aux doigts d'Amanda.

— On est réveillées, dit Ruth à sa Tante. Tu peux redescendre.

Mais ce fut vers la chambre de Carl qu'Amanda se dirigea. Elle fit le lit puis rangea sa propre chambre tout en écoutant les filles bavarder en s'habillant. Elle retapait les oreillers quand elle vit Imogene debout dans l'encadrement de la porte.

— D'habitude, c'est ma mère qui me coiffe, dit-elle. Tu ne voudrais pas le faire, s'il te plaît ?

Elle lui tendait la brosse.

Amanda s'assit sur le lit et lui fit signe de venir s'asseoir en tapotant la place vide à côté d'elle. Sa main trembla quand elle prit la brosse, puis se raffermit à mesure qu'elle caressait les cheveux d'Imogene, les soulevait entre ses doigts, les lissait de la paume de sa main. Elle passa une mèche sur sa joue, baissa le nez vers la tête de l'enfant. Mais Imogene se mit à gigoter. Trop polie pour rien dire, elle se tortillait sur le lit.

— Tu veux des tresses comme celles que je faisais à la mère de Ruth ? demanda Amanda.

— Comme sur la photo ?

— Oui.

— D'accord.

Satisfaite, Imogene eut un hochement de tête approbateur. Elles avaient regardé la photo sur la coiffeuse de Ruth la veille au soir et demandé à Amanda de répéter les anecdotes qu'elle lui racontait sur Mathilda. C'était une photo prise en passant, les deux sœurs assises au bord de la véranda. Amanda revoyait sa mère debout dans le jardin, la tête penchée sur son Brownie tout neuf. Elle avait dit :

— Regardez-moi.

Amanda avait obéi mais, à la dernière seconde, Mattie avait été distraite par quelque chose – l'aboiement d'un chien, le battement d'ailes d'une poule ou juste un éclat de lumière dans les lilas : comment le savoir à présent ? Leur mère avait trouvé la photo ratée à cause de l'inattention de Mathilda et l'avait abandonnée au fond d'un album, sans même se donner la peine d'en garnir les coins avec des triangles de papier noir.

Mais cette photo avait plu à Carl. Il avait dit :

— Mathilda est très ressemblante. Toi aussi, Amanda, tu es plutôt ressemblante, avait-il gentiment ajouté.

Il avait fait agrandir le cliché et l'avait offert à Ruth dans un joli cadre de bois pour son douzième anniversaire, l'âge de Mathilda au moment de la photo, si les souvenirs d'Amanda étaient exacts.

— Où est Papa ? demanda Ruth quand elles furent enfin toutes trois dans la cuisine.

Depuis quelque temps, Carl était rarement là où on pensait le trouver, et ses absences la tracassaient.

Amanda éprouva la morsure de la jalousie et, au même moment, se brûla les doigts en retirant de l'eau bouillante un bocal tout juste stérilisé.

— Si tu t'étais levée plus tôt pour me donner un coup de main, tu le saurais, répondit-elle avec mauvaise humeur. Il est monté à Slinger avec Rudy voir un nouveau tracteur.

****

Carl aussi était irritable.

— Toute une matinée de perdue, bougonnait-il sur le chemin du retour.

Ces derniers temps, il n'arrivait pas à fermer l'œil ; cela revenait à lever le rideau sur une scène rêvée une nuit et désormais inoubliable : Mathilda sombrait dans un gouffre noir, bras et jambes tordus, une boucle de cheveux s'écartait de son visage et révélait sa bouche, une bouche qui hurlait ou riait, impossible de savoir.

— Et alors, qu'est-ce qu'on y peut ? fit Rudy.

Il était d'accord : le tracteur ne valait pas le prix demandé.

— J'aime pas perdre mon temps, c'est tout. Et on a besoin d'un tracteur.

Mais, même si le fermier avait accepté une offre raisonnable, ils n'auraient pas eu les moyens de se payer un tracteur. C'était idiot d'avoir usé de l'essence pour aller le voir. Weiss et quelques autres parlaient de déverser le lait sur Watertown Plank Road, Carl ne croyait pas qu'ils le feraient vraiment, pourtant, il y avait de quoi : les prix étaient si bas que nourrir les vaches coûtait plus cher que ne rapportait le lait. En fait, Amanda lui avait suggéré de chercher un travail pour l'hiver ; la ferme, comme elle disait, tournerait très bien toute seule. Carl pensa qu'elle aimait bien lui signifier son inutilité.

Mais non – il secoua la tête, essayant d'envisager clairement les choses –, la situation n'était plus équitable. Elle lui demandait seulement de contribuer. Elle avait repris son métier d'infirmière, assistait le docteur Karbler dans les accouchements, aidait Hattie Jensen à se rétablir de sa chute ; même Ruth avait installé un étal au carrefour pour vendre des légumes et des tartes, elle s'occupait de son « magasin » après l'école. Carl devait faire sa part, au moins pour Ruth. Mais il ne pouvait pas. Pas si cela impliquait qu'il parte, fût-ce pour quelques mois. Pas avec Mathilda derrière chaque arbre, chaque porte, à l'asticoter pour qu'il la retrouve.

Il pensa à la maison de l'île. À peu près une heure plus tôt, tout en faisant la moue devant le moteur encrassé du tracteur, il s'était souvenu d'une petite poche sous une latte branlante du plancher de la cuisine, où s'était dissimulée autrefois une tétine de Ruth. Il avait déjà vérifié à cet endroit, mais pas assez soigneusement, il s'en rendait compte à présent, en tout cas, il se représentait sans aucune difficulté une photo ou une lettre, insérée à la verticale, de sorte qu'on ne puisse la trouver qu'en sachant précisément sous quel angle regarder. Dès qu'ils seraient rentrés, il prendrait la barque et irait examiner ça sous toutes les coutures.

Rudy posa son coude à la portière et regarda les champs défiler sous ses yeux. Quand est-ce que Carl était devenu comme ça, si impatient, si vite hors de ses gonds ? Inutile de lui causer quand il se comportait comme un cheval qu'aurait un glouteron sous la selle.

Les filles étaient assises sur la véranda, en train d'éplucher le maïs, quand les hommes remontèrent l'allée. C'était une gentille amie pour Ruth, cette Imogene. Carl craignait que, unique enfant dans cette ferme, Ruth ne se sente un peu seule. Si seulement Mattie et lui en avaient eu un autre. Il claqua la portière de la camionnette et se dirigea vers la pompe du jardin pour se laver les mains. L'eau fraîche lui fit du bien, il se mouilla un peu la tête en passant les doigts dans ses cheveux.

— Alors, les filles, on s'amuse bien ? lança-t-il depuis l'autre bout du jardin, puis il poursuivit sans leur donner le temps de répondre : Tante Mandy est à l'intérieur ?

— Dans la cuisine, fit Ruth. Où est le tracteur ?

— Valait rien, répondit Carl en secouant la tête d'un air sombre.

Puis il se dirigea vers la véranda.

Un chien aboya au loin, et Imogene tourna la tête vers le bruit.

Carl se figea à mi-chemin dans le jardin. Une impression vague frôlait sa mémoire.

— Qu'est-ce qui se passe, Papa ?

Il ne répondit pas. Il fixait Imogene, son profil, ses tresses. Elle avait quelque chose d'étrange : non, c'était plutôt quelque chose d'étrangement familier. Alors elle tourna le regard vers lui, de l'autre côté du jardin, et il lui vint une idée qu'il ne lâcha pas. Jamais il ne l'aurait remarqué s'il s'était trouvé plus près, si la petite n'avait pas porté de tresses, si elle n'avait pas été assise exactement au même endroit que Mattie le jour de la photo. Jamais il ne se serait aperçu qu'Imogene était Mattie, une Mattie jeune, plus jeune qu'il ne l'avait connue. Elle était la Mattie de la photo.

Sans un mot, Carl fit volte-face et retourna à la camionnette. Il y grimpa puis recula sur l'herbe pour faire demi-tour. Et il reprit la route, laissant derrière lui un épais nuage de poussière.

La cloche carillonna au-dessus de la porte de la boutique de pêche et, pendant un instant, il resta sans bouger à l'intérieur, le temps que ses yeux s'accommodent à la pénombre.

— Carl ! s'écria Mary Louise en sortant de la pièce du fond. Ça fait plaisir de te voir.

Elle s'appuya en souriant au comptoir. Puis, comme il restait là, debout, sans un mot, elle lui demanda :

— Tu passais juste dire bonjour ?

— Non.

Il se ressaisit, coupa vers les seaux et les bacs pleins d'appâts et regarda dedans d'un œil absent.

— Alors, tu as fini par te remettre à la pêche ?

— Non, dit-il encore.

Pourtant, il errait toujours dans le magasin, à tripoter l'un ou l'autre article tout en gardant les yeux rivés sur Mary Louise. Il s'arrêta sur sa gauche, au niveau du comptoir, et entreprit d'ouvrir les minuscules tiroirs près de la caisse.

— Tu cherches quelque chose ? Je peux t'aider ?

— Oui. Non. Je vais prendre ça, répondit-il en sortant d'un tiroir un hameçon qui s'était piqué dans sa chair.

Mary Louise tendit la main pour le lui prendre.

— J'espère que ma fille est sage, dit-elle d'un ton où ne planait aucun doute. Je trouve formidable que ces deux-là soient tellement amies. Comme Mandy et moi. J'aimerais qu'on ait encore des moments comme ça.

Carl l'interrompit avant qu'elle ne puisse se lancer.

— C'est d'Imogene que je voulais te parler.

Mary Louise se raidit et referma le poing sur la monnaie de Carl.

— Il n'est rien arrivé, n'est-ce pas ?

— Non, non. Pas du tout. Non, excuse-moi.

Il leva les deux mains en secouant la tête.

— Je crois..., commença-t-il, puis il s'arrêta.

Il recommença.

— Il y a quelque chose chez elle. Je veux dire, est-ce que d'autres l'ont remarqué ? Ses cheveux. Son nez.

Il croyait avoir été si clair que, lorsque Mary Louise eut tout bonnement l'air perplexe, il se sentit tout de suite plus léger, joyeux, même. Il sourit.

— Oh ! je suis fou. Oui, je dois être fou, insista-t-il, soulagé. Comment ai-je pu penser à une folie pareille ? Et...

Il passa une main sur son visage, du front au menton, longuement.

— Et foncer ici, et parler à tort et à travers. Bien sûr que tu es sa mère. Tu vois, ajouta-t-il en haussant les épaules, si tu me fichais à la porte, je ne t'en voudrais absolument pas.

Il secoua la tête, ahuri par son manque de tact, mais heureux, surtout, tellement heureux de découvrir qu'il s'était trompé. Il tenta une explication.

— C'est juste qu'Amanda a cette photo...

Il s'interrompit et baissa les yeux sur le comptoir, secouant toujours la tête à la pensée de cette bévue, ne sachant comment poursuivre tant qu'il ignorait si elle était fâchée, si elle allait rire ou bien lui demander, comme tout le monde ces derniers temps, quelle mouche le piquait. Et, vraiment, la question méritait réflexion. Quel genre de vie menait-il, à se laisser ballotter de-ci, de-là au gré de ses lubies ?

Il était tellement absorbé que ce fut à peine s'il remarqua l'immobilité de Mary Louise, ses yeux écarquillés, terrorisés. Finalement, elle parut presque tomber tête la première et dut se cramponner des deux mains au comptoir pour rester droite.

— Tu ne le diras pas à Imogene. Carl, promets-moi de ne rien dire à Imogene.

Il sentit sa peau le picoter. Il voulut parler mais resta sans voix. Il réussit à lever les yeux vers ceux de Mary Louise, à secouer légèrement la tête.

Elle fit le tour du comptoir et posa la main sur son bras.

— Carl, il faut que tu comprennes. Elle est à nous. Depuis le début, elle n'a jamais eu que nous. Amanda a dit que l'accouchement avait été terrible, le pire qu'elle ait jamais vu dans toutes ses années d'infirmière. Tu sais, la malheureuse n'a pas survécu une heure.

— Qui ça ? parvint à articuler Carl.

— Cette malheureuse fille de ferme.

Mary Louise parlait comme s'il savait exactement à qui elle faisait allusion, comme s'il était au courant de toute l'histoire, comme s'ils ne faisaient qu'évoquer des souvenirs.

— Celle qui a eu l'enfant. Je ne me souviens plus dans quelle ferme elle travaillait : quelque part près de Nashotah, je crois. Ça devait faire une trotte en boghei, parce que Ruth était quasiment gelée quand elles sont arrivées ici. Ç'a dû être horrible. La naissance, je veux dire. Si tu avais vu le sang sur les mains d'Amanda. Mais, tu sais, ajouta-t-elle, baissant la voix dans un chuchotement, de toute façon elle n'aurait pas pu garder le bébé. Pas de mari.

— Pas de mari, répéta Carl.

Ils restèrent tous deux un moment silencieux, puis Mary Louise reprit la parole. Elle semblait soulagée de s'être délivrée de son secret.

— Ça m'étonne qu'Amanda t'ait parlé de cette fille et de tout ça. Elle était si catégorique : la mère devait rester secrète. Pour préserver la famille, tu sais. Nous, on n'y voyait pas d'inconvénient. Pour nous, c'était un miracle d'avoir ce bébé. C'était tout ce qui nous intéressait. Et il ne se passe pas un jour sans que je remercie Dieu.

— Mattie était avec elle ?

— Comment ?

— Est-ce que Mattie était avec Amanda quand elle t'a amené le bébé ?

— Non, Carl. C'était la nuit... Amanda était avec Ruth. Comme je t'ai dit, la pauvre petite était glacée. On a dû lui faire couler un bain et lui donner un peu de bouillon. Le temps qu'Amanda retourne sur l'île... Mattie avait disparu.

— Pourquoi Ruth n'est pas restée avec sa mère ?

— Je ne sais pas. Peut-être que Mattie ne se sentait pas bien ? À moins qu'Amanda et Ruth ne soient allées ensemble à

Oconomowoc ce jour-là. Ça se pourrait, si elle s'est retrouvée pour un accouchement du côté de Nashotah. Peu importe, Amanda m'a expliqué, je crois, mais maintenant je ne me souviens plus. Après ce qui venait de se passer, ça ne semblait pas important.

Carl sentit ses jambes le porter vers la sortie, mais Mary Louise bondit de derrière son comptoir pour lui barrer le chemin, les traits à nouveau anxieux.

— Tu ne diras rien à Genie. Tu as promis.

— Non, je ne dirai rien. Promis.

Dans sa hâte de passer la porte, il la repoussa presque.

Alors qu'il conduisait, ses pensées dansaient et sautillaient comme un poisson au bout d'une ligne. Cette fable ridicule sur Mathilda disparaissant par un trou dans la glace. Ce n'était pas une pauvre fille de ferme qui était morte en couches, sans mari : c'était Mathilda. Et Mathilda avait un mari, oh que oui, mais il n'était pas le père de cet enfant. Maintenant, il comprenait tout. C'était ce bébé qui l'avait tuée, cette Imogene, l'enfant de cet autre homme : CJO.

À trois reprises, une fois par initiale, il fit claquer la paume de ses mains sur le volant, la camionnette se déporta, un pneu mordit le fossé, et Carl eut du mal à redresser sa trajectoire pour éviter le champ. Le souffle court, il appuya sur l'accélérateur et poussa le véhicule en haut de la côte abrupte de Hog's Back. Menteuse ! Amanda était une sale menteuse ! Elle le prenait donc pour un imbécile ? Mais oui, il était bien un imbécile. En dépit de tous ses doutes, de toutes ses vérifications, il avait cru à son histoire. Il avait espéré ne jamais trouver la preuve qu'il se sentait poussé à chercher.

Alors qu'il franchissait une nouvelle côte, il se couvrit le visage des deux mains, comme pour se dérober à l'humiliation. Pendant treize ans il avait fait tourner la ferme de Mathilda, avait élevé sa fille, vécu à sa place la vie qu'elle s'était choisie, et elle ne méritait pas son amour. Et Ruth, que savait-elle ? Est-ce qu'elle grimpait sur les genoux de cet homme, un tire-au-flanc bien gras qu'on lui avait dit d'appeler « tonton », pendant que sa mère, ronde comme un melon, posait une fesse sur le bras de son fauteuil ?

La camionnette pila au pied de Holy Hill. Carl descendit et gravit les marches qui montaient à la cathédrale. Il n'était pas croyant. Il n'avait pas mis les pieds dans une église depuis la France, où il en avait visité quelques-unes, surtout par curiosité. Pourtant l'atmosphère qui y régnait le touchait. L'air, frais et immobile, lui semblait appartenir à un monde autre que celui de son tourment. Il ralentit et se dirigea vers un banc où, après une génuflexion, habitude héritée de l'enfance, il tomba tout de suite à genoux. Derrière lui, une vieille femme ronronnait un murmure apaisant et régulier.

Il posa le front sur ses mains croisées et, soudain, se sentit fatigué. Le plus triste, c'était qu'il ne se souvenait pas assez nettement de Mathilda pour la haïr. Il se dit qu'elle était si jeune alors, si naïve et avide de plaire. Elle était restée toute seule pendant des mois, plus d'un an. Après la mort de ses parents, elle avait dû prendre peur, ignorant s'il reviendrait jamais. Comment la haïr pour avoir eu besoin de quelqu'un qui prenne soin d'elle ? Il savait qu'elle aurait été désolée de ce qu'elle avait fait. Comment la haïr alors qu'elle avait reçu une aussi atroce punition ?

Et CJO, quelle punition avait-il reçue pour ce qu'il lui avait fait ?

Carl ferma les yeux. Là, dans l'église humide, il sentit la terre froide le glacer à travers sa veste de laine, vit le métal impitoyable des baïonnettes et entendit les cris forcenés de Pete McKinley, brisés net par le bruit de l'acier s'enfonçant dans le tissu et dans la chair, comme un couteau se fiche dans une citrouille, et par le gargouillis du sang dans la trachée-artère. Tout le temps que ç'avait duré, Carl était resté étendu, immobile, il avait lâchement fait le mort, mais sa lâcheté ne l'avait pas sauvé. Elle ne les avait pas trompés. Ils s'étaient tournés vers lui – d'abord l'un, puis l'autre, et enfin le troisième. Ils avaient commencé à traverser la cagna. Il avait vu le chicot jaune de celui qui était le plus près, celui qui levait la baïonnette, prêt à la planter dans sa cible. Alors l'obus avait sifflé. Carl avait vu la peur fleurir sur leurs visages, comme sans doute sur celui de McKinley quelques instants auparavant. Puis il y avait eu le rouge.

Sa tête se redressa brusquement. Il s'était endormi à genoux. Lève-toi, lève-toi, vas-y, se dit-il, mais sans savoir où. Lentement, il se rassit sur le banc. La femme qui marmonnait était partie. Il examina le mur où s'alignaient les béquilles laissées par ceux que le Christ avait guéris. Il se leva et se frotta les genoux. À la porte, il alluma un cierge pour Mathilda, en se sentant coupable, en se disant qu'il aurait dû le faire depuis toujours. Qu'il n'aurait jamais dû la laisser seule.

****

Lorsque Carl roula dans l'allée, il faisait nuit. Imogene était rentrée chez elle, le dîner était fini depuis longtemps. Il prononça quelques vagues excuses, il avait aidé Joe avec son maïs.

— La prochaine fois tu devrais me le dire, Carl. On t'a attendu presque une heure au déjeuner, et puis au dîner.

— Ça ne se reproduira plus.

L'air de la nuit était agréable, assez chaud encore pour rester dehors. Amanda s'était installée dans la pénombre de la véranda, dans l'un des fauteuils à bascule, avec un saladier de haricots tardifs à ébouter. Elle entendait Carl dans son dos, dans le salon, il ouvrait des tiroirs. Il allait les laisser ouverts : il faudrait qu'elle pense à les refermer en montant se coucher.

— Tu cherches quelque chose, Carl?

Mais il disparut dans la cuisine sans répondre.

Il s'assit à la table de la cuisine pour parcourir l'album qu'elle lui avait montré à son retour de France. Il examina minutieusement les photos de Mathilda. Il regretta de ne pas avoir de portrait de cette fillette, Imogene, encore que sa parenté avec Mathilda relevât plus pour lui d'une impression générale que d'une véritable ressemblance. Quand on observait Mattie de près, il était difficile de dire exactement en quoi elles se ressemblaient. Pourtant, il était sûr que les nez avaient la même forme, tout comme la largeur du front, le dessin de la bouche. Oui, ça, il en était sûr.

230

Mais si c'était l'accouchement qui avait tué Mathilda, comment avait-elle fini dans le lac ? Qui avait dit qu'elle s'était noyée ? Amanda. Amanda qui mentait.

Carl ferma les yeux pour essayer d'élucider le mystère. Amanda avait-elle pu ?... Mais l'imaginer traînant le cadavre de Mathilda jusqu'à la glace avant d'y découper un trou pour la pousser dedans le révulsa. Peut-être qu'elle était vraiment tombée, qu'elle s'était vraiment noyée. Qui avait dit que la mère du bébé était morte en couches ? Amanda. Amanda qui mentait.

Il avait du mal à réfléchir. Mathilda *était bien* morte. Elle *était bien* la mère d'Imogene. Elle *s'était bien* rendue sur le lac. Il appuyait la paume de sa main sur la table en se formulant chacune de ses certitudes.

Oui, sans aucun doute elle était sur le lac. Puisque c'était là qu'on l'avait retrouvée. Carl se remit à tourner les pages, avec les articles jaunis qu'Amanda avait collés dans l'album. Ils se détachaient dès qu'il les touchait, celui qu'il cherchait tomba comme une feuille sur ses genoux.

6 DÉCEMBRE 1919 – LA FEMME DISPARUE A ÉTÉ RETROUVÉE NOYÉE
Le corps de Mrs. Carl Neumann a été retrouvé hier en fin d'après-midi, pris dans les glaces du lac Nagawaukee, par Mr. C.J. Owens, demeurant 24, Prospect Avenue, Milwaukee, et son fils, Arthur, cinq ans.
Mrs. Neumann était portée disparue depuis la nuit du 27 novembre.

Carl fit un bond en arrière, haletant, les mains tremblantes. Il quitta la cuisine et traversa le salon sans même réfléchir, sans pouvoir s'arrêter.

Elle était assise dans le noir, son fauteuil à bascule grinçait, ses doigts cassaient les haricots à un rythme régulier. Il dit :

— Amanda.

Il fut surpris de s'entendre une voix si calme.

Elle leva les yeux vers lui et, bien qu'il ne pût distinguer ses traits, l'inclinaison interrogative que prit sa tête était exactement celle de Mathilda. Cette constatation lui donna du courage. Les deux sœurs étaient dans le coup ensemble. Il exigea une réponse comme s'il interrogeait sa femme volage.

— Dis-moi qui est le père d'Imogene.

— George Lindgren, voyons. Tu le sais bien.

— Non. Et Mary Louise n'est pas sa mère. Je sais pour le bébé, Amanda. Dis-moi qui est le père.

— Comment ?... commença-t-elle.

— Qui est-ce ?

Il avait parlé avec douceur mais avec fermeté aussi, comme s'il s'adressait à une enfant.

Amanda arrêta de se balancer. Le bruissement des grillons et des cigales était assourdissant, leur stridulation insistante battait la cadence de son cœur. Elle avait si longtemps redouté ce moment qu'elle avait presque fini par se sentir en sécurité, presque sûre qu'il n'arriverait jamais. Elle regarda Carl, debout dans l'encadrement de la porte ; avec la lumière derrière sa tête, son visage ne formait qu'une ombre vide. Elle connaissait si bien ce visage, à présent.

Elle se pencha en avant dans son fauteuil. Lui qui avait aussi perdu Mattie, il allait l'aider. Lui qui avait souffert, il allait lui pardonner. Elle allait lui avouer, et il saurait ce qu'elle devait faire, comment elle pouvait arranger les choses.

— C'est lui ?

Carl s'avança, la coupure de presse jaunie à la main. Il pointa son doigt sur le nom. Cette fois, il n'aurait pas trop peur.

C'était si facile. Elle n'eut qu'à hocher la tête. Lorsqu'elle leva les yeux, l'embrasure de la porte était vide, comme s'il n'avait jamais été là.

Ruth

J'en étais pile au moment où Maggie Tulliver, emportée par les eaux, essaie de gouverner son bateau dans les remous de la rivière, quand il m'a parlé depuis le seuil de ma chambre.

— Ruthie.

— Hmmm ?

J'ai eu du mal à m'arracher à la page, tant Maggie se trouvait dans une situation périlleuse, mais j'ai tout de même levé un œil vers lui et ôté de ma bouche la mèche de cheveux que j'étais en train de mordiller.

Il est entré, les pans de sa chemise à carreaux verts et noirs battaient sur ses cuisses comme s'il se préparait déjà à se mettre au lit. Il s'est assis sur la chaise à dossier droit où je pendais ma jupe et mon chemisier le soir. J'ai gardé le livre ouvert, appuyé sur mes genoux, le doigt sur la ligne. Je me suis adossée aux oreillers, j'attendais de savoir ce qu'il voulait, mais il me regardait juste sans rien dire. Puis il s'est levé et est allé à la fenêtre. J'ai volé cet instant pour me replonger dans Maggie. Est-ce qu'elle allait réussir à sauver Tom ?

Alors il s'est retourné vers moi et il a dit :

— Ruth, est-ce que tu te souviens bien de ta mère ?

— Je ne sais pas. Mais oui, je crois que je m'en souviens.

— Tu te souviens quand tu habitais sur l'île avec ta mère et Tante Mandy ?

— Un peu.

Je pensais toujours à Maggie. J'avais mal à la nuque à cause du suspense de ce naufrage : il fallait que j'y retourne.

— Pourquoi ta mère est-elle allée sur la glace, Ruth ? Est-ce que tu t'en souviens ?

Oui, ça, je m'en souvenais. Je me souvenais de la glace, si brillante, si noire, comme si elle prolongeait le ciel.

Ma mère m'avait appelée.

— Ruth, reviens ! Mandy, ramène-la !

Elle hurlait comme le vent. Je me suis arrêtée, mais je n'ai pas fait demi-tour. Et puis elle a été contre moi, le cœur dans mon oreille. Elle a été contre moi, serrée si fort que je pouvais à peine respirer. Et puis on s'est noyées.

J'ai répondu à mon père :

— Non. Je ne me souviens pas. Je ne me souviens de rien.

12.

À six heures trente du matin, le 10 septembre 1931, Clement Owens inspectait les plants de luzerne hybride qui, après avoir germé près du lac, mûrissaient désormais dans sa petite serre. C'était dommage d'avoir dû les transplanter, mais septembre était bien entamé, le moment pour la famille de regagner la ville. Peu importe, il continuerait son ouvrage ici, après les gelées.

— Mrs. Owens m'a dit de dire que le petit déjeuner est prêt.

Mimi, récemment engagée par Theresa comme bonne à tout faire, se tenait devant la serre.

— Regardez ça, Mimi. Cinq nouvelles feuilles depuis mardi. Sept, si on compte ces boutons. À mon avis, il faut compter les boutons, vous ne croyez pas?

Mimi refusa de se prononcer.

— Je ne sais pas, Monsieur.

Les projets de Mr. Owens la mettaient toujours mal à l'aise, et, depuis l'explosion de la distillerie de la cave, au mois d'août, elle se montrait particulièrement circonspecte.

— Bien. Dites à Mrs. Owens que j'arrive, voulez-vous?

Mimi hocha la tête et courut se mettre à l'abri dans la maison.

Couché sur le ventre sur le toit du garage, Carl baissa son fusil. Ses lèvres tremblotaient dans une sorte de petit rire inconscient. Vu à travers le viseur, cet homme dans son peignoir faisait irrésistiblement penser à un poisson dans un bocal.

Encore que Carl n'eût jamais tiré sur un poisson. Une cible bien fuyante. Est-ce que ce serait facile ? Une petite pierre lui rentrait dans la poitrine, il changea de position. Il y avait un truc avec les pierres ; quoi, déjà ?... Celles qui roulent amassent la mousse ?

Un seul coup de feu, dans la tête, et hop, redescendre par l'arbre, puis camionnette et maison. La maison où tout serait différent. Tellement différent quand il aurait tué celui que Mathilda... cet homme en peignoir à motifs cachemire bleu et or.

Naturellement, il fallait être sûr : crier son nom, lui faire lever les yeux, lui dire peut-être pourquoi il méritait de mourir et regarder la peur envahir son visage. Inutile de se tromper de bonhomme.

Mais c'était forcément CJO. Qui aurait pu se mouvoir avec tant d'assurance et en peignoir, sinon le propriétaire des lieux ? Owens se pencha sur un plant et parut caresser les feuilles. Ces doigts-là sur la peau de Mathilda. Qu'est-ce qu'elle lui avait dit ? Qu'est-ce qu'elle avait fait ? Est-ce qu'elle portait cette légère nuisette rose avec les tout petits nœuds en soie ? Avait-elle été intimidée quand il les avait dénoués un à un ? Lui avait-elle souri ? Carl remua à nouveau péniblement. Est-ce qu'elle avait posé les mains sur ses seins et fait jouer les pointes entre ses doigts ? Ou avait-elle été différente avec cet homme, une femme qu'il ne connaissait pas ?

Carl ferma les yeux. Le doigt sur la détente, il sentait le pincement froid du métal, entendait la déflagration dans sa tête, sentait le recul de l'arme contre son épaule. Le sang jaillirait, le rouge traverserait le tissu bleu et or. Un rouge sombre, mouillé. Il ouvrit les yeux et visa avec soin. Un seul tir, propre et net. À la tête.

Mais il ne pressa pas la détente. Là, alors qu'il tenait l'homme dans son viseur, la fureur irrépressible qui avait si souvent conduit Carl sur l'île, cette fureur qui l'avait entraîné chez Mary Louise, l'avait poussé à feuilleter les coupures de journaux et l'avait fait grimper sur ce toit, cette fureur se dissipa comme un gaz. Il voulut la retrouver. Il se répéta ce que cet homme avait fait, et la conséquence de son acte : Mathilda à bout de forces, en sang. Mais ces idées n'avaient aucun lien avec l'homme à la face rougeaude qui se tenait dans la serre. Peut-être, s'il les avait vus ensemble, s'il avait vu ces doigts épais sur la peau translucide des seins de Mattie, il aurait pu le tuer. Mais c'était trop tard. À présent Mathilda et Clement Owens ne s'unissaient que dans son esprit, et son esprit était loin d'être assez fort pour lui faire tuer un homme.

Il baissa la tête et posa la joue contre les ardoises du toit. Alors que, l'instant d'avant, il n'avait éprouvé aucune peur, voilà que son cœur se mettait à palpiter furieusement, comme si, échappant soudain à sa prison, il se lançait dans une fuite désespérée. Carl sentait le sang affluer dans chacun de ses vaisseaux, faire tressauter ses chevilles, le bout de ses doigts. Il se plaqua contre le toit et, au prix d'un effort surhumain, parvint à ne pas bouger. Pendant quelques secondes, comme les petits enfants, il ferma même les yeux pour se faire disparaître.

Enfin, il entendit la porte de la serre se refermer dans un fragile frémissement de verre, puis celle de la maison s'ouvrir et claquer. Carl leva la tête et, en moins d'une minute, dégringola de l'arbre, traversa furtivement le jardin et se rua dans sa camionnette.

Depuis la cabine, tout en s'efforçant d'arrêter de trembler, il observa la paisible façade de la maison des Owens. À l'exception de la brique que le soleil du matin rendait chaude et brillante, la maison était la même que trois heures auparavant, quand il l'avait découverte dans la lueur pelucheuse de l'aube, avec ses vies tranquilles à l'intérieur.

Il savait qu'il avait eu la bonne réaction. Il avait failli tuer un homme, failli tout changer, mais il ne l'avait pas fait. Maintenant, la vie contenait encore autant de promesses qu'hier. Hier, il ne les avait pas vues, ces promesses, mais ce matin, oui, il les voyait. Il avait frôlé le précipice, mais il n'était pas tombé.

Grisé par le soulagement, il démarra la camionnette et prit vers l'ouest, sur Wisconsin Avenue, où le soleil scintillait sur des centaines de vitres, où, dans le fracas métallique des tramways et le klaxon des automobiles, le flot enivrant de la circulation l'entraînait de l'autre côté de la rivière, dans un quartier résidentiel compact et tranquille. Puis ces maisons-là aussi se raréfièrent, et, en à peine quelques minutes, tout fut derrière lui, cette ville où l'on fonçait sur les routes, et son fusil, rigide et silencieux, sur le toit d'un garage.

Sur Blue Mound Road, il dut s'arrêter. Le réservoir était à moitié plein, il avait moins besoin d'essence que de reprendre son souffle, de parler à un autre être humain. Il voulait se plonger dans un monde luxuriant, un monde où il n'avait pas tué un homme en peignoir à motifs cachemire.

— Hé !

Il interpella l'employé qui se dirigeait vers la pompe – il ne put s'en empêcher.

— J'ai failli tuer un homme, là-bas.

Le pompiste secoua la tête.

— Elle est traître, cette route. Avec tous ces arbres. Se croiser dans un de ces virages, c'est un coup à y laisser la peau, pour sûr.

Carl acquiesça. Il valait mieux, oui, bien mieux, naturellement, que l'homme n'ait pas compris. En attendant, il avait pu le dire. Et il eut envie de le crier dans le jour pommelé, la tête sortie par la vitre, tandis qu'il filait à toute allure sur la petite route : failli le tuer ! Failli le tuer !

Une fois seulement, sur Glacier Road, un doute s'insinua dans son esprit. S'était-il montré bon et sage ou avait-il simplement eu peur ?

Carl savait qu'il était lâche. S'il cachait ses terreurs aux autres, il ne pouvait se leurrer lui-même. La lâcheté n'était pas le pire. Certes, c'était moche de ne pas se défendre, de laver pour rien ces fichus sols après une journée d'emballage sous prétexte que Tommy Reinquist le lui avait demandé et qu'il avait peur de se faire virer, ou de laisser le père de Mattie lui dire comment on s'occupe d'un cheval. Personne n'était plus doux avec les chevaux que Carl. Avec eux, il avait quelque chose à se faire pardonner.

Il avait à peu près huit ans le jour où il avait compris qu'il était lâche. Hilda n'en avait que quatre à l'époque, une enfant trapue aux joues pelées par le vent de janvier, un œil paresseux et le nez qui coulait – Carl et elle attendaient le père de Hilda sur la plate-forme devant le moulin, ils observaient ces garçons costauds qui hissaient des sacs d'avoine sur leurs épaules pour les porter sur la charrette. Carl se rappela son admiration pour ces garçons, il espérait, quand il serait grand, pouvoir porter deux sacs d'un coup, un sur chaque épaule, comme Gunther Sweitzer. Hilda pleurnichait à cause du froid, alors, pour la distraire, Carl dessina une grosse oie dans la neige avec un bâton. Il venait de terminer quand elle s'empara du bâton et gribouilla le dessin avec des gloussements de rire, en projetant des nuages poudreux dans l'air lourd et gris. Puis, solennellement, elle lui rendit le bâton pour qu'il lui dessine autre chose.

Il était en train de tracer des volutes de fumée blanche qui sortaient d'une cheminée blanche, lorsqu'il entendit l'homme beugler, puis le fouet siffler et claquer. Le cheval qui apparut au coin de la rue, tirant une charrette de charbon, était manifestement malade. Il avait la tête basse, les sabots écartés ; entre les injures et le fouet, on entendait son souffle déchiré.

— Je vais t'apprendre, moi, hurla l'homme, debout devant le banc sur la charrette. Je vais t'apprendre !

Le fouet déroula sa boucle noire dans les airs, et Carl entendit un rire aboyer dans le trou noir au-dessus de la barbe rousse de l'homme.

Il se contracta et fit un pas en arrière, Hilda mit sa main dans la sienne. Le cheval tenta de poser son sabot, glissa sur une plaque de verglas et tomba sur les genoux.

— Non, pas de ça, fit l'homme.

Renversé en arrière, il tira sur les rênes et parut presque remettre le cheval debout à la seule force de ses bras.

Mais en quelques secondes l'animal retomba, une jambe atrocement tordue, alors l'homme abandonna les rênes et concentra toute son énergie sur le fouet brûlant, il l'abattit à plusieurs reprises sur le dos du cheval, puis se pencha et le frappa à l'encolure, lui laissant une traînée sanguinolente sur l'oreille, du côté où se trouvaient Carl et Hilda.

— Arrêtez, chuchota Carl.

Dans sa tête, il entendait cette injonction comme un cri, pourtant seul un son maigrelet et gonflé de larmes passa ses lèvres.

— Arrêtez, répéta-t-il. Arrêtez.

Mais il s'écrasait contre le mur du moulin, comme pour le traverser.

— Arrêtez.

Il n'avait parlé qu'à ses bottes et prononcé le mot dans la laine de la casquette de Hilda, qui, blottie contre lui, ouvrait de grands yeux étonnés.

Personne n'arrêta l'homme. Ni Gunther ni les autres garçons. Ni le père de Hilda ni Mr. Fry, le propriétaire du moulin. Personne ne l'arrêta jusqu'à ce que Hilda fasse un pas en avant.

Elle se retourna une fois pour regarder Carl, comme pour s'assurer qu'elle comprenait bien ce qu'il voulait, et s'avança résolument au bord de la plate-forme. Puis elle hurla avec une voix qui paraissait lui sortir du ventre :

— Arrêtez! Arrêtez! Arrêtez!

L'homme tressaillit. Il hésita, puis le fouet retomba mollement contre sa main. Ses cris firent accourir le père de Hilda, Mr. Fry et les grands costauds. Avec eux tout changea, si bien que maintenant c'était l'homme qui s'effondrait sur ses genoux, en larmes, manquant tomber de la charrette, pendant que Gunther libérait le cheval de son harnais.

— Sa femme l'a plaqué hier, dit Mr. Fry au père de Hilda.

Et le père de Hilda hocha la tête, comme si cela signifiait quelque chose.

Bien, songea Carl avec une sérénité confiante qu'il n'avait encore jamais éprouvée. Cette fois, quelle importance si c'était la peur qui l'avait retenu? Il était heureux d'avoir laissé cet homme en vie. Et si c'était la lâcheté qui l'avait empêché de tirer, il était heureux d'être lâche. En tout cas, il en avait fini avec la Mathilda qui l'avait torturé. Il avait suivi la piste qu'elle avait laissée jusqu'à son terme ultime et n'avait découvert qu'un homme en peignoir, qui bricolait dans ses plants, un homme avec qui il n'avait absolument rien à voir. Il était délivré, maintenant, libéré de cette mystérieuse épouse qu'il ne connaîtrait jamais et prêt à repartir de zéro avec la Mathilda qu'il avait aimée, posée au fond de son cœur comme une douce couverture.

****

Après une nuit blanche, ce matin-là Amanda n'entendit aucun bruit dans la chambre de Carl, et elle sut que sa confession l'avait poussé à partir. Elle songea avec amertume qu'autrefois elle avait souhaité le voir s'en aller. Elle ne pouvait pas lui en vouloir, mais l'idée qu'il soit parti à cause d'elle, par dégoût, la rendait malade ; sous les couvertures, elle ramena ses genoux sur sa poitrine douloureuse et enfouit contre eux son visage gonflé de larmes. C'était à *elle* de disparaître, si, après avoir lu dans son âme, Carl n'avait pu supporter sa proximité. Comment avait-elle pu être assez idiote pour espérer son pardon et son aide ? Tout se passait bien, parfaitement bien avant. Si seulement il ne l'avait pas interrogée, songea-t-elle en s'agitant dans une colère impuissante qui emmêlait drap et couverture. Si seulement elle ne lui avait pas avoué la vérité. Si seulement ils pouvaient revenir en arrière, elle se cramponnerait à son histoire, jamais elle ne hocherait la tête quand il pointerait du doigt le nom de Clement.

Elle finit par s'obliger à sortir du lit, se lava la figure au lavabo et ficha des épingles dans une coiffure sévère. D'accord, se dit-elle en tirant avec force sur les lacets de ses chaussures noires. D'accord. Mais le mot n'avait pour elle aucun sens particulier, sinon de marquer un rythme qui l'entraînait d'une tâche à l'autre.

Plus tard ce matin-là, en lavant le linge dans la fraîcheur de la cave, elle se sentit un peu mieux. Elle actionna la manette de la lessiveuse, agitant impitoyablement les chemises sales de Carl dans leur bain gris savonneux. D'accord. Il voulait partir, qu'il parte. Ruth et elle seraient très bien toutes seules. Mieux, en fait. Un pincement de peur lui fit lâcher un instant la poignée. Qu'est-ce qu'elle allait dire ? S'il ne rentrait pas déjeuner, comment allait-elle lui expliquer ?

Elle dirait qu'elle n'en savait rien. C'était la vérité. De toute façon, il était tellement bizarre depuis quelques années : il partait pour ses mystérieuses virées, surgissait des bois à l'est quand elles le croyaient dans le champ de l'ouest, sautait des repas, s'exaltait ou se morfondait, si maussade et si égaré que

Ruth ne serait pas plus étonnée que ça s'il ne revenait plus. Quant à Rudy, eh bien Rudy croirait ce qu'Amanda lui raconterait.

Et s'il revenait, quelle serait leur vie ? Elle s'effondra sur la cuve, écrasée par le souci. Comment pourrait-il la regarder sans se rappeler ce qu'elle avait fait ? Comment pourrait-elle le regarder, sachant qu'il ne lui avait pas pardonné ? Supporteraient-ils de continuer cahin-caha, jour après jour, en se faisant horreur ?

Elle se dit qu'il pouvait aussi vouloir la chasser. Il verrait peut-être cela comme un droit, un devoir, même. Après tout, pouvait-il laisser sa fille sous une telle influence ? Bien sûr, elle ne partirait pas. Elle avait autant que lui le droit de rester – elle tordait ses chemises pour les faire entrer dans l'essoreuse –, la ferme lui appartenait pour moitié. Et s'il voulait emmener Ruth ailleurs ?

Qu'il essaie un peu, se dit-elle, livrant une nouvelle chemise aux mâchoires de l'essoreuse tandis que l'eau froide ruisselait sur ses mains rougies. Quoi qu'il arrive, jamais elle ne laisserait Ruth partir.

Vers dix heures, alors qu'elle était en train de pincer les chemises sur le fil, un nuage de poussière flotta dans sa direction le long de la route. Elle réprima son inquiétude : se baisser, secouer, épingler, pan de chemise contre pan de chemise, les manches pendantes, aucune reddition. Elle était prête – elle fit claquer rudement une liquette humide dans le ciel bleu –, prête à entendre tout ce qu'il avait à lui dire, tout.

Il la fit attendre. Il pénétra dans la maison, ressortit en sifflotant. Se rendit à l'écurie, ressortit en chantonnant. La fois suivante, elle le vit par une fenêtre de l'étage, il franchissait le coteau avec la moissonneuse. Elle mit dans son vieux sac de voyage quelques vêtements de Ruth, une robe à elle, et y glissa aussi les billets qu'elle gardait dans une boîte à café. Elles seraient prêtes, si nécessaire.

Au déjeuner de midi comme au dîner de six heures, Carl ne dit que des choses qu'il aurait aussi bien pu dire deux jours avant, avant qu'elle n'aille tout gâcher par son honnêteté. Il demanda à Ruth ce qu'elle avait appris à l'école, ce qu'elle avait vendu sur son étal, si les dernières framboises poussaient, et pourvu qu'il ne pleuve pas demain. Amanda le vit sourire à Ruth et à Rudy mais, les yeux rivés sur les assiettes, elle évita son regard. Pourtant, après le dîner, alors qu'ils étaient tous assis au salon – Ruth à sa lecture, Amanda à son ravaudage, et Rudy simplement assis, les pieds sur le pouf, pendant la demi-heure qui précédait son lent repli vers son antre au-dessus du garage –, oui, là il se produisit une chose inhabituelle. Carl ouvrit le petit placard sous le phonographe et dit :

— Pourquoi est-ce qu'on ne passe jamais ces disques ?

— Oh ! ils sont si vieux, objecta Amanda sans lever les yeux de la chaussette qu'elle reprisait.

Mais Carl n'écouta pas, il tourna la manivelle, et, soudain, la musique d'*Alexander's Ragtime Band* gambada et cabriola dans la pièce.

Il se produisit ensuite une chose plus étrange encore, Amanda y songea plus tard. Après coup, elle eut peine à y croire, mais c'était tout de même arrivé.

— M'accordez-vous cette danse, madame ?

Carl s'inclinait, l'air cérémonieux, la main tendue.

— Carl...

Elle eut un rire gêné, répondit non de la tête. Ce n'étaient pas des choses à faire, vu la situation. Où voulait-il en venir ? Est-ce qu'il se moquait d'elle ? Mais il souleva la main d'Amanda de l'accoudoir, et elle se laissa mettre debout, se laissa guider entre les meubles, jusqu'au moment où elle s'aperçut qu'elle dansait autant que lui.

— Retire cette chaise, Ruth, fit-elle dans un souffle tout en se tassant contre Carl pour échapper au pilastre de la rampe d'escalier.

Lorsqu'ils virent Rudy et Ruth essayer de danser une polka sur un air de ragtime, ils changèrent de partenaires pour que Carl puisse apprendre à Ruth le *turkey-trot*. Il lui dit :

— C'était ce qu'on dansait toujours avec ta mère.

Chacun leur tour, ils choisirent les disques, lancèrent le phono, puis Rudy s'effondra dans un fauteuil en éventant son visage anguleux avec un *Ladies'Home Journal*, et Amanda, entendant sonner la pendule de la cuisine, se rappela que Ruth avait école le lendemain, devait boire un verre de lait et filer au lit.

Quand tout fut silencieux dans la maison, elle disposa en se trémoussant un peu autour de la table les assiettes et les bols du petit déjeuner. Dans le salon, elle trouva Carl en train de tirer le canapé pour le remettre à sa place.

— Attends.

Sans difficulté elle en souleva un côté, dédaignant l'image de sa mère qui se renfrognait toujours devant la force si peu distinguée de sa fille. À présent qu'était terminé le drôle de bal, elle se sentait encore plus méfiante à l'égard de Carl, mais le corps-à-corps avec les meubles l'aida.

— C'était une bonne idée, dit-elle presque timidement, tâtant le terrain.

— On aurait dû faire ça depuis toujours. Au moins le samedi soir. Et faire venir des enfants pour Ruth.

— Peut-être, répondit Amanda tout en lissant une têtière sur le bras du canapé, tout près.

L'idée seule la frappait de panique. Ruth ne voyait-elle pas assez d'autres enfants à l'école?

— J'ai pris une décision, aujourd'hui, dit Carl.

Il s'assit dans un fauteuil et se dégagea le front en tirant en arrière sa chevelure d'adolescent.

Nous y voilà, se dit Amanda, tiraillant toujours la dentelle blanche – aurait-elle rétréci au dernier lavage? Maintenant, il allait parler de Clement et d'Imogene. Lui dire comment il faudrait payer.

— Je vais chercher du travail.

— Quoi?

La têtière glissa de l'accoudoir et voleta jusqu'au plancher.

— Le mari de ma cousine Hilda, il est second sur un cargo. Il peut m'avoir une bonne place.

— Oh! une bonne place. C'est bien, ça, une bonne place, s'entendit-elle répondre.

— Tu as raison : on a besoin d'argent, poursuivit Carl. J'ai été trop longtemps désaxé, inutile ici. Il est temps que je me mette au boulot.

— Tu n'es pas inutile, Carl.

Alors comme ça ils faisaient comme si elle n'avait rien avoué, comme s'il prenait tout simplement les mesures pratiques qu'elle suggérait depuis un an. Il rendait les choses plus faciles qu'elle ne l'eût jamais espéré. Il la laissait s'échapper encore et, cette fois, sans même qu'elle ait à bouger. Mais, elle s'en rendait compte à présent, ce n'était pas ce qu'elle voulait. Elle était fatiguée de fuir, de se cacher, de vivre seule avec cette monstrueuse bosse de vérité sanglée dans son dos. Alors, en le voyant assis là, à frotter machinalement d'une main le trou dans sa cuisse, jamais vraiment cicatrisé, elle le savait, Amanda oublia ses regrets convulsifs du matin. Elle désirait maintenant ce qu'elle avait désiré la veille au soir, quand Carl s'était dressé dans l'embrasure de la porte en pointant le doigt sur un article tiré de son album, quand elle s'était dit que, par quelque silencieuse et miraculeuse communication, il la comprendrait. Ce soir-là, à nouveau, elle brûlait de partager avec lui les événements qui avaient poussé leurs deux vies dans des sentiers si solitaires. Elle allait tout lui raconter et puis, plaise à Dieu, il dirait que ce n'était rien, qu'elle n'était pas responsable, que Mathilda pardonnerait. Elle s'approcha du précipice.

— Et c'est ta seule raison de partir, l'argent ?

— Tu en vois une autre ?

Alors comme ça il voulait qu'elle parle la première. D'accord. Ce n'était que justice. Elle prit une ample respiration avant de continuer :

— Je croyais, fit-elle en le fixant bravement droit dans les yeux, je croyais que ce que je t'ai dit sur Clement Owens...

Carl rejeta la tête en arrière dans une sorte de demi-rire, puis se leva et alla se poster à la fenêtre ouverte. Le temps avait changé, Amanda se fit cette réflexion à cause du courant d'air frais qui sauta le rebord de la fenêtre pour se glisser dans la maison. À bout de forces, l'été avait battu en retraite en quelques heures, et l'automne entamait sa marche triomphante depuis le nord du pays. L'air était froid, les insectes et les grenouilles, déchaînés la veille encore, demeuraient silencieux.

— C'était il y a si longtemps, dit Carl, tourné vers le bleu sombre d'un ciel impassible. Maintenant je ne la revois même plus physiquement. C'est horrible, non ? J'ai essayé, mais je n'y arrive pas, c'est tout. Pas vraiment. Ou juste par éclairs de temps en temps.

Il se tourna vers Amanda et dit avec une gravité émouvante :

— Difficile d'être sûr après si longtemps, mais je crois que je l'aimais pour de bon. Et je crois qu'elle m'aimait aussi. Mais, tu vois, elle a dû changer quand je suis parti. Je sais qu'elle a dû se sentir seule, en colère contre moi aussi. Si, je le sais, insista-t-il comme Amanda démentait en secouant la tête. Elle me l'a dit, et puis elle avait le droit d'être en colère, je me suis engagé sans rien lui dire parce que j'avais peur qu'elle refuse. Ce que je pense, poursuivit-il, et son débit se ralentit comme s'il déchiffrait une énigme tout en parlant, ce que je pense, c'est que ce n'est pas vraiment ma Mathilda *à moi* qui a eu ce bébé, mais cette autre femme qu'elle était devenue, une autre femme que je n'ai jamais connue. Voilà ce que je pense. Voilà ce que j'ai décidé, conclut-il, presque d'un air de défi.

Amanda se sentit tomber, puis s'enfoncer à toute allure dans un puits sans fond.

— Carl, non ! fit-elle, s'agitant. Mattie n'a jamais...

Mais les mots justes lui échappaient.

À ce moment-là, revenu s'asseoir près d'elle, il attrapa sa main qui fouettait le coussin sans qu'elle en eût conscience.

— Écoute, Amanda. Écoute-moi. Je sais que, d'une certaine façon, c'est ma faute. Je n'étais pas obligé de partir si vite. Je n'étais pas obligé de sauter sur l'occasion. À l'époque tu avais raison de dire que j'avais envie de partir. Je croyais que c'était une chose à faire pour un homme, et je voulais lui montrer — et montrer à tout le monde, y compris à moi-même — que j'étais un homme. Je n'ai pas réfléchi aux conséquences, pas pensé que je serais si loin, que je ne pourrais pas revenir.

Il soupira et détourna les yeux.

— Je dis juste que je sais ce que c'est de faire une chose et, plus tard, de trouver ridicules les raisons qui ont poussé à la faire. Je sais combien tout peut changer d'une façon qu'on n'a jamais souhaitée. Et je suis sûr que Mattie reviendrait, tout comme je l'ai fait, si elle pouvait, si le bébé ne l'avait pas tuée. Je sais qu'elle le ferait.

Amanda était abasourdie – autant par son propre silence que par la méprise de Carl. Pourquoi ne lui disait-elle pas la vérité? Elle voyait ses traits de plus près qu'à l'ordinaire tandis qu'il était là, assis près d'elle sur le canapé, et ils semblaient différents, les traits d'un étranger qui ne lui aurait ressemblé qu'autour des yeux. Il disait :

— Je me rends compte de ce que tu as fait pour moi et pour ma fille. Je sais que tu as abandonné ce métier d'infirmière pour lequel tu avais travaillé si dur. Ce n'est pas n'importe quelle sœur qui ferait ça. C'est une dette que je ne pourrai jamais espérer rembourser, je le sais. Mais à partir d'aujourd'hui, je vais au moins m'acquitter de ma part.

Il n'avait rien compris du tout. Il n'y avait pas eu communication des esprits, il n'avait pas lu dans son âme. Et voilà qu'elle le laissait croire que Mattie... oh! pauvre Mattie. Pauvre Carl. Et, en même temps que la pitié et la honte, elle sentit poindre en elle l'indignation, une indignation qui lui faisait honte, celle de ne jouer, dans cette version des événements, qu'un rôle très accessoire.

— Carl..., commença-t-elle.

Ma fille, il avait dit « ma fille » comme si Ruth n'était qu'à lui. Il avait dit « rembourser » comme s'ils étaient engagés dans une sorte de transaction, comme si chaque minute passée avec Ruth ne l'avait pas été par amour. Les doigts de Carl serraient fermement les os frêles de son poignet : étaient-ils une sécurité ou une menace? Parle, se dit-elle à elle-même, mais parle donc. Elle posa sa main sur celle de Carl pour qu'il écoute, et alors sa cicatrice sourit à Amanda.

— Ce n'était pas ta faute, s'obligea-t-elle à dire. Ni celle de Mathilda. C'était ma faute. Je l'ai lâchée.

****

Bien sûr, cette explication n'était pas suffisante, Amanda se l'avoua la semaine suivante, après le départ de Carl pour Sheboygan où il embarquait sur le *Rebecca Rae*. Il lui avait tapoté la main sans comprendre et lui avait répété à quel point il lui était reconnaissant d'élever Ruth ; alors elle s'était mise à sangloter et à suffoquer si violemment qu'elle avait été incapable de poursuivre. Voilà, c'était pis que ça ne l'avait jamais été. Lui laisser croire le pire sur Mattie, c'était comme si elle avait menti. Seul son serment de lui révéler toute la vérité la prochaine fois que le bateau accosterait à Milwaukee la rassérénait assez pour lui permettre de trouver le sommeil. Mais, avec le réconfort qu'apportait le matin, elle voyait bien l'inanité de cette promesse.

Entre-temps, Carl envoya des cartes postales de coins comme Gary et Duluth, que Ruth rangea précieusement dans une boîte qui avait autrefois contenu du papier de ménage.

— Elle venait d'où la dernière? disait toujours Amanda, s'en remettant à Ruth quand les gens demandaient après Carl.

Et, quand elle répondait Sault Sainte Marie ou Green Bay, ils claquaient la langue en secouant la tête.

— C'est bien d'un homme d'avoir envie de voir le monde, disaient-ils, comme si tourner en rond dans les Grands Lacs avait quelque chose d'exotique et de suspect.

Ruth écoutait à peine. Elle commençait à comprendre qu'il fallait toujours que les gens disent quelque chose.

Elle gardait sa boîte à cartes postales dans la maison de l'île. Elle aimait les regarder là-bas, où elle n'était pas obligée de les partager avec Amanda, où flottait encore l'odeur des cigarettes de son père et où les taches de lumière folle sur le sol lui rappelaient comment il avait arraché les planches des fenêtres. Elle localisait sur une carte chaque ville d'où il avait envoyé une carte et gravait dans sa mémoire les façades et la végétation figurant sur l'image; tout en sachant que c'était absurde, elle s'imaginait que, s'il ne revenait pas, elle pourrait retrouver sa piste grâce à ces maigres indices.

13.

Amanda

On me pose des questions sur ma main, non seulement Ruth, mais aussi des gens que ça ne regarde pas. Ils la montrent du doigt, ils ont l'air horrifiés. C'est incroyable tout ce que les gens pensent être en droit de savoir. Ils disent :

— Qu'est-ce que c'est que ça ? Une morsure ? Qui vous a mordue ?

On pouvait m'avoir mordu la main à l'hôpital, du temps où je soignais les soldats. On ne s'imagine pas la férocité des hommes quand la peur les rend fous, quand ils savent qu'ils vont mourir, quand ils vous prennent pour un ange en train de les pousser dans la tombe.

Carl, lui, n'a jamais posé la question. Je crois qu'il ne tenait pas à savoir ce qui pouvait transformer un être humain en animal.

****

— Il fait assez chaud pour toi ? demanda Ray tout en tendant à Ruth l'une des boissons qu'il apportait à la table.

— Mmm, acquiesça-t-elle.

Elle but une petite gorgée de whisky-citron vert pendant qu'il s'asseyait. Elle hocha la tête avec un sourire figé. Elle ne trouvait rien à dire.

— Oui, il fait chaud, dit-elle enfin.

Il lui adressa un grand sourire, plein de gratitude.

— Ça on peut le dire !

Il se leva en voyant Imogene approcher de la table.

— Il fait assez chaud pour toi ?

— Jamais ! répondit-elle.

Et elle lui saisit la main, l'entraînant vers la piste pour danser le shimmy, avec, du bout des doigts, un petit signe secret à l'intention de Ruth.

Ruth et Imogene étaient allées danser tous les vendredis soir depuis que le nouveau kiosque de danse avait ouvert en ce mois de juin 1937. Le kiosque était une estrade en bordure du lac et, quand l'orchestre jouait, l'eau emportait la musique sur des kilomètres. Les estivants, qui possédaient des petites maisons ou des châteaux le long du lac — tout dépendait non tant de leurs moyens mais de l'idée qu'ils se faisaient d'une maison de vacances —, ces gens-là arrivaient au kiosque en bateau tandis qu'Imogene et Ruth, les « condamnées à perpette », comme disait Imogene, venaient dans la Ford des Lindgren.

— Tu sais que ton bas est filé derrière ? Tu ferais mieux de rentrer en changer, avait dit Imogene ce soir-là en passant chercher Ruth.

Mais Ruth n'avait pas d'autre paire de bas présentable, et elles passèrent toutes deux une minute à examiner la maille filée, en essayant de déterminer si elle se voyait vraiment tant que ça. Ruth se tortilla un peu pour mieux voir et alors — ziiiiip —, bien sûr, la maille fila tout du long, non sans s'élargir un peu aussi.

Elle ôta les bas — de toute façon, elle avait horreur de tout ce qui tenait chaud — et les jeta sur le siège arrière. Elle descendit la vitre le plus bas possible pour sentir la brise sur sa peau pendant qu'elles roulaient.

Il faisait *vraiment* chaud. S'il ne brillait pas par son originalité, en tout cas, Ray avait raison. L'air velouté et humide du kiosque de danse était saturé d'odeurs : fumée, parfums fruités bon marché, rouge à lèvres, shampooing et sueur couvrant le chèvrefeuille, herbe, vapeurs d'essence montant des moteurs de bateau. Ses jambes nues, que Ruth avait trouvées presque audacieuses dans la voiture, la gênaient à présent. Quand elles étaient croisées, une nappe de sueur se formait entre le haut d'une cuisse et le dessous de l'autre. Elle essayait autant que possible de les garder sous la table.

Ce genre d'occasions était une épreuve pour elle, même si elle savait qu'elle aurait dû les apprécier comme les autres. À l'école de commerce Brown, tout le monde ne parlait plus que du nouveau kiosque de danse, et, comme Ruth l'avait craint dès la première fois où il avait été évoqué, Imogene lui fit clairement comprendre qu'elle n'avait pas le choix.

— Bien sûr que tu vas venir !

Puis elle entreprit l'inventaire mental de ses robes, afin de décider s'il était nécessaire d'en réclamer une neuve à ses parents.

— Pense aux opportunités, Ruth. Tout le monde y sera. Bobby Hanser et Harold Koch, et tous les estivants.

Bobby Hanser et Harold Koch étaient deux garçons auxquels Imogene parlait parfois, quand ils passaient à la boutique avant une journée de pêche. Mais elle expliqua à Ruth qu'ils n'avaient absolument pas le genre pêcheur.

— Ce sont des marins, déclara-t-elle fièrement, des membres du yacht-club. Ils parlaient de faire des régates avec leurs classes A. Et je parierais qu'ils ont aussi des yachts à glace.

— C'est quoi les classes A ?

— Les gros, je crois. Ouais, j'en suis sûre.

Imogene et Ruth avaient souvent admiré les rassemblements de ces magnifiques bateaux le dimanche après-midi. Ils se déployaient sous le vent frais et couvraient presque toute la surface du lac, repoussant vers les bords les bateaux plus petits, pêcheurs et dériveurs.

— J'aimerais bien monter sur un de ces bateaux, disait souvent Ruth.

Et Imogene, qui appréciait certes leur élégance mais aussi l'élégance des loisirs qui allaient avec, acquiesçait.

Depuis le rivage, avec les jumelles d'Amanda, elles suivaient leurs préférés grâce aux chiffres inscrits sur leurs voiles. Imogene aimait bien V 7, qui avait un pont bleu ciel, mais encourageait aussi loyalement le jaune de Bobby ; quant à Ruth, elle préférait un bateau vert d'eau.

— C'est celui d'Arthur Owens, dit Imogene.

Et, lorsqu'il tourna la tête, Ruth vit dans les jumelles le cordon qui retenait ses lunettes pour qu'elles ne tombent pas dans le lac.

Afin qu'Imogene puisse mieux connaître Bobby, Harold et leurs amis, peut-être même sortir avec l'un d'eux, voire l'épouser – on ne sait jamais, n'est-ce pas ? –, depuis quatre semaines, tous les vendredis, Ruth passait sa plus belle robe, celle que Tante Mandy lui avait faite trois ans plus tôt.

Tante Mandy était contre ces soirées dansantes.

— Pourquoi veux-tu aller parler à tous ces garçons inconnus ? lui demanda-t-elle ce soir-là depuis le seuil de la salle de bains. Ça ne plairait pas à ton père, je le sais.

Juchée sur le couvercle des toilettes, Ruth tentait de saisir le maximum de son reflet dans le miroir au-dessus du lavabo.

— D'accord, dit-elle à Amanda tout en redescendant avec un bruit sourd. Je ne leur parlerai pas.

Elle entreprit de se coiffer mais, pris dans un nœud, le peigne lui échappa des doigts, et elle poussa un soupir exaspéré.

— De toute façon, je n'y vais que pour Imogene.

— Laisse-moi faire, dit Amanda.

Elle ramassa le peigne et, avec adresse, natta les cheveux de Ruth dans tous les sens. Elle planta rudement les épingles, sans se soucier d'éviter le cuir chevelu, mais l'effet était réussi.

— De si beaux cheveux, dit-elle, comme ceux de ta mère. Tu ne te félicites pas de m'avoir écoutée et de ne pas les avoir fait couper, juste pour suivre une mode idiote ?

Maintenant, tout en savourant le picotement aigre-doux de sa boisson, Ruth se disait que Tante Mandy n'avait pas besoin de s'inquiéter pour les garçons inconnus. Les garçons, comme les filles, d'ailleurs, ne s'intéressaient qu'à Imogene. À peine étaient-elles arrivées qu'ils l'avaient attirée à l'écart de Ruth et étaient pendus à ses lèvres, l'arrière de leurs chaises en suspens au-dessus du plancher, tandis que, penchés vers elle, ils lui offraient une allumette, un cocktail ou des bouts de ragots chuchotés avec des « dis, t'as entendu », « dis, t'as vu » et des regards furtifs en direction des héros de leurs anecdotes. Calée dans le fond de son siège, avec son verre suintant et son sourire figé, Ruth faisait de son mieux pour écouter la musique.

Lorsque Bobby Hanser apparut soudain, elle vit Imogene jouer l'étonnée et feindre de se faire prier avant de prendre enfin sa main pour l'entraîner au beau milieu de la piste avec une habileté consommée. Ruth se dit qu'Amanda se trompait : son père aimerait cet endroit. En regardant Imogene et Bobby danser le fox-trot, elle se rappela la joyeuse soirée du phonographe, mais il n'y en avait plus eu d'autre au cours des brèves semaines où il était rentré à la maison, quand le *Rebecca Rae* était à quai à Milwaukee ou à Chicago. Si sa mère avait été vivante, il aurait voulu l'emmener danser. Ruth songea avec un peu de douleur dans la gorge que ce serait bien si quelqu'un avait envie de l'emmener danser comme ça. Mais elle rejeta la tête en arrière. De toute façon, qui voulait-elle comme soupirant ? À coup sûr aucun des garçons qui se trouvaient là. Il lui vint alors à l'esprit, comme toujours vers cette heure-là, de faire un tour aux toilettes. Si elle disparaissait un petit moment, personne ne s'en rendrait compte.

Elle se fraya un chemin entre les tables et contourna la piste de danse en esquivant les coudes avec des « Pardon » et des « Excusez-moi » ; quand les corps ne remarquaient rien et ne bougeaient pas, elle se mettait de profil pour se faufiler entre eux. Le rire soudain d'une fille éclata dans son oreille ; un homme fit un pas en arrière et lui broya l'orteil de son talon ; des robes transparentes tournoyaient ; les cous étaient moites de sueur ; la musique et les voix s'enchevêtraient avec exubérance. Ruth poussa la porte marquée NÉNETTES et se glissa à l'intérieur.

Dans la pièce fraîche et presque silencieuse, elle se dirigea droit sur le banc rembourré au tissu rose brillant qu'on avait poussé contre un mur sous les fenêtres, une commodité au cas où une fille se sentirait une petite faiblesse et aurait besoin d'un coin tranquille où récupérer. Elle se débarrassa de ses chaussures d'un coup de talon, ramena ses pieds sous elle et sortit de son sac un roman. Elle allait finir ce chapitre, pas plus, ensuite elle retournerait sauver les apparences.

Elle n'avait lu qu'un paragraphe quand la porte s'ouvrit à la volée sur un torrent de bruit et sur deux filles qu'elle connaissait de vue pour appartenir à la bande de Bobby Hanser. Elles lui accordèrent à peine un regard, puis l'une d'elles pénétra dans un cabinet pendant que, penchée au-dessus du lavabo, le visage à quelques centimètres à peine du miroir, l'autre repoussait les cheveux sur son front pour examiner sa peau. Elle fit la moue à son reflet.

— C'est une petite effrontée, tu ne trouves pas ? dit la fille des cabinets par-dessus un ruissellement d'eau.

— Je ne sais pas, Zita. Tout ce que je vois, c'est qu'il l'a invitée à danser.

— C'est bien ce qu'elle veut que tu voies. Je les connais, les filles comme elle.

Au bout d'un moment, elle ajouta :

— Ça se sent sur elle, t'as remarqué ?

— Qu'est-ce qui se sent ?

— L'eau d'asticot.

— Je te le fais pas dire, répondit l'autre.

Elle ouvrit un poudrier et se poudra les joues.

— Dommage qu'on ne puisse pas la mettre en bouteille et la vendre aux gens du coin.

— Bobby a l'air d'apprécier, lui.

Un bruit de chasse d'eau, puis Zita reparut et rejoignit son amie devant le lavabo.

— Oh ! tu connais Bobby et ses flirts d'été. Quand il fait chaud, il aime tout ce qui porte un jupon. L'autre jour, il disait qu'il la trouvait mignonne, dans son petit tablier, quand elle sortait les vers de la boue en les tenant par la queue. Tu ne trouves pas que ça dépasse les bornes ?

Tout en se lavant les mains, elle s'inclina vers le miroir et découvrit ses dents.

— Oh ! ça, il est inconstant. Je devrais le savoir, fit l'autre fille, les bras croisés.

— Qu'est-ce que je fais avec ça ? demanda Zita en brandissant la serviette avec laquelle elle s'était séché les mains.

— T'as qu'à lui donner, répondit son amie.

Et, en sortant, elle désigna Ruth d'un mouvement de tête.

****

Comme elle se frayait un chemin afin de regagner sa table, Ruth se retrouva poussée au bord de la pièce, quasiment plaquée contre la moustiquaire qui courait sur tout le pourtour du kiosque pour décourager les insectes. Les vagues au-dessous d'elle léchaient les pilots avec la régularité d'un souffle. Elle regarda l'eau noire et eut vraiment envie de voir son père friser la nappe du clair de lune dans sa barque et tirer sur les rames, la tête tournée par-dessus son épaule pour évaluer la distance. Il se ficherait des autres. Il ne viendrait que pour elle.

Lorsqu'elle se retourna, Ruth tressaillit en constatant que, de l'autre côté de la piste, Arthur Owens l'observait. Ce n'était pas gentil de la fixer comme ça alors qu'elle errait, visiblement seule, visiblement inintéressante pour tout le monde. Depuis quand des choses pareilles avaient-elles de l'importance ? se demanda-t-elle, furieuse, en fronçant les sourcils à l'intention d'Arthur. Adossé à la rambarde, il discutait avec les deux filles qu'elle avait vues dans les toilettes. Qu'est-ce qu'elles lui avaient raconté sur elle ? Vite, Ruth se dépêcha de regagner sa table.

Imogene et Ray étaient en train d'essayer une danse où il la faisait tourner à droite, puis à gauche, pendant qu'elle avançait d'un pas, deux pas, trois pas et à quatre on recule. Ils avaient vu Fred Astaire et Ginger Rogers danser ça, mais l'affaire se révélait plus difficile que prévu. Ruth nota que, même s'il s'efforçait de se concentrer sur sa conversation, à présent, c'était Imogene qui attirait l'attention d'Arthur. Elle le voyait rire et hocher la tête, mais chaque fois qu'il pouvait il jetait des regards dans la direction de la jeune fille. À nouveau en sécurité sur sa chaise, Ruth l'observait le plus attentivement possible sans que ça se voie trop : Imogene voudrait connaître tous les détails.

L'une des filles auxquelles il parlait, celle qui avait donné sa serviette à Ruth, fit brusquement un pas en avant et lui attrapa la main pour l'entraîner sur la piste. Au moment où il voulut poser son verre sur la rambarde pour la suivre, Ray fit virevolter Imogene, laquelle ripa à pleine vitesse dans le bras tendu d'Arthur.

Il y eut un instant d'hébétude générale, suivi d'un tourbillon de serviettes de table. Imogene, Arthur et Ray riaient. La fille qui voulait danser avait l'air moins ravie. Ruth, qui avait assisté à la scène comme au théâtre, s'énerva un peu en voyant Imogene entraîner le groupe vers sa table.

— Voici Bobby, annonça-t-elle à la cantonade. Et voici son cousin Tom, et puis Zita et Kitty. Et voici Arthur, conclut-elle, une main sur son bras.

Puis, en commençant par Ruth, elle nomma tous ceux qui se trouvaient à la table.

— Maintenant les présentations officielles sont faites.

Arthur sourit à Ruth, elle rougit. S'était-il rendu compte qu'elle l'observait?

— Vous savez que j'ai fait un 76 aujourd'hui? déclara Bobby à tout le groupe en s'asseyant.

Ils furent plusieurs à paraître convenablement impressionnés et à fournir leurs meilleurs scores à titre de comparaison. Ruth ne s'étonna pas de voir Imogene dominer bientôt la tablée, bien qu'elle n'eût jamais mis les pieds sur un parcours de golf. Puis Ray dansa avec Zita et Arthur avec Imogene.

Lorsqu'ils revinrent à la table, en s'éventant le visage à deux mains, elle informa son cavalier.

— Maintenant, tu vas danser avec Ruth.

— Non, on va faire une balade en bateau, dit Bobby.

— Une seule danse, repartit Arthur, et il tendit la main à Ruth.

Ruth aurait préféré ne pas danser; par-dessus son épaule, elle fit la grimace à Imogene tandis qu'Arthur la guidait vers la piste. Après tout, s'il avait voulu l'inviter à danser, il lui aurait demandé lui-même. Mais Imogene avait déjà entrepris Tom, à qui elle racontait une histoire en agitant les mains pour faire tinter ses bracelets et en inclinant la tête de sorte que ses boucles ondulées lui balayaient les épaules. Ruth renonça, elle se tourna pour faire face à son partenaire.

— Il fait chaud, tu ne trouves pas? dit-elle.

Arthur était à l'aise, détendu. Il lui tendit la main. Il sourit. À travers ses lunettes rondes, il la regardait comme si c'était elle qu'il avait voulue depuis le début.

Ce n'était qu'un fox-trot, mais Ruth n'arrivait pas à attraper la cadence. Elle essaya de le toucher légèrement, de poser sur son épaule une main douce comme un papillon de nuit, mais sans parvenir à s'adapter à son rythme, alors elle dut s'agripper à lui, lourde et maladroite, tandis qu'il la faisait aller et venir à toute vitesse et qu'à chaque secousse ses cheveux se dénouaient d'une façon alarmante.

Soudain il se passa quelque chose. Peut-être était-ce juste la chaleur et l'alcool qui avaient fini par avoir raison d'elle. Elle se cramponnait toujours à Arthur, mais à présent elle bougeait avec lui, souple, fluide comme l'huile. Elle le laissa l'attirer à lui jusqu'à ce que leurs pas s'accordent. Elle se laissa diriger et s'oublia. Elle tournait, la tête en arrière, et regardait tournoyer le plafond; elle écoutait la musique, laissait ses pieds sauter et glisser à leur gré. Et son sourire n'était pas figé.

Quand le morceau fut terminé et qu'Arthur la reconduisit à la table, Ruth regarda autour d'elle, perdue : elle ne se rappelait plus quelle était sa chaise ni où elle avait laissé son sac. Bobby se leva et repoussa son siège d'un coup de genou.

— Alors, ce tour en Chris-Craft? On pourra pas aller très vite dans le noir, mais la balade est quand même sympa.

La troupe descendit sur la jetée, ils se bousculaient, jacassaient, pas plus impressionnés par la Voie lactée que par l'étendue d'eau noire qui s'agitait. Leurs voix portaient d'un bout à l'autre du lac, comme dans un gigantesque théâtre.

Ruth regarda Imogene grimper gracieusement sur le bateau et imita du mieux qu'elle put sa façon d'utiliser d'abord la main d'Arthur pour se stabiliser sur le ponton, puis l'épaule de Bobby pour garder l'équilibre sur le bateau. Elle se renfrogna lorsqu'elle faillit se tordre la cheville à l'étape finale, elle se sentait ridicule avec ses talons.

— Fais attention à toi, dit Arthur.

Elle songea avec irritation que ça ne servait jamais à rien de dire à quelqu'un de faire attention *après* qu'il avait trébuché. Sa main droite tremblait, c'était celle qu'Arthur avait saisie pour l'aider à monter sur le bateau, elle la pressa dans l'autre.

Ils avaient à peine trouvé à s'asseoir que Bobby mit les gaz, et ils quittèrent en flèche les lumières du kiosque. Tout à coup il fit une embardée, et Ruth dut attraper le bras de Tom pour rester assise sur son siège. Une embardée de l'autre côté, et elle faillit voler sur les genoux d'Imogene. Entre rires et hurlements, Kitty et Zita crièrent à Bobby de ralentir, mais il se contenta de sourire avec un nouvel écart qui, cette fois, projeta Arthur sur le sol et Imogene sur Arthur.

Bobby finit par se lasser de ce petit jeu, il ralentit. D'un placard en acajou situé à l'avant, il sortit une bouteille de whisky et des verres. Ruth jeta un regard à Imogene, qui lissait sa jupe pour la ramener sur ses genoux et s'adossait calmement aux coussins, alors elle eut presque pitié de ces filles et de leurs persiflages arrogants sur la boutique de pêche. Imogene ne sentait pas le moins du monde l'« eau d'asticot ». À l'évidence, elle était là dans son élément. Elle était née pour écouter le ronflement opulent du moteur, pour caresser le bois verni, lisse et brillant, de ses doigts élégants, pour tendre vers un verre en cristal sa jolie main ornée de la petite bague de bon goût que ses parents lui avaient offerte pour son baccalauréat.

— On va s'allonger et regarder les étoiles, déclara Zita en se laissant tomber sur le plancher du bateau.

Elle se coucha sur le dos, un genou fléchi, afin que tout le monde puisse apprécier la douce souplesse de sa cuisse.

Gênée pour elle, Ruth détourna le regard.

— Allez, Zita, lève-toi, dit Bobby.

Il lui offrait sa main, mais elle la repoussa d'un geste brusque.

— Attends ! J'entends l'eau ! fit-elle en pressant l'oreille contre les planches.

Elle se rassit soudain, attrapa la main de Ruth et voulut l'entraîner près d'elle.

— Écoute ! Coupe le moteur, Bobby !

Bobby obtempéra ; quant à Ruth, après avoir lutté quelques instants pour rester sur son siège, elle abdiqua et se baissa vers le pont.

— Écoute ! ordonna Zita.

Tendue, Ruth pressa l'oreille contre le bois. À travers les planches vernies elle entendit l'eau clapoter, suçoter, fatiguer la coque pour essayer d'entrer.

La voix de Kitty retentit au-dessus d'elle.

— Vous savez ce qu'on m'a raconté sur ce coin ?

L'oreille toujours pleine de suçotis-clapotis, suçotis-clapotis, Ruth vit Kitty pointer le doigt vers l'eau.

— Pendant la guerre, une femme a noyé son bébé sur cette île. Il paraît que, la nuit, on peut entendre le bébé pleurer. C'est vrai ?

Elle fixa d'abord Imogene, puis baissa les yeux vers Ruth.

— Vous avez entendu parler de ça ?

— Non ! fit Ruth en se redressant brusquement. Bien sûr que non. C'est n'importe quoi !

Pourtant, maintenant encore elle entendait un bébé pleurer dans sa tête, un petit gémissement qui se faisait de plus en plus lointain, sans jamais disparaître tout à fait. Elle ferma les yeux pour le chasser mais il persista et, même sans avoir l'oreille collée au plancher, elle entendit le lac aussi, mêlé aux pleurs, et elle sentit l'eau, la langue mouillée de l'eau dans ses oreilles, dans ses yeux, l'eau qui l'enlaçait, qui l'attirait vers le fond.

Elle rouvrit les yeux, les étoiles fonçaient sur elle, elle eut la sensation de tournoyer dans l'espace, incontrôlable. Une vague reflua de son estomac dans sa gorge. Alors elle se hissa maladroitement sur le siège et vomit par-dessus bord.

Ils furent tous très gentils.

— C'est la chaleur, dit Kitty. Je me sens un peu patraque moi aussi.

— C'est parce que Bobby nous a secoués, fit Zita. Tu devrais pas conduire comme ça, je te l'ai dit.

— Et toi tu devrais pas dire aux gens de se coucher dans le fond du bateau, riposta Bobby.

— Tu as raison, répondit Zita. Excuse-moi, Ruth.

Ruth prit le mouchoir que lui tendait Imogene et se moucha.

— Ça va mieux, maintenant. C'est juste que j'ai pas l'habitude de boire autant.

— Si Bobby ne nous servait pas n'importe quel tord-boyaux, fit Arthur, ça n'arriverait pas. J'ai été malade, avec son gin, la semaine dernière.

Ruth voulut lui sourire, mais elle avait les lèvres tremblantes, et ses bras grelottaient tant qu'elle dut les croiser sur sa poitrine pour les tenir immobiles.

— Tu as froid ! s'exclama Arthur. Quelqu'un aurait une veste ?

Il courut à la proue du bateau et en revint avec une serviette qui restait de la baignade de l'après-midi.

— Pourquoi tu ne viendrais pas à l'avant avec moi ? dit-il en en drapant doucement les épaules de Ruth. L'air est plus frais loin du moteur. Tu vas me laisser conduire un moment, hein, Bobby ?

— Bien sûr, répondit celui-ci en s'installant sur un siège à l'arrière, entre Zita et Imogene. Emmène-nous par chez toi, qu'on voie s'il y a encore quelqu'un debout.

Arthur lança le moteur et alluma les feux de position d'un tour de bouton argenté. Le in-bord commença son blop-blop-blop rassurant, mais Ruth grelottait toujours. Partout, l'eau frisait comme un crêpe noir. Si elle plongeait ici, arriverait-elle jusqu'à la rive ?

— Depuis combien de temps tu viens par ici ? demanda-t-elle pour se détendre.

— Oh ! des années, répondit Arthur. La première fois, c'était quelques jours après la fin de la guerre. Je devais avoir cinq ans environ, mon père m'avait emmené voir le terrain qu'il voulait acheter. C'était l'époque où il pensait y élever des oies, tu sais, pour faire des couettes en duvet. Il croyait que les oies apprécieraient le bord de l'eau.

Arthur eut un petit rire.

— Il a toujours ce genre de plans complètement dingues.

— Et à la place il a construit une maison ?

— Eh bien non, pas vraiment à la place. On a effectivement eu les oies, et puis des pigeons voyageurs de compétition, et puis des chèvres, et puis il a converti la remise en atelier de photo. Il croyait tenir un moyen rapide de développer les films, mais ça n'a pas marché. On voyait tout le monde en double. En ce moment, il veut révolutionner le char à glace.

Il avait prononcé « révolutionner » avec ironie.

— Tu ne penses pas beaucoup de bien de ses idées ?

— Oh ! non, ses idées sont bonnes. Il déborde de bonnes idées. C'est juste que déborder, ça fait du dégât et que, bizarrement, il n'est jamais dans le coin pour faire le ménage. Je t'ai déjà vue en ville, poursuivit Arthur après deux ou trois secondes. Avec ta mère.

— C'est ma Tante. Ma mère est morte il y a des années.

Et alors, sans qu'elle sût pourquoi, elle eut envie de lui en dire plus, peut-être parce qu'il avait beaucoup parlé de son père.

— En fait, elle s'est noyée. Elle est passée à travers la glace.

— Ici? Dans ce lac?

Arthur dévisagea Ruth; les cinglantes rafales d'un jour d'hiver, il y avait très longtemps, lui revinrent à la mémoire.

****

— Maintenant, viens par ici. Pile de là à là, dit son père en indiquant à Arthur, cinq ans, l'emplacement voulu.

Et Arthur garde la position, encore et toujours, inhalant l'odeur de la laine humide quand son écharpe attrape les nuages de son souffle. Il est fier de pouvoir aider, même s'il a les pieds gelés et s'il ne sent plus ses doigts. Il tient un bout de la ficelle pendant que son père arpente posément le tour de la propriété avec l'autre bout, en s'arrêtant de temps à autre pour noter des chiffres dans son petit carnet. Enfin, Papa dit :

— Ça ira comme ça. Maintenant tu peux jouer. Je vais juste à la voiture une minute.

La glace recouvre le lac, une plaque noire légèrement saupoudrée de neige, sur laquelle les chars à glace foncent et filent dans les fouettements du vent, capricieux comme des papillons d'été. Arthur n'a pu détacher les yeux du lac gelé pendant tout le temps qu'il a passé debout, à tenir sa ficelle. Il le fascine. C'est une tentation de marcher sur l'eau.

Libéré de ses fonctions, il fait un pas sur le lac. Sa botte droite glisse tout de suite, mais il se rattrape et, traînant les pieds, fait quelques mètres en direction d'une grappe de cabanes de pêcheurs, recroquevillées contre le froid. La couche de glace semble épaisse, épaisse, si épaisse qu'il n'arrive pas à voir où finit la partie gelée et où commence l'eau en dessous. Il tombe à genoux pour voir la chose de plus près et se penche, les moufles écartées devant lui, le nez presque à ras du lac.

Il examine la glace, les bulles et les crevasses, la feuille ou l'algue occasionnelles prises à l'intérieur, les taches claires qui semblent descendre, descendre et descendre sans fin. Où sont les poissons ? Il avance sur les genoux sans savoir du tout où il va, entraîné par la glace.

Un grondement l'avertit qu'un char à glace approche, il lève les yeux pour le regarder foncer vers la rive. Pile au moment où il est sûr de le voir s'écraser de plein fouet sur les rochers, le char fait un tête-à-queue, patins crissant, voile au vent – ouououp –, l'air s'engouffre dedans, et il repart à toute vitesse vers le milieu du lac. Comme il file devant Arthur, deux silhouettes masquées se tournent vers lui, et une main dans un gant à trois doigts se lève, bien raide, pour le saluer. Arthur leur fait signe et leur court après sur quelques mètres.

Son pied glisse, d'instinct il baisse les yeux et jette les mains devant lui pour amortir sa chute. Si la dame n'avait pas été ensevelie dans la glace, il aurait atterri dans ses bras. Il voit d'abord la main grise gonflée, puis le bras, les plis du tissu violet, et enfin la figure. Elle est tournée vers lui, les yeux bleus sont fixes, la bouche ouverte sur un cri muet, piégée dans ce trou noir sans fond.

Arthur veut s'enfuir, il veut se lever et courir, mais ses pieds dérapent et il retombe au même endroit, comme si la main avait saisi sa botte pour le renverser. Enfin il réussit à avancer, il glisse sur les genoux, à quatre pattes, et c'est de cette manière qu'il regagne la rive, le plus vite possible.

Une fois en terrain sûr, il se met à hurler et gravit en courant la côte vers la voiture, à chaque seconde où il ne respire pas, il hurle. D'un geste vif, son père le soulève dans ses bras, et Arthur enfouit sa tête dans l'énorme épaule pour essayer d'effacer le visage qui l'appelle sous la glace.

— Qu'est-ce qu'il y a ? demande Papa, au début sur un ton inquiet, puis apaisant, et enfin irrité. Tu es tombé ? Tu t'es cogné la tête ? Tu es blessé ? Qu'est-ce qu'il y a ? Bon sang, mais qu'est-ce qui t'arrive ?

Arthur presse ses yeux contre la clavicule, jusqu'à ce qu'ils lui fassent mal, il finit par réussir à montrer l'eau du doigt, mais sans se retourner. Son père le pose par terre et ils marchent jusqu'au bord de la glace. Là, Arthur s'arrête, Papa lui prend la main pour le faire avancer, mais lui se penche en arrière de tout son poids.

— D'accord, reste là, dit son père avec impatience. Bouge pas. Je reviens tout de suite.

Arthur le regarde : les bras un peu écartés, il glisse sur la glace, suivant la trace que les genoux de son fils ont laissée dans la neige fraîche. Il le voit s'arrêter, reculer en chancelant, se rattraper, puis s'agenouiller lentement. Il le voit balayer la neige avec son gant. Puis son père se redresse et fait le chemin en sens inverse.

— Comment elle est entrée dans la glace, la dame ? demande Arthur quand sa main est à nouveau en sécurité dans celle de Papa et qu'ils grimpent péniblement la côte vers la voiture.

— Je ne sais pas.

— On ne devrait pas la sortir ?

— C'est le shérif qui va le faire, Arthur.

Le shérif est sorti de sa maison avec une serviette de table rentrée dans le pantalon. Il s'est penché dans la voiture et a fait un clin d'œil à Arthur.

— Ramène le petit à la maison, dit-il une fois que le père d'Arthur est remonté en voiture. On sait qui c'est. On va la trouver.

Alors ils ont laissé la dame dans la glace.

****

— La voilà.

Arthur réduisit les gaz à l'approche d'une vaste pelouse, grise sous le ciel nocturne, qui montait en pente raide jusqu'à une maison blanche aux colonnes menaçantes.

— Ravissant, dit Imogene dans un souffle, comme si, nota Ruth, elle n'avait pas cent fois contemplé la façade depuis la barque, ni spéculé sur les vies qui se déroulaient à l'intérieur.

— Quand est-ce que tu refais une fête, Arthur ? demanda Zita.

Elle grimpa sur le siège derrière lui, comme pour avoir une meilleure vue, et posa les mains sur ses épaules pour garder l'équilibre.

— Celle que t'as donnée l'an dernier a été la meilleure de la saison. Tu te souviens pas, Kitty ? La baignade l'après-midi, et puis la piste de danse près du hangar à bateaux. Et, Tom, tu te rappelles quand Eddie t'a poussé du ponton ?

Elle rit un peu plus fort que ne le méritait l'anecdote.

— Oh ! Arthur, il faut que tu me promettes d'en faire une autre, poursuivit-elle. Il le faut absolument, sinon, tout l'été sera gâché !

Elle se pencha vers lui et fit en sorte que sa coiffure sculptée lui effleure la joue.

— Promis ?

— Est-ce qu'on t'a déjà parlé de la crise ? fit-il en inclinant la tête vers celle de Zita.

— Justement, il faut quelque chose pour nous remonter le moral !

— Dites, on va passer la nuit ici, ou quoi ? demanda Bobby. Laisse-moi les commandes.

Et, à nouveau, ils changèrent : Bobby et Zita s'installèrent à l'avant ; d'un battement d'yeux et d'un léger mouvement de jupe, Imogene invita Arthur à prendre la place laissée par Bobby, quant à Ruth, elle se glissa à côté de Ray. Kitty et Tom, qui avaient commencé de chuchoter en aparté, restèrent à l'arrière.

— Il fait pas si chaud sur le lac, dit Ray.

— Non.

Ruth lui sourit. Ce bon vieux Ray.

— C'est même très beau.

Bobby poussa brusquement les gaz, et ils fendirent l'eau lisse et noire, suivant la blancheur de leur propre petit faisceau lumineux. Ruth se pencha avec gourmandise dans le souffle de l'air chaud.

J'étais en train de déterrer quelques oignons dans le jardin, accroupie un peu maladroitement dans la terre car je ne pouvais pas me baisser, et puis ce que j'ai cru être un gland m'est tombé sur l'épaule. J'ai fait « Hé ! » et j'ai regardé dans les arbres.

Un autre a rebondi sur mon bras. Quand il a roulé dans la boue, j'ai vu que ce n'était pas un gland mais une bille.

— Rentre ! sifflait Mattie depuis une fenêtre. Vite !

— Qu'est-ce qui se passe ?

Elle a articulé silencieusement :

— Chut. Rudy.

J'ai jeté un œil vers le lac. Oui, il était bien là. Il souquait, le dos tourné vers nous, mais encore deux ou trois coups de rame, et la barque était sur notre plage.

La porte à moustiquaire a claqué et Mathilda s'est précipitée vers l'eau, Ruth collée à sa hanche. Je me suis baissée le plus possible et j'ai filé vers la porte de derrière.

Depuis une fenêtre de la façade, je les ai regardés discuter, j'ai vu Rudy lancer Ruth en l'air à plusieurs reprises, je l'ai vu soulever de la barque deux ou trois sacs de toile bien remplis. Quand il a entrepris d'en porter un vers la maison, j'ai détalé. J'ai couru m'enfermer dans les toilettes.

Si, dans le mois qui venait de s'écouler, j'avais pu oublier la honte de mon état, je ne pouvais que m'en souvenir maintenant que je respirais cette puanteur tout en épiant l'arrière de la maison par l'ouverture en forme de lune découpée dans la porte.

Je ne suis sortie qu'en voyant Mattie manifestement en train de me chercher. Elle m'a agrippée par le bras et m'a secouée.

— Tu m'as fait une trouille bleue, Mandy ! J'avais peur que tu te sois cachée dans le lac.

Cette nuit-là, pour la première fois de la saison, le vent a tourné à l'est et la température a chuté. J'ai bordé Mattie et Ruth sous des couvertures de laine, puis j'en ai étendu une sur mon lit. Après le coton et les draps de l'été, elle m'a paru lourde. Je me suis glissée dessous avec l'impression qu'elle clouait au lit mes bras, mes jambes, et m'écrasait dans le sommeil.

****

À l'école de commerce des Brown, Ruth et Imogene apprenaient à écrire en sténo et à taper à la machine. Imogene était bonne pour ces choses-là. En deux semaines, elle sut taper sans regarder ses doigts. En quatre semaines, elle put prendre une lettre de deux pages sous la dictée sans faire de fautes. Quant à la comptabilité, bien sûr, c'était un jeu d'enfant. Les devoirs qu'elle rendait étaient toujours soignés, les pages bien blanches, propres et pas froissées, l'encre ne faisait pas de pâtés.

En revanche, Ruth sombrait. Imogene l'avait convaincue qu'il était important d'avoir des talents de secrétaire, mais le job qu'elle avait abandonné à la supérette lui manquait. Impossible de taper deux lignes, semblait-il, sans penser à autre chose ou sans que ses doigts désobéissent et aillent frapper les mauvaises touches. Impossible de se rappeler combien d'espaces entre l'adresse de la société et la date, la date et l'adresse du destinataire, l'adresse du destinataire et la formule de salutation. Quelle importance, quelle importance, mais quelle importance ? se disait-elle tout en tirant sur une feuille que la machine à écrire refusait de lâcher. Quand elle prenait du retard sur la lettre à taper, elle gardait le rythme de la classe en appuyant sur n'importe quelle touche. Alors qu'elle était censée prendre des lettres qui racontaient combien Mr. P devait à Mr. Q et avec quels intérêts, elle dessinait dans les marges de sa feuille de minuscules silhouettes aux chapeaux compliqués. Imogene reconnaissait que certains étaient plutôt réussis.

— T'inquiète, disait-elle, penchée vers Ruth pour corriger sa sténo quand les Brown avaient le dos tourné, toi, tu es une créative.

Imogene avait décidé que Ruth et elle seraient des femmes modernes. Lorsqu'elles auraient fini l'école, elles ouvriraient ensemble une agence de publicité à Chicago. Imogene assurerait le côté commercial et déciderait des orientations : elle savait ce qui donnait envie aux gens. Ruth s'occuperait du côté artistique et rédigerait les textes. Imogene ne savait pas bien comment elles obtiendraient des commandes, mais elle imaginait vaguement des hommes d'affaires en costume gris et lunettes d'écaille levant un sourcil admiratif devant l'originalité, la classe et l'authentique puissance commerciale de leurs échantillons publicitaires.

Ruth la soupçonnait d'avoir vu ça dans un film. L'idée l'angoissait, mais, si tel était le désir d'Imogene, elle assumerait sa part. Elle travaillait son dessin, expérimentait différentes techniques vues dans les magazines. Elle réalisait des rendus à la plume de chaussures de femmes, des aquarelles représentant des fruits, et des fusains où des familles s'ébattaient au bord de la mer sous d'énormes parasols découpés dans des papiers de couleurs vives. Elle aimait imaginer l'appartement qu'elles auraient en ville toutes les deux, des amis viendraient siffler dans la rue, sous leur fenêtre, pour se faire ouvrir. Elles feraient des courses en rentrant du bureau et chanteraient avec la radio tout en préparant du poulet *cacciatore* et des salades aux petits champignons.

— Je suis vannée, absolument vannée ! annonça Imogene lorsqu'on laissa sortir la classe pour le déjeuner ce lundi-là. Je ne pourrai jamais remettre ces chaussures.

Elle fit jouer ses jolies chevilles puis balança les pieds sous l'une des tables poussées sous les fenêtres dans la salle de dactylo.

— Qu'est-ce que vous avez fait, ce week-end ? demanda Lilian.

Elle savait ce qu'on attendait d'elle. Ruth et Imogene déjeunaient souvent avec Lilian et Myrtle, deux sœurs qui venaient de Baraboo.

— On est allées danser, tu sais, au kiosque.

— Oh ! danser.

Myrtle eut un clin d'œil entendu qui déplut à Ruth. Elle était plus âgée que les autres, et divorcée. Elle faisait toujours des allusions graveleuses.

— Vous avez fait des rencontres intéressantes, là-bas ?

— Non, s'empressa de répondre Ruth.

— Si, repartit Imogene. Ruth a rencontré quelqu'un d'intéressant.

— Pas possible ! Il était comment, Ruth ? fit Lilian.

Et elle se pencha sur la table avec une avidité telle qu'elle fit tomber de son sandwich quelques miettes d'œuf mimosa.

Ruth essayait de finir ses devoirs pour l'après-midi, deux pages de sténo qu'elle avait négligées pendant le week-end.

— Il n'avait rien de spécial, Lilian. Il aimait la façon dont Genie dansait, mais qui ne l'aime pas ?

— Quand est-ce que tu vas me laisser faire quelque chose à tes cheveux, Ruth ? demanda Myrtle, offrant des cigarettes à la ronde avant d'allumer la sienne. Les hommes aimeraient aussi ta façon de danser si t'avais pas l'air d'une vieille instit.

— Myrtle est bonne en coiffure, Ruth, renchérit Lilian. C'est elle qui a fait la mienne, tu sais, la coupe et la minivague.

Elle se tourna pour montrer sa nuque.

— Et la couleur, ajouta Myrtle. Sous ce henné, Lilian a des cheveux de souris.

— C'est vrai. J'ai des cheveux de souris.

Dans le regard que Ruth porta alors sur les sœurs, il y avait quelque chose de la petite fille à la dent noire, comme si c'étaient les deux filles les curiosités, et pas elle. Sauf que, maintenant, Ruth souriait comme elle ne l'aurait jamais fait avant. Après tout, elles voulaient juste rendre service. Elle dit :

— Ma Tante aime cette coiffure. Ça ne me dérange pas.

Dans le fond de la pièce, la porte du bureau s'ouvrit ; Mr. Brown junior, le professeur de dactylo, sortit et traversa la salle de classe avec une lente décontraction, les mains dans les poches de son pantalon élégamment coupé. On l'appelait Mr. Brown « junior » pour le distinguer de son père, le fondateur de l'école, mais, eu égard aux critères d'Imogene et de Ruth, il pouvait difficilement passer pour jeune. Il avait eu des ambitions autrefois, qu'il avait poursuivies à Milwaukee, mais elles avaient été déçues. Il peignait ses cheveux en arrière pour faire valoir ses frisettes et soignait ses ongles. Alors que les autres professeurs retroussaient leurs manches de chemise et faisaient des taches de craie sur leurs cravates, personne n'aurait imaginé Mr. Brown junior tombant la veste à l'école. À en croire Imogene, il ne supportait pas d'être séparé de la fiole qu'il avait dans la poche.

— Comment vont mes filles ? demanda-t-il.

Il posa une main sur l'épaule d'Imogene, l'autre sur celle de Ruth, et se pencha pour glisser son visage entre les leurs.

Il adoptait une attitude paternelle avec ses étudiantes, prétexte pour les toucher et leur caresser les cheveux. Ruth eut un sursaut presque involontaire, comme un cheval avec une mouche sur l'encolure. Elle ferma son cahier et se plongea dans la contemplation de sa couverture, attendant que Mr. Brown passe son chemin.

Imogene, elle, le regarda droit dans les yeux et hocha vivement la tête.

— Ruth a du travail à terminer. Vous vouliez quelque chose ?

Mr. Brown se redressa.

— Non, non. Je faisais juste une pause-café.

Il ôta sa main de l'épaule d'Imogene et, en compensation, pressa légèrement celle de Ruth.

Comme il battait en retraite, Imogene roula des yeux dans son dos.

— Une pause-café, tu parles.

Puis elle reporta son attention sur la table.

— Je me demande si Arthur Owens viendra danser, cette semaine. Il t'en a parlé, Ruth ?

— Je t'ai déjà raconté tout ce qu'il m'avait dit, répondit Ruth sans lever la tête.

Elle fit glisser son cahier sous les yeux d'Imogene.

— Montre-moi encore comment on fait les *ph*. J'arrive jamais à m'en souvenir.

— Tu pourrais t'en souvenir si tu essayais, riposta Imogene avec impatience, mais elle prit le stylo que lui tendait Ruth.

La femme qui entra dans la pièce à cet instant portait un tailleur cannelle et un chapeau qui n'était pas cloche, comme tous les autres, mais à la nouvelle mode, avec une plume, et incliné de façon à lui cacher la moitié du visage.

— Pourriez-vous me dire où je peux trouver Mr. Brown, s'il vous plaît ?

— Mr. Brown junior ou Mr. Brown père ? gazouilla Lilian.

La femme hésita.

— Je ne sais pas. Je voudrais engager une secrétaire.

— Dans ce cas, c'est Mr. Brown père qu'il faut voir, dit Imogene.

Elle était déjà debout.

— Je me ferais un plaisir de vous montrer le chemin jusqu'à son bureau. Dis, t'as vu ses chaussures ? chuchota-t-elle quand elle revint se glisser sur sa chaise.

Lorsque la femme ressortit du bureau, elle jeta un œil vers la table et fit un signe à Imogene, qui le lui rendit.

— Qu'est-ce que tu lui as raconté ? demanda Ruth.

— Oh ! j'en sais rien, répondit-elle avec un haussement d'épaules. Je lui ai juste dit que j'avais beaucoup appris ici.

— Mais tu n'es qu'en niveau deux ! protesta Lilian.

— Je tape plus vite que la plupart des niveaux quatre. En plus, elle veut une personne affable et sensée pour répondre au téléphone, prendre ses rendez-vous et tenir à jour son agenda. Je saurais très bien faire ça. N'est-ce pas, Ruth ?

Affable et sensée : Ruth se dit que ces mots-là n'étaient pas d'Imogene. Mais, en effet, ils pouvaient s'appliquer à elle, en tout cas en partie.

Mr. Brown sortit de son bureau avec une annonce qu'il punaisa au tableau.

OFFRE D'EMPLOI
Recherche secrétaire personnelle.
Dactylographie, classement, un peu de sténo.
Bonnes manières téléphoniques exigées.
Aucune expérience requise.
Theresa Owens (Mrs. Clement Owens),
W 290 N 3040 Lakeside Road

14.

— Ruth, il faut absolument que je te fasse entrer dans cette maison !

Après sa première journée de travail chez les Owens, Imogene était passée voir Ruth et Amanda avant de rentrer chez elle.

— Tu es en vélo, ce soir ? demanda Amanda. Il va pleuvoir dans une heure.

— Oh non ! mes parents m'ont laissée prendre la Ford. J'ai pensé que ça ferait meilleur effet. Mais attendez que je vous raconte cette maison.

Elle fit asseoir Ruth près d'elle à la table de la cuisine et décrivit les pièces que Mrs. Owens lui avait montrées l'après-midi même ; avec son doigt elle dessinait leur emplacement sur la toile cirée et se remémorait du mieux qu'elle pouvait les couleurs, les tissus, le mobilier.

— Deux cheminées, quel gaspillage ! dit Amanda. À quoi bon avoir deux cheminées ?

— Eh bien, c'est une salle immense. Il y en a une à chaque bout, vous voyez, comme ça on peut utiliser juste la moitié de la pièce pour un dîner intime, ou en entier pour une grande soirée. Et Mrs. Owens appelle ça le séjour. Vous ne trouvez pas le mot beaucoup plus joli ? Tellement plus... comment dire ?... expressif que « salon ». Naturellement, cette maison est plutôt rustique comparée à leur maison en ville.

— Naturellement, répliqua Amanda d'un ton sec. Imogene, Ruth me dit que tu as quitté l'école des Brown pour ce travail. Je croyais que vous aviez d'autres projets, les filles, que de taper les lettres d'une bonne femme. Je croyais que vous vouliez devenir publicitaires.

Elle leur tendit à tour de rôle une assiette de gâteau au café.

Ruth allait en prendre une part quand Imogene l'arrêta en posant la main sur son poignet.

— Attends, Ruth. Goûte ça.

De son sac à main, elle sortit le triangle écrabouillé d'un gâteau fourré, emballé dans son mouchoir.

— Je l'ai chapardé pour toi. Tu le trouves pas super-bon ? C'est du moka.

Elle avait prononcé le mot avec un soin particulier.

— La cuisinière des Owens est autrichienne. Vous saviez que les Autrichiens sont les meilleurs en pâtisserie ? J'apprends tellement avec Mrs. Owens. Elle est présidente de toutes sortes de comités. Elle est même au conseil d'administration de l'hôpital où vous avez travaillé, miss Starkey. Ruth, tu ne devineras jamais ce qu'on a eu pour le déjeuner — je veux dire, pour le lunch : des canapés au concombre et on avait enlevé la croûte du pain, et du thé glacé avec un brin de menthe dedans. Il avait un goût tellement frais comme ça. Mrs. Owens dit qu'on doit toujours faire pousser un carré de menthe près de sa maison pour le thé glacé. Et vous savez ce qu'elle avait posé sur l'assiette ? C'était juste pour la décoration, mais on pouvait quand même les manger : des fraises des bois, vous savez, celles qui sont minuscules et adorables ? C'est la garniture qui fait l'assiette, voilà ce que dit Mrs. Owens.

— À quoi ça sert de mettre dans ton assiette une chose que tu ne vas pas manger ? demanda Ruth.

Amanda prit une ample inspiration pour affermir sa voix.

— Et Mr. Owens, où était-il pendant que tu faisais du tourisme dans sa maison ?

— Oh ! il est dans le comté de Door, il s'occupe de bateaux, je crois. Arthur est parti avec lui, ajouta Imogene à l'intention de Ruth.

Le *Rebecca Rae*, Amanda s'en rappela avec soulagement, se dirigeait vers Duluth, bien loin du comté de Door.

— Ma foi, Imogene, dit-elle, tout cela m'a l'air très émoustillant, mais tu ne ferais pas mieux de filer ?

Elle s'obligea à un sourire.

— Sinon, ta mère va penser que nous t'avons kidnappée.

****

Et tout continua comme ça pendant des semaines : Imogene parada dans un pull en cachemire usagé donné par Mrs. Owens, choisit de nouveaux bas assortis aux tons de sa patronne et adopta des inflexions de voix qu'on ne lui connaissait pas. Un jour où Ruth n'était pas à la maison, elle lui laissa un mot. Le message n'était pas écrit avec son écriture habituelle, dense et penchée ; non, les mots partaient dans tous les sens, pleins de courbes, de boucles et de grosses lettres rondes. Cette petite est possédée, se dit Amanda en tenant la page à la lumière. Mais elle savait bien que seule la jalousie la rongeait.

Amanda

Le bébé était fort à présent, plus fort que moi. Il avait fait de moi sa créature, avec seins gonflés et ventre lourd sous une peau luisante bien tendue comme celle d'une groseille. Il réclamait toute l'attention de mon corps, tout ce que je mangeais, tout ce que je dormais. Il m'épuisait.

J'avais installé une montagne d'édredons et d'oreillers sur le canapé du salon, c'était tout ce que je pouvais faire pour m'extraire du lit le matin et me traîner jusqu'à cet endroit où je passais la majeure partie de la journée à regarder le lac onduler de l'autre côté de la vitre, un espace bleu bien net entre l'enchevêtrement de mon nid et le patchwork brun, jaune et rouge de la rive. Désormais, la baignade était exclue. Calée dans mon inconfortable cocon contre le mur froid, je voyais que le bleu sombre de l'eau avait une beauté anormale. Il était fuyant, instable. On ne pouvait pas s'y fier.

J'ai essayé de lire un vieux journal, mais mon esprit refusait les mots. J'ai laissé les pages glisser en un tas incohérent sur le sol. Sans mon énergie, tout allait à vau-l'eau. Le jardin poussait au hasard. Courges, pommes de terre et oignons étaient enfouis sous les mauvaises herbes. La petite chambre où dormait Ruth était jonchée de bouts de bois, de feuilles colorées, de galets et même d'algues, comme si le monde du dehors avait emménagé dans la maison. Avec l'arrivée du froid, les araignées aussi s'étaient glissées à l'intérieur, et la petite semblait passer son temps tapie dans un coin, à tisonner un faucheux avec le bout de son doigt. En la voyant recommencer, j'ai dit :

— Ruth, arrête ça ! Viens te laver la figure.

Je me suis soulevée du canapé et, d'un pas lourd, me suis dirigée vers la cuisine. Ruth trottinait sur mes talons. J'ai pris le torchon à vaisselle pour le mouiller à l'évier, mais il était déjà trempé et maculé de croûtes de farine.

Je me suis effondrée sur une chaise en soupirant.

— Oh ! Ruth. Comment en est-on arrivées là ?

— Dehors. Veux aller dehors.

— D'accord. Laisse-moi boutonner ton chandail.

Je lui ai embrassé le front et lui ai ouvert la porte de derrière.

— Sois prudente. N'approche pas de l'eau.

J'ai gardé un œil sur elle depuis la fenêtre tout en errant au hasard dans la cuisine, j'essayais de trouver un sens au chaos que nous avions laissé s'accumuler.

— Mattie !

Je l'ai appelée une fois, j'avais juste envie de compagnie. Mais je me suis souvenue qu'elle était partie à la ferme.

J'ai ramassé une pile de livres et de papiers qu'elle laissait s'entasser sur le plan de travail. Vraiment, la lecture n'avait rien à faire dans la cuisine. Je l'ai portée dans le salon, mais il ne restait plus un seul coin de libre, alors j'ai monté mon fardeau dans la chambre de Mathilda et l'ai déchargé sur son lit défait. Comme ça, au moins, elle serait bien obligée de régler la question avant d'aller dormir.

C'est alors que, cherchant Ruth, j'ai jeté un œil par la fenêtre. Elle n'était pas derrière. J'ai regardé par la fenêtre latérale et inspecté le jardin de haut en bas, à la recherche de son chandail rouge. Rien. Je me suis précipitée sur le devant. Elle était là, debout sur les rochers, penchée au-dessus de l'eau.

J'ai ouvert la porte en criant :

— Ruth ! Reviens ici !

Mais elle n'a pas bougé, elle n'a même pas eu l'air de m'entendre. Malgré la lourdeur de mon corps, je me suis retrouvée sur la rive avant même d'avoir compris que j'avais quitté la véranda. Si Ruth était tombée, je l'aurais sans doute rattrapée avant qu'elle ait touché l'eau, mais elle ne tombait pas. Elle était juste en train de touiller le lac en faisant des remous avec un long bâton.

Même si l'air était froid, les rochers dégageaient une chaleur agréable au soleil. Je me suis assise près de Ruth, de temps en temps, je nouais une main autour de sa jambe pour me rassurer. Entre les rochers, l'eau se soulevait, s'abaissait. Je n'arrivais pas à détacher mes yeux du flux et du reflux. Et puis j'ai vu ce petit morceau de blanc.

Coincé entre deux rochers, il n'avait pas encore glissé assez loin pour que l'eau l'emporte. J'ai tendu la main pour l'attraper, mais j'avais les doigts trop courts.

— Ruth, prête-moi ton bâton un instant.

J'ai introduit le bâton entre les rochers et réussi à faire suffisamment remonter le papier pour l'attraper. C'était une enveloppe adressée à Carl. Mathilda avait dû la perdre en grimpant dans la barque.

Bien sûr, je savais ce que j'aurais dû faire ; sept mois plus tôt, à peine Mattie rentrée, je la lui aurais donnée, non décachetée. Mais maintenant je n'étais plus la même. Maintenant j'étais tentée. Maintenant il fallait que je sache ce qu'elle avait écrit sur moi. Qu'est-ce qui m'obligeait à lui rendre cette lettre ? Si je n'étais pas tombée dessus par hasard, elle aurait été définitivement perdue. Peut-être que j'étais destinée à la trouver – j'avais ce genre d'idées pendant ces mois-là –, peut-être qu'elle m'attendait.

D'une certaine manière, je m'étais appliquée à oublier Carl. Après tout, loin comme il l'était et susceptible de se faire tuer, il avait très peu de rapport avec nous. Quand je pensais à

Mattie élevant mon bébé, ce que j'imaginais ressemblait beaucoup à ce que nous étions en train de vivre, sauf que nous serions quatre au lieu de trois. Mon bébé serait à la fois à moi et à elle, tout comme Ruth était à Mattie et à moi. Dans la famille telle que je l'envisageais, il n'y avait pas de place pour Carl, pour des ressorts de sommier qui grincent, des sourires complices ou des dîners avec compote de pommes plutôt que de rhubarbes, histoire de faire plaisir à un homme qui adorait le sucré.

Mais, de toute évidence, Mattie ne voyait pas les choses comme moi. Dans la lettre elle lui racontait tout, tout ce que j'avais fait, tout ce qu'on avait projeté. Ça m'a choquée. Je me suis vue là, sur la page, ma bêtise et ma honte s'étalaient dans l'écriture noire et négligée de Mattie. Je n'ai pas pu supporter de voir ça. Et je n'ai pas supporté qu'il le voie, lui, Carl, avec ses discours sur les chevaux, ses pas de danse harmonieux et son nichoir à merles. Je voulais qu'il n'ait rien à voir avec ça.

J'ai aussi constaté qu'avec lui, dans la lettre, elle n'était pas elle-même. C'était presque le pire de tout. Dans les pages qu'elle lui destinait, elle semblait avoir une voix différente de celle que je lui connaissais, non seulement dans les choses qu'elle aurait dû tenir secrètes – ce n'était pas ce qui me tracassait le plus –, mais aussi dans ses remarques quotidiennes. C'était à peine si je retrouvais trace de Mattie dans cette lettre. Et quand ils seraient réunis – c'était clair à présent –, ma Mattie à moi disparaîtrait, je n'aurais pas ma place.

Mais, pour le moment, je pouvais encore le tenir à distance. Et puis, ma foi, plus longtemps il restait parti, plus il y avait de chances qu'il ne rentre pas.

— Ruthie, trouve-moi un joli caillou, à peu près gros comme ça, ai-je dit en refermant son petit poing.

Quand elle m'a apporté le caillou, j'ai chiffonné la lettre tout autour et l'ai lancée le plus loin possible. L'eau l'a avalée et elle a disparu.

Ruthie a dit :

— C'était bien. Refais-le !

— C'est l'heure de ta sieste.

Ce soir-là, au dîner, Ruth a annoncé à sa mère :

— Tante Mandy a lancé une lettre et elle a fait un plouf.

— Une lettre ? Tu veux dire un caillou, n'est-ce pas, Ruthie ? a demandé Mattie.

Ruth m'a regardée. J'ai dit :

— Oui, Ruthie. Rappelle-toi, c'était un caillou gros comme ça.

Ma main a enveloppé son poing et j'ai serré, pas trop fort mais assez tout de même pour lui montrer que je ne plaisantais pas.

****

Vers cinq heures et demie du matin, le cœur d'Amanda battait à tout rompre ; l'air, qui émergeait tout frissonnant et humide de sa plongée dans une nuit du début de l'automne, la fit presser encore le pas. Elle se dépêcha de traire les cinq vaches et de nourrir les rares bêtes que Ruth et elle gardaient encore. Avec Carl si souvent absent, Rudy qui prenait de l'âge et les prix qui chutaient, les champs étaient en jachère, à l'exception des deux qu'elle avait loués à Joe Tully. Elle l'aurait croisé quelque part sur son chemin si elle avait pris la route qui montait en ville, mais Amanda n'allait pas en ville. Non, une tranche de gâteau au café dans la poche, elle emprunta le chemin qui s'enfonçait dans les bois.

Depuis le jour où elle avait appris qu'Imogene travaillait pour Theresa Owens, elle avait entrepris d'observer le plus souvent possible la maison des Owens. Jusqu'alors, chaque matin elle avait vu la même chose : Clement, vêtu d'une robe de chambre bleue, sans doute en éponge, descendait la pente verte de sa pelouse en direction de son ravissant hangar à bateaux, un chalet au fronton tarabiscoté avec des géraniums-lierres roses qui tombaient en cascade des jardinières. Il était toujours aussi beau, sinon plus, en tout cas, vu avec les jumelles. Il avait la démarche assurée, mais moins fanfaronne ; ses gestes, plus timides qu'autrefois, paraissaient réfléchis.

Avec langueur, il traversa le sable sous le porche du chalet puis grimpa sur le ponton, sautilla pour tester sa solidité et s'assura que rien n'avait glissé ni ne s'était abîmé pendant la nuit. Il avait parcouru les trois quarts du ponton quand il se débarrassa prestement de sa robe de chambre et la laissa tomber en boule à ses pieds. Il ne plongea pas, comme Amanda s'y attendait, mais s'assit sur le bord et commença par balancer les pieds dans l'eau avant d'y glisser le corps, comme s'il s'enfonçait dans un bain. Il nageait avec des mouvements souples mais fatigués, ses bras décrivaient des courbes lentes puis semblaient presque s'effondrer dans l'eau. Il persévéra pendant vingt mètres avant de disparaître sous les flots. Il réémergea après s'être tourné pour revenir en dos crawlé. Il fit deux fois cette longueur puis s'arrêta et s'agrippa au rebord du ponton. Au bout d'une minute ou deux, il se hissa hors de l'eau.

D'un mouvement d'épaules, il renfila sa robe de chambre sans se sécher ; Amanda le vit tirer une petite boîte de la poche, l'ouvrir et faire passer quelque chose de la boîte à sa langue, après quoi, il s'allongea sur le dos sous la chaleur du soleil, les mains croisées sur la poitrine, comme un gisant dans son cercueil.

À neuf heures, Imogene apparut, elle descendit prudemment cette allée si raide qu'elle devait poser tout le pied par terre, des orteils au talon, puis gravit l'escalier de la véranda d'un pas sautillant qui faisait danser sa jupe. Elle s'attarda un instant en haut des marches, se retourna pour faire face au lac et resta là, une main sur le pilier le plus proche, comme si elle plantait un drapeau et revendiquait la propriété du panorama. Puis elle traversa la véranda, s'arrêta devant la monumentale porte d'entrée et disparut enfin dans cette énorme gueule à colonnades blanches qu'était la maison des Owens.

Mais ce jour-là, après une minute ou deux, la porte se rouvrit, et Imogene se retrouva à nouveau sur la véranda. Au trot, elle dévala les marches et continua sa course en direction du lac. Amanda s'aplatit dans le fond de la barque et baissa la tête sous le plat-bord, priant le ciel d'être trop loin pour qu'Imogene la reconnût, mais la jeune fille ne fit pas plus attention au lac qu'à ce qui se trouvait dessus. Elle s'assit soigneusement sur les talons, près d'un bouquet de lys, et entreprit de les couper.

Cette femme ne sait donc pas qu'ils ne se gardent pas ? se dit Amanda avec indignation, mais la cueillette des fleurs sauvages la perturba bien moins que ce qui se produisit ensuite.

Elle n'avait même pas vu Clement se relever, et pourtant il était debout. Non, il bougeait déjà et, drapant la robe de chambre bleue sur sa peau hâlée par le soleil, couvrait rapidement la distance qui le séparait de la plage.

— Cours, Imogene, cours.

Amanda se surprit à murmurer ces mots depuis sa ridicule position dans le fond de la barque.

Il était tout près de la jeune fille à présent. Dans sa tête, Amanda entendit la voix, mœlleuse comme un coûteux whisky, et les inflexions galantes de Clement demandant à Imogene s'il pouvait porter ses fleurs. Elle le vit tendre la main, puis elle vit Imogene la saisir et se redresser au milieu de l'arceau vert des feuilles. Il l'invita à avancer, la guidant là où il souhaitait qu'elle aille, une main caressant l'air juste derrière son dos. Amanda connaissait, elle savait exactement ce qui était en train de se produire, même de là où elle était, avec les jumelles pressées si fort sur ses yeux que, l'espace de quelques secondes, elle ne vit que du rouge.

Imogene et Clement gravirent la pente, jouissant du moment qu'ils passaient ensemble, riant, se tournant l'un vers l'autre. Une fois au bas des marches, il déposa les fleurs dans les bras de la jeune fille et ils se séparèrent, lui pour se diriger à droite, vers la cuisine, et elle pour regagner l'entrée, mais Clement fit un pas puis s'arrêta. Il se retourna, la suivit des yeux et regarda sa jupe virevolter autour de ses genoux tandis qu'elle grimpait les marches d'un pas sautillant.

****

Pendant ce temps, Ruth continuait de se débattre chez les Brown.

— Parle-nous d'Imogene, Ruth, demanda Lilian. Qu'est-ce qu'elle a eu pour le lunch, hier?

— Je ne comprends pas pourquoi la Grande Imogene ne trouve jamais un moment pour nous le raconter en personne, déplora Myrtle. Quand c'est Ruth qui raconte, c'est toujours beaucoup moins intéressant.

Elle avait raison : Ruth ne savait pas raconter. Elle s'efforçait de leur répéter ce qu'Imogene avait dit sur la maison et sur Mrs. Owens. Elle décrivait les tapis, la vue sur le lac, les comités, les colonnes, les petits sandwichs et même les garnitures, mais dans sa bouche tout paraissait terne et plat.

Pour Ruth, tout était terne et plat. L'air avait un peu fraîchi ce matin-là, annonçant la fin de l'été, mais, pour elle, la fraîcheur était plus triste que revigorante. Sans Imogene, les matinées chez les Brown, toujours irritantes, devenaient en plus déprimantes et ennuyeuses. Elle remarqua les taches et les écaillures sur les murs jaune pâle, les mouches mortes accumulées sur les rebords des fenêtres.

— Le mieux dans tout ça, dit Myrtle, c'est que de temps en temps elle est toute seule dans cette grande maison avec ce beau garçon. Moi, à sa place, je sais ce que je ferais.

Ruth répliqua :

— Imogene ne te ressemble pas du tout, Myrtle.

****

Mais Imogene prenait soin de son apparence, et encore plus que d'ordinaire, elle essayait tous les parfums que Baecke avait dans son magasin et faisait attention à ne jamais porter deux fois la même robe dans la semaine. Si elle avait adoré s'imaginer dirigeant une agence de pub avec Ruth, maintenant qu'elle travaillait pour Theresa Owens, elle n'avait plus la naïveté d'y croire. L'étape sur laquelle elle avait toujours glissé dans ses pensées – où elle tenait réunion avec des hommes importants et des femmes élégantes – était à la fois capitale et impossible. Ces gens-là ne les écouteraient jamais, Ruth et elle.

Elle en avait rencontré dans le séjour de Mrs. Owens. Ils lui disaient merci quand elle leur tendait leurs comptes rendus soigneusement dactylographiés. De temps à autre ils lui demandaient même son avis, parce qu'ils l'aimaient bien – bien sûr qu'ils l'aimaient bien, comme tout le monde –, mais jamais elle ne serait des leurs.

Si elle était une froide ambitieuse, peut-être. Si elle était d'une intelligence machiavélique, peut-être. Si elle était diplômée de l'université, oui, peut-être pourrait-elle les impressionner. Mais elle n'était rien de tout cela. Imogene se jugeait avec lucidité. Elle se savait raisonnablement intelligente, d'une loyauté et d'une assurance à toute épreuve. Elle savait qu'elle avait de la persévérance, un physique agréable et même du charme. Et elle savait aussi que ces seules qualités ne suffisaient pas à garantir une brillante carrière. En revanche, pour peu que le mari fût bon, elles étaient celles d'une excellente épouse.

Lors de leur première rencontre au kiosque de danse, Imogene avait vu Arthur plus comme un complément de Bobby Hanser que comme un homme à lui tout seul. En réalité, elle leur avait suggéré de danser en espérant qu'il plairait à Ruth ; peut-être qu'à eux quatre ils finiraient par faire deux paires, car elle se rendait bien compte qu'être acceptée dans la bande de Bobby ne serait pas un vrai bonheur si Ruth n'y était pas admise aussi. Ce soir-là, l'empressement d'Arthur auprès de Ruth l'avait impressionnée.

Elle devint la secrétaire de Theresa ; il plaisantait avec elle dans la maison, l'interrompait souvent dans son travail pour lui demander de l'aide dans ses projets personnels. Il avait construit une énorme maquette du pont de Brooklyn dans le solarium – signe, aux yeux d'Imogene, d'un remarquable talent –, mais il fallait toujours rassembler les pièces et elle devait tenir les morceaux pendant qu'il posait la colle. Elle décida qu'il avait un sourire particulièrement engageant, plus insolite et plus ouvert que celui de Bobby. Elle décréta aussi que, derrière ses lunettes, il avait des yeux exceptionnellement expressifs. Il était de toute évidence promis à un bel avenir et d'excellente famille. Assez vite, le plaisir d'aller travailler se confondit avec l'excitation et le frisson de le voir apparaître à la porte du bureau ; peu après, elle cessa de prendre la Ford quand elle savait qu'il serait là, passant toute la journée à espérer le soir, quand il la raccompagnerait chez elle dans son coupé Pontiac.

Ses plans pour devenir Mrs. Arthur Owens s'annonçaient fort bien, mais, en dépit de tous ses efforts, il était difficile d'y inclure Ruth.

— Hier soir il m'a emmenée regarder le coucher de soleil sur son voilier. Ruth, on a l'impression d'être une mouette, on plane dans le silence. La prochaine fois, je vais lui dire qu'on t'emmène.

— T'inquiète, répondit Ruth.

Elle alluma la radio derrière le comptoir de la boutique de pêche et tripota le bouton de réglage.

— Mais je tiens à ce que tu viennes. Je tiens à ce que tu l'apprécies.

— Je l'apprécie.

— On a les mêmes centres d'intérêt : les voyages et la musique. Et il adore *Cette sacrée vérité* : tu te souviens comme j'ai aimé ce film ? Il m'apprend aussi les derniers pas de swing. Tiens, je vais te montrer, comme ça on pourra le danser tous ensemble vendredi prochain.

Ruth suivit Imogene, mais elle dit :

— Tu n'as jamais voyagé nulle part. Tu n'es même jamais allée à Chicago.

— Mais j'en ai envie, c'est ça l'important.

Ruth s'arrêta de danser.

— On ira à Chicago, dit-elle d'une façon appuyée, quand on montera notre agence de publicité.

Il fallait qu'elle dise ça. Il fallait qu'Imogene reconnaisse qu'elle était en train de tout gâcher, elle ne pouvait pas juste s'écarter et la laisser s'en tirer comme s'il n'y avait jamais eu aucune promesse.

Imogene poussa un soupir.

— Je sais. Je sais, j'ai dit que je ferais ça avec toi.

— Mais tu voulais le faire ! C'est toi qui m'as fait aller chez les Brown, et maintenant tu n'y es même plus !

— Je sais. C'est vrai.

Imogene passa derrière le comptoir et se hissa sur le tabouret. Un instant, elle posa la tête dans ses mains, puis elle leva à nouveau les yeux vers Ruth.

— Le problème, c'est que maintenant je sais que c'était un jeu, rien qu'un rêve de gosse.

Et regarder le soleil se coucher en voilier ? se dit Ruth. On aurait même dit une stupide comptine.

— Ruth, personne ne nous achètera nos idées. On travaillerait tout le temps, si tant est qu'on arrive à trouver une place...

— Je suis sûre qu'on en trouverait !

— D'accord, fit Imogene, les mains en l'air. Oui, j'imagine qu'on en trouverait. Mrs. Owens m'a dit que, si je voulais, elle pourrait me trouver quelque chose à Chicago. Pas dans la pub, mais une place tout de même.

Ruth ne répondit rien.

Imogene passa les doigts sur les clefs de la caisse enregistreuse.

— Mais je crois que je n'ai plus envie de partir. Il faut que tu comprennes. Je ne peux rien contre mes sentiments pour lui. Moi, si ça t'arrivait à toi, je comprendrais.

Tu n'aurais pas besoin de comprendre, songea Ruth, parce que je t'ai toujours fait passer en premier. Et, de toute façon, ça ne m'arriverait pas à moi. Mais elle dit :

— Je sais. Je comprends.

Imogene se pencha par-dessus le comptoir pour lui prendre les mains.

— Mais, Ruth, je veux qu'on fasse des choses ensemble, tous les trois. Tu l'aimes bien, n'est-ce pas ? Je sais que lui, il t'aime bien. Pourquoi on ne pourrait pas être amis tous les trois ?

Ruth savait que ça ne marchait pas comme ça, et, après sa soirée embarrassante sur le bateau, elle n'avait aucune envie même de revoir Arthur. Mais, après tout, il y avait Imogene, sa mine si optimiste et enthousiaste.

— Bien sûr, répondit-elle. Bien sûr, si c'est ce que tu veux.

****

Imogene et Arthur se mirent à prendre Ruth chez les Brown à la fin de la journée, ils allaient tous trois boire des bières chez Frederick's. Arthur prêtait des livres à Ruth ; ils en discutaient :

— Tu as aimé *The Minister's Charge* ?

— Je ne sais pas. J'ai aimé jusque vers la fin. Après, c'était trop affreux.

— À ton avis, il n'aurait pas dû épouser Statira?

— Non, je crois qu'il a fait une terrible erreur. Être piégé avec une femme alors qu'il en aime une autre? Ce n'est pas juste.

— Mais il n'a pas raison d'assumer ses responsabilités pour l'avoir menée en bateau? Il a vraiment fait comme s'il voulait l'épouser, même après s'être rendu compte qu'il préférait Jessie.

Ruth poussa un soupir.

— Je l'admire de faire ça, je pense, mais c'est quand même bien cher payer pour une erreur innocente. Il a cru l'aimer. Au début.

— Bien cher payer? Mais elle n'est pas si mal, non?

— Non, bien sûr, c'est ça, l'autre problème : ce qu'il lui fait. Après tout, pourquoi se croit-il si exceptionnel? Il lui vole sa seule chance de trouver un homme qui l'aime vraiment. Il s'imagine que personne d'autre ne l'aimera? *Lui* l'a bien aimée autrefois.

— Tu me fais penser à Jessie.

— Oh non!

Ruth secoua la tête et se pencha sur sa paille en rougissant.

— Je ne ressemble pas du tout à Jessie.

— Qui est Jessie? demanda Imogene en se glissant sur son tabouret.

Elle avait couru examiner un chapeau chez Jackson, la boutique d'à côté, pendant qu'ils attendaient leurs bières.

— C'est une bohémienne, répondit Arthur. Une artiste. Elle abandonne le héros quand elle découvre qu'une autre l'aimait avant elle.

— Et lui, il l'aime?

— Bien sûr. Elle est exactement ce qu'il a cherché toute sa vie.

— Dans ce cas, elle est idiote, repartit Imogene. En amour comme à la guerre, tous les coups sont permis.

— Tu crois pas qu'il y a des choses plus importantes que l'amour? fit Ruth.

— Non. Rien n'est plus important, répondit Imogene en faisant la moue devant sa bière. Je ne devrais sans doute pas boire ça.

— J'espère que tu n'écoutes pas toutes les bêtises que raconte ma mère, dit Arthur.

— Si, mais si tu me trouves très bien comme ça...

— Très bien ? Naturellement, fit-il en souriant. Tu es très bien comme ça.

La voiture d'Arthur n'avait que deux places, mais avec Imogene appuyée contre son épaule et Ruth coincée contre la portière ils tenaient à trois sans problème. Amanda, qui attendait devant la fenêtre de la cuisine le retour de Ruth, vit celle-ci pratiquement basculer dans l'allée quand le véhicule s'arrêta.

Imogene passa la tête par la vitre en agitant la main. Elle cria :

— Huit heures demain soir !

Amanda avait étudié la famille Owens d'assez près pour connaître la voiture et deviner qui la conduisait.

— Ils sont sérieux ? demanda-t-elle plus tard, servant d'abord un café à Ruth avant d'en verser dans sa tasse et de prendre sa place à table.

Quand Carl était absent, désormais, elles n'étaient plus que toutes les deux pour dîner. Au dernier printemps, Rudy avait décrété qu'il était trop âgé pour travailler à la ferme, mais apparemment pas trop pour se marier. La cérémonie s'était tenue dans le salon. C'était Amanda qui avait confectionné le gâteau de noce, Ruth avait interprété trois chansons au piano, et Rudy avait emménagé dans la maison de sa femme, en ville.

— Ils sont sérieux qui ?

— Imogene et ce fils Owens.

— Je ne sais pas.

Ruth haussa les épaules. Elle avait souvent l'impression de devoir protéger Imogene des indiscrétions d'Amanda. En quoi est-ce que ça la regardait ?

Sa tante fronça les sourcils.

— J'espérais qu'elle aurait plus de jugeote.

— Arthur est un garçon très bien. Le plus gentil que j'aie jamais rencontré.

Ruth fut un peu surprise de constater qu'elle pensait ce qu'elle disait. Trouvait-il vraiment qu'elle ressemblait à Jessie ?

Prudence, se dit Amanda, inutile de faire une histoire pour une tocade d'adolescente. Imogene n'avait-elle pas été amoureuse d'un autre à peine quelques semaines plus tôt ?

— Je pensais juste que ces gens-là ne sont que des estivants, reprit-elle. Ça ne mène à rien d'être sérieux avec des gens qui ne sont là que pour l'été, j'espère qu'elle le sait.

L'affaire méritait pourtant d'être surveillée. Elle avait l'impression qu'on jouait avec elle : quelqu'un déplaçait un pion puis se calait dans son fauteuil avec un sourire cruel, attendant de voir sa réaction. Jusque-là, elle n'avait pas déplacé les bonnes pièces. C'était évident. Quelles qu'aient pu être ses intentions, au bout du compte elle s'était toujours laissé guider par son instinct, son cœur s'étant révélé un imbécile sur lequel on ne pouvait compter. Et voilà qu'elle s'était encore trompée, y compris ce soir-là, à attendre derrière le rideau le retour de Ruth alors que c'était d'Imogene qu'il fallait se soucier. En fait, sa seule réussite, c'était d'avoir élevé Ruth.

Le regard d'Amanda balaya la cuisine, la jeune fille pompait l'eau pour faire la vaisselle du dîner. Elle allait sûrement casser quelque chose ; ça lui arrivait souvent, elle entrechoquait les assiettes sans réfléchir, prêtant à peine attention à ses gestes. Amanda se sentait toujours grisée par l'énergie débridée de Ruth, même si le manque de délicatesse qui l'accompagnait la hérissait. Si Ruth renversait tout à droite et à gauche, Amanda, elle, n'avait plus lâché un seul objet fragile depuis le vase en cristal de sa mère, le jour du mariage de Mattie et Carl. Il faut beaucoup de concentration, se dit-elle en se frottant la base du pouce, oui, beaucoup de concentration pour garder les choses intactes.

****

Après avoir raccompagné Imogene, Arthur roula sans but sur les routes de campagne. Cet été-là, le chemin qu'il suivait, l'itinéraire choisi et soigneusement balisé par ses parents, bifurquait. Soit son frère lui obtenait une place à la banque, soit il démarrait sa propre affaire : ses parents lui avaient clairement signifié que leur plus cher désir serait de financer une entreprise dont Arthur E. Owens serait le concepteur et capitaine. Mais l'intuition qu'il pouvait aussi exister une destination tout à fait autre, une destination qu'il ne voyait pas encore mais qui se trouvait juste de l'autre côté du taillis touffu des aspirations et des habitudes acquises depuis longtemps, cette intuition le troublait et l'empêchait d'avancer. Il ne savait pas du tout comment s'y prendre pour tailler dans ces broussailles, ni si ce qu'il découvrirait allait lui plaire, mais il ne voulait pas non plus suivre aveuglément la route impeccable où étaient déjà posés ses pieds. Il était agité ; il sentait des forces se masser en lui, toutes prêtes à le propulser dans la direction qu'il choisirait, quelle qu'elle fût, mais il n'arrivait pas à se décider. Il s'était donné l'été pour musarder, mais maintenant l'automne était là.

Et puis il y avait cette fille, Imogene. Il avait presque l'impression de l'avoir fait apparaître comme par magie, vu la façon dont il l'avait rencontrée ce fameux soir puis retrouvée la semaine suivante, pétulante et volubile, avec son sourire vif et son rire facile, assise au bureau de sa mère. De toute évidence elle avait de l'admiration pour lui, et il avait reçu l'approbation maternelle.

— Parfois, mieux vaut une ardoise vierge, avait dit Theresa. Une fille susceptible d'être influencée, ce n'est pas rien.

Theresa Owens jugeait important d'avoir l'esprit large en matière d'amour.

Imogene était brillante, jolie et manifestement ambitieuse. Elle écoutait des concerts à la radio pour apprendre à reconnaître les compositeurs et posait à la mère d'Arthur des centaines de questions sur les tableaux qui ornaient leurs murs. Quand Theresa lui avait payé un billet pour aller voir avec eux *Une maison de poupée* à Milwaukee, Imogene en avait déniché un exemplaire à la bibliothèque et l'avait lu deux fois, plus *Hedda Gabler* et *Le Canard sauvage*, histoire de faire bonne mesure. Du coin de l'œil, assis à côté d'elle au théâtre, Arthur l'avait vue articuler les répliques. C'était sans doute condescendant de sa part, mais il trouvait attendrissants ses efforts pour se cultiver.

Et, outre son physique et son charme, il admirait son assurance. Elle savait où elle allait et comment y parvenir. Il était tentant pour lui de s'aligner sur quelqu'un comme ça, une femme qui le prendrait en main.

Mais l'amie d'Imogene le troublait. Dès le tout premier soir, quand Ruth lui avait parlé de la noyade de sa mère, il avait eu envie de lui dire : « C'est moi qui l'ai trouvée. C'est la dame dans la glace. » Que la mère de Ruth l'ait appelé à travers cette vitre noire, que ce soit lui qui l'ait trouvée, ait découvert sa peau bleue et ses yeux ouverts, le faisait se sentir proche de Ruth qui, elle, semblait tenir ses distances. Au drugstore, il avait eu envie de tendre la main vers une mèche de cheveux qui ruisselait toujours le long de son visage et de l'entortiller autour de son doigt. Au mieux, elle était quelconque. Elle n'avait pas le teint particulièrement clair, ses yeux étaient trop grands et ses lèvres trop minces. Pourtant, quelque chose de réservé, de secret même dans sa façon d'être intriguait Arthur. Il était sûr qu'elle l'emmènerait ailleurs, un ailleurs où il n'était jamais allé, un ailleurs qu'il ne pouvait même pas imaginer.

****

— Prends le volant, dit Imogene à Ruth le lendemain soir. Je suis trop nerveuse. De toute façon, faut que tu t'entraînes.

Elle lui avait donné des leçons de conduite l'été précédent, mais sans grand succès. Ruth dut s'y reprendre à plusieurs fois pour déplacer la voiture et elle oublia de regarder à gauche avant de déboucher sur la route dans une embardée.

— Tu ne trouves pas qu'il aurait dû passer me prendre, ce soir, Ruth ?

— Il n'avait pas dit qu'il devait s'absenter ? Qu'il serait en retard ? Il voulait être sûr que tu viendrais, non ?

— C'était juste de la politesse. Ou de la curiosité. Ou... je ne sais pas, mais il devrait me proposer un vrai rendez-vous s'il veut que ça dure après son retour en ville.

Ruth s'appliquait à maintenir la voiture sur la route.

— Je t'ai dit qu'il m'a donné un trèfle à quatre feuilles hier ?

— Non, répondit scrupuleusement Ruth.

Elle aurait voulu que ça finisse, d'une manière ou d'une autre : Imogene et Arthur ensemble ou pas ensemble, une bonne fois pour toutes. Elle aurait voulu ne plus jamais avoir à entendre un mot sur lui. Elle dit :

— J'espère que tu l'as tout de suite pressé dans un recueil de poésies.

Imogene s'enfouit le visage dans ses mains et éclata de rire.

— Oui, avoua-t-elle, c'est vrai. Je ne sais pas ce que je vais faire s'il ne se dépêche pas de dire quelque chose. Parole d'honneur, je crois bien que j'en suis amoureuse.

Puis elle se redressa sur son siège et changea de ton.

— À mon avis, je devrais d'abord danser avec Bobby. Ensuite peut-être avec Ray. Histoire qu'il attende son tour. Qu'il se pose quelques questions. Le problème, c'est qu'il peut me voir tous les jours de la semaine, alors il ne réalise pas que, s'il veut continuer à me voir vraiment, tu comprends, un de ces jours il va bien falloir qu'il dise quelque chose.

À présent, Ruth garait précautionneusement la voiture sur le parking du kiosque de danse. Elle coupa le moteur et un flot de musique s'engouffra par les vitres ouvertes. C'était la dernière soirée dansante de l'été. Déjà, le vert éclatant avait commencé à pâlir sur les feuillages, et bientôt le monde se retirerait dans sa coquille. Dans moins d'un mois, la touffeur exubérante et douce des nuits d'été ne serait plus qu'un souvenir. Dans moins d'un mois, Arthur Owens serait peut-être parti.

Imogene claqua la portière de la voiture.

— Dis, Ruth, fit-elle, appuyée à son amie pour ne pas chavirer sur ses talons neufs en traversant le gravier, si tu vois qu'on essaie de s'isoler, je peux compter sur toi, n'est-ce pas ? Distrais Ray. Tu sais qu'il adore bavarder avec toi : il trouve que tu es quelqu'un de sérieux. Ou fais-le danser avec cette horrible Zita.

L'orchestre venait de passer d'un morceau rapide à une musique douce et, vu sous un certain angle, le kiosque étincelant semblait presque flotter sur l'eau noire. En respirant à pleins poumons l'air piquant de l'automne à venir, Ruth elle-même en devina la promesse.

****

— Il n'est toujours pas là, hein ? lui chuchota Imogene tandis que Ray la reconduisait à leur table.

Mais, juste à ce moment-là, il se dirigea vers eux.

— Derrière toi, murmura Ruth.

Imogene fit volte-face et l'arrêta au passage. Alors qu'elle le traînait doucement par la main jusqu'à la piste de danse, il jeta un œil par-dessus son épaule en direction de Ruth, mais celle-ci se détourna pour parler à Ray.

— Fait moins chaud ce soir, tu trouves pas ? dit celui-ci.

— Oui, il fait bon, répondit Ruth.

Arthur m'a regardée, pensa-t-elle, et elle eut honte.

— Je me disais qu'on pourrait danser, si tu veux, proposa Ray.

— Peut-être, dans un petit moment.

C'était ridicule, méprisable, d'avoir envie qu'Arthur la regarde. L'idée lui donna une légère nausée.

— Bien, je me disais que j'avais envie d'aller me chercher un verre. Tu veux quelque chose ?

— Oui, merci, Ray. La même chose que toi.

En attendant qu'il revienne avec les boissons, elle tenta de se consoler en pensant qu'elle était tout simplement idiote. Après tout, un regard, une gentillesse, une danse, un compliment oiseux : bien sûr que ça ne voulait rien dire, rien, sauf dans sa petite tête stupide. Mais n'était-ce pas là le plus horrible ? Qu'il n'y ait rien entre Arthur et elle, et que pourtant, dans ses pensées, elle trahisse Imogene ?

Elle quitta la table et, flânant, alla regarder à travers la moustiquaire les lumières de la fête foraine de Nagawaukee Beach, qui clignotaient de l'autre côté du lac. Les vagues, distinctes sous le clair de lune mais invisibles dans l'obscurité qui le bordait de part et d'autre, semblaient beaucoup plus rapides que le jour, comme celles d'un fleuve en furie. Leur vitesse donnait l'illusion que le kiosque voguait à contre-courant, et Ruth dut agripper la rambarde pour garder l'équilibre. Elle regarda derrière elle les têtes qu'un éclat de rire rejetait en arrière ou que la concentration faisait se pencher en avant.

— Viens, Ruth, on retourne au bateau.

Imogene la tirait par le bras.

Ce fut exactement comme la fois précédente, Arthur soutenait une à une les jeunes femmes juchées sur leurs chaussures instables au moment où elles quittaient le ponton et, au-dessous, Bobby les aidait à prendre pied sur le bateau. Tout le monde bavardait, riait, rappelait à Bobby de prendre assez d'alcool et le taquinait sur la régate du matin.

— Je commençais à avoir le tournis à force de te voir tourner autour de cette bouée, dit Arthur.

— Il fallait bien que je te donne une chance de me rattraper. Est-ce que j'ai pas amené le spi avant même que t'aies fini ton parcours ?

— Mais à la dernière étape contre le vent, Maynard et Arthur ont choisi le bon côté du lac, intervint Kitty.

Ruth en était sûre, elle avait dit ça histoire de montrer qu'elle savait de quoi ils parlaient, alors qu'Imogene et elle-même l'ignoraient.

Kitty marqua une pause avant de sauter dans le bateau en tenant la main d'Arthur.

— Ce n'est pas juste que tu sois toujours le dernier à monter, dit-elle.

— Ma mission me plaît, tant que Bobby ne démarre pas sans moi.

Elle lança à Arthur un regard lourd de sous-entendus.

— Je te garde une place ?

— Bien sûr.

Ruth trouva qu'il avait eu l'air surpris, interloqué, mais il avait quand même dit « bien sûr ».

Kitty hocha la tête.

— Alors à tout de suite.

Et, tout en gardant les yeux baissés pour passer du platbord au siège, elle fit frétiller en l'air les doigts de sa main libre.

Imogene, dont le tour venait ensuite, regarda elle aussi

Arthur, et Ruth la vit sourire comme si elle ne venait pas de voir sa sortie sabotée en quelques secondes. Elle prit la main d'Arthur avec légèreté, en effleurant seulement la paume de ses doigts, aérienne, n'exigeant rien.

— Tiens, Bobby, fit-elle en se tournant vers lui, posant sur le plat-bord le haut talon de sa fine chaussure, attrape-moi !

Elle ne voulait pas faire ça. Elle ne sauta pas dans ses bras, non, rien d'aussi imprudent, mais elle pénétra trop vite dans le bateau, trop occupée à jouer l'insouciance, au lieu de regarder où elle posait les pieds. Elle tendit la main vers l'épaule de Bobby au moment précis où il lui attrapait la taille, mais alors il perdit l'équilibre et ils roulèrent tous deux sur le pont. Imogene riait et gémissait en même temps.

— Genie, tout va bien ?

Ruth sauta dans le bateau, Arthur derrière elle.

— Oui, très bien ! Oh non, je ne crois pas !

Elle poussa un cri quand elle voulut s'appuyer sur son pied et s'affala sur la banquette.

— Bonne comédienne aussi, notre petite « eau d'asticot », chuchota Zita à Kitty.

— Tout va bien, insista Imogene.

Mais Arthur jugea préférable de la raccompagner chez elle, et elle accepta son aide pour quitter le bateau comme l'embarcadère.

****

— Il est venu me voir tous les jours ! gazouilla-t-elle sur sa chaise longue, dans le salon de sa mère, le dimanche.

Elle garda pour elle les mots et les baisers grâce auxquels il avait enfin dévoilé ses intentions.

— Donc, ça valait la peine ?

— Tu crois tout de même pas que je l'ai fait exprès, non ?

Elle se pencha pour frotter la cheville enflée posée sur une pile d'oreillers.

— Encore que j'étais tellement furieuse après cette Kitty que je l'aurais volontiers fichue à la flotte.

— Je sais, elle est abominable. On n'aura plus rien à faire avec ces gens-là.

— Mais ce sont les amis d'Arthur. Si Arthur et moi...

— C'est si gentil à toi, Ruth chérie, de faire ça pour Genie.

Mrs. Lindgren pénétra dans la pièce, interrompant sa fille. Elle se posta dans son dos et lissa ses cheveux derrière ses oreilles.

— Tes mains empestent! protesta Imogene, mais elle laissa tomber sa tête contre le bras de sa mère.

— Cent fois, poursuivit Mrs. Lindgren sur un ton plein d'indulgence, cent fois je lui ai dit qu'elle allait basculer avec ces chaussures, mais elle n'écoute jamais.

— Imogene, qu'est-ce que je fais de si gentil pour toi?

— Maman, tu ne m'as pas laissé le temps de lui demander.

Imogene se tourna vers Ruth.

— Ce qu'il y a, c'est que... tout le monde exagère à propos de ma cheville. Le docteur Karbler dit que je ne peux pas marcher au moins pendant encore un jour, et Maman a peur qu'avec des béquilles je tombe dans cette pente là-bas. Je déteste l'idée d'abandonner Mrs. Owens. Tu ne voudrais pas me remplacer demain?

— Mais je suis une secrétaire catastrophique.

— Ça ne fait rien. Elle ne te bousculera pas, et, en général, je fais des choses comme répondre au téléphone et trier le courrier. Tout le monde sait faire ça. C'est simple : correspondance personnelle, factures, bonnes œuvres.

Elle mima le geste de poser chaque lettre sur une pile distincte.

— Règle les factures, tiens les comptes et, pour les bonnes œuvres, Mrs. Owens regardera chaque lettre et te dira quoi faire.

— Tante Amanda ne va pas apprécier que je sèche les Brown. Elle a payé.

— Tu es vraiment obligée de lui dire? C'est rien que pour une journée.

Ruth mordilla l'ongle de son pouce.

— Je pense que, pour un seul jour, ça ne posera pas de problème. Et puis autant voir si je suis capable de faire ces trucs que je suis censée avoir appris. Qu'est-ce que je vais faire en attendant le courrier?

— Oh! tu trouveras bien quelque chose. Je suis sûre d'avoir laissé quelques lettres de la semaine dernière sur le bureau, elles sont à taper et à expédier. Sinon, tu peux demander à Arthur de te montrer la maison.

— Je ne ferai jamais ça!

— Je plaisante. T'inquiète, il y aura bien quelqu'un qui te donnera des instructions.

Ruth partait, la voix d'Imogene la suivit.

— N'oublie pas de te faire belle.

15.

Amanda

En novembre, le bébé était tellement gros, devant moi, que je devais me pencher en arrière pour ne pas tomber. C'est sans doute la raison pour laquelle je n'ai vu Joe que lorsqu'il a été sur la pelouse, à mi-chemin de la maison. J'étais au pied des marches, en train de balayer les glands hors du chemin, sans conviction. Je n'avais nulle part où me cacher, pas même un arbuste correct pour me couvrir à présent que les feuilles étaient tombées. Derrière l'étroit manche à balai, mon ventre formait un contraste saisissant.

Alors j'ai couru. Lourde comme je l'étais, courir était pourtant ce que je faisais de mieux, semblait-il. J'ai couru derrière la maison et poussé Mathilda pour qu'elle sorte par-devant.

Joe était venu avec une lettre : Carl était sur le chemin du retour.

Dans le jardin, Mathilda s'est mise à danser. Elle s'est jetée sur Ruth, l'a soulevée dans ses bras, et elle a dansé. Elle virevoltait et dansait. Elle dansait avec Joe ; elle dansait avec Ruth : Carl revenait. Je me suis assise sur le petit lit de Ruth pour tenter de maîtriser ma panique. À l'intérieur de moi, le bébé dansait, exactement comme Mattie. Il donnait des coups de talon et dansait, dansait.

Avant de partir, Joe a aussi raconté une triste histoire à Mathilda. Je l'ai imaginé, la casquette à la main, tête basse, faisant semblant de ne pas penser à ce qu'il avait vu. La pauvre Mary Louise avait eu son bébé, une petite fille aussi inerte que la glace.

****

Amanda pilotait tout droit dans la brume du petit matin, une main posée sur le petit Évinrude quatre chevaux que Joe lui avait donné quand il s'en était acheté un plus puissant. Le moteur ronflait si fort qu'elle n'arrivait pas à réfléchir et pourtant il fallait qu'elle réfléchisse. Elle ne savait ni ce qu'elle allait dire ni comment elle allait le dire, mais Arthur devait laisser Imogene tranquille – ça, au moins, c'était clair ; quant à Clement, s'il avait dans l'idée de..., mais non, c'était impensable. Elle songea avec fermeté que, de toute façon, il était temps de lui faire comprendre qu'ici c'était chez elle, pas chez lui, et qu'il avait causé assez d'ennuis comme ça pour toute une vie.

Comme elle approchait du hangar à bateaux, l'odeur faillit lui faire rebrousser chemin. Le bateau faucardeur avait dû faire sa moisson ce matin-là, et tout le long de la rive l'eau était souillée par un océan d'algues parsemées de poissons morts. Amanda coupa le moteur avant que les frondes filamenteuses ne se prennent dans l'hélice et parcourut à la rame la brève distance qui la séparait du ponton. Elle amarra son canot puis, cédant à une brusque impulsion, en sortit pour s'asseoir sur les planches, là où elle avait vu Clement prendre un bain de soleil. Elle étira ses jambes et rejeta le menton en arrière pour attraper le soleil. Elle faisait face au lac, tournant le dos à la pelouse par où il ne manquerait pas d'arriver. Si quelqu'un d'autre la découvrait avant lui, eh bien, tant pis.

— Un problème de moteur ?

La voix de Clement résonna au-dessus de l'eau, étouffée par les algues, grave et claire comme dans le souvenir d'Amanda.

Elle tourna la tête pour le regarder. Éblouie par la luminosité qui battait sous ses paupières, au début, elle ne distingua que l'ombre et la lumière. En franchissant la limite entre la pelouse et le sable, il s'abrita les yeux de la main.

— Vous avez besoin d'aide ?

Elle ne répondit pas, elle ne le put pas. Sa gorge semblait avoir gonflé jusqu'à l'étouffer, et elle tremblait. Ç'avait été une erreur de venir, une terrible erreur de croire que la trahison de Clement ne lui serait plus cuisante. Lentement, elle se tourna pour lui faire face, ramena ses genoux sous son menton et les enveloppa de ses bras pour se ressaisir. Lorsqu'il atteignit le ponton, il ne fixait plus le soleil.

— Amy ?

Il plissa les yeux dans sa direction, les sourcils froncés, jeta un bref mais indéniable coup d'œil vers la maison, puis se précipita vers elle. Les planches du ponton trépidaient sous son poids, la balançant en haut, puis en bas à chacun de ses pas.

C'était si naturel qu'il se courbe pour lui donner la main. Alors qu'elle le laissait l'aider à se relever, la joue d'Amanda effleura la manche du peignoir. Elle respira le parfum de ce même savon qu'il utilisait déjà tant d'années plus tôt, et les mois passés avec lui refluèrent comme une marée. Oui, l'espace d'un instant, elle éprouva surtout du plaisir, quand la proximité de Clement lui confirma qu'une Amanda jeune et pleine d'espérances avait existé autrefois, avait laissé un souvenir ; et l'amère prise de conscience qu'elle n'existait plus ne fit qu'intensifier la douceur de cette sensation. Cet homme la connaissait, l'*avait connue*, rectifia-t-elle, même s'il avait beaucoup abusé de cette connaissance.

Il la fixait, la fixait toujours en secouant la tête, étonné.

— Amy. Laisse-moi te regarder. Simplement te regarder.

Et, bien malgré elle, elle exulta de recevoir ainsi son approbation. Puis elle recula, désolée de l'avoir laissé, lui plus que quiconque, l'enjôler à nouveau.

— Il faut que je te parle.

— Bien sûr, bien sûr, Amy. Mais...

Il jeta un regard, plutôt furtif, elle le remarqua, des deux côtés de la rive.

— ... pas ici, je pense. Dis, s'illumina-t-il soudain, pourquoi on ne prendrait pas ton bateau pour s'éloigner un peu de cette puanteur ?

Elle hésita. Elle avait envie d'en finir mais n'avait toujours pas décidé précisément de ce qu'elle voulait dire. Éloigne ton fils de la fille de mon amie ? Ce n'était guère convaincant. Alors elle répondit :

— D'accord.

Elle se dit qu'il serait plus facile de lui parler ailleurs que sur ce ponton, pile sous les fenêtres de sa femme.

Dès que Clement eut posé le pied dans la barque, elle comprit qu'elle le haïssait. En quelques coups de rame, il sortit le bateau des algues, et elle continua de le haïr, de haïr l'assurance avec laquelle il manœuvrait les rames comme il l'avait manœuvrée, elle, autrefois. À deux reprises elle tira furieusement sur le cordon, et l'Évinrude s'éveilla en crachotant. Avec lenteur, ils avancèrent doucement vers les profondeurs du lac, le minuscule moteur ridait à peine l'eau dans leur sillage.

Ils n'essayèrent pas d'en couvrir le bruit pour parler. Enfin, en regardant la côte s'éloigner dans le dos d'Amanda, Clement dit :

— Là ou ailleurs, on peut s'arrêter maintenant.

Amanda remarqua qu'ils n'étaient pas visibles depuis la rive, sauf si l'observateur avait des jumelles.

— Alors, Amy. Que se passe-t-il ? Tu as besoin d'argent ?

À son tour, elle le dévisagea.

— D'argent ? Non, bien sûr que non.

— Eh bien, par les temps qui courent, nombreux sont les gens qui ont besoin d'argent. Il n'y a aucune honte à ça. Je serais heureux de savoir ce que je peux faire pour toi. Je ne sais pas exactement combien, mais je suis sûr de pouvoir te prêter quelque chose.

— Clement, arrête. Je n'ai pas besoin d'argent.

— De quoi, alors ?

Le regard d'Amanda se détourna de lui pour se porter sur l'eau. Quoi ? Quoi lui dire ? Imogene est notre fille. C'était ça ? Elle ouvrit la bouche.

— Pourquoi ne te baignes-tu pas ?

— Pardon ?

— Oui, je suppose que tu avais l'intention de te baigner, ce matin. Tu es en costume de bain, non ? Pourquoi ne pas y aller puisque nous sommes sortis des algues ?

Manifestement perplexe, au début, il ne dit rien, puis il entreprit de défaire le nœud qui fermait son peignoir.

— Bien, d'accord. Peut-être. J'aime bien nager au moins une ou deux longueurs chaque jour. Ensuite, on pourrait faire un petit tour. Voir cette île dont tu me parlais toujours.

Il se souvenait de l'île. Amanda en éprouva une gratitude démesurée qui, l'instant d'après, lui inspira du dégoût. Tandis qu'il ôtait son peignoir et grimpait sur le banc, elle trouva drôle de le voir si à l'aise avec elle, comme si elle n'avait aucune raison de le haïr, comme s'ils s'étaient séparés en bons termes, et il n'y avait pas si longtemps, comme si aucune des horreurs qu'elle avait traversées n'était arrivée. Il plongea, repoussant le bateau à plusieurs mètres dans son élan. Naturellement, pour ce qu'il en savait, il ne s'était pas passé grand-chose. Quelques larmes, une rupture, voilà tout. Elle s'aperçut avec un sursaut qu'il risquait même de croire qu'elle lui revenait, qu'à présent peu lui importait qu'il fût marié. Mais peut-être était-elle peu charitable – elle le regardait crawler lentement loin du canot. Peut-être était-il juste heureux de la revoir. Peut-être croyait-il qu'elle lui avait pardonné.

****

Ruth glissa une main sous le col de sa robe et rattrapa la bretelle qui menaçait de glisser le long de son bras. Il était huit heures et demie. Elle avait une bonne demi-heure d'avance. Au-dessous d'elle le lac scintillait, engageant. Des bateaux de pêche, avec pour équipage ces clandestins qui ne passaient pas par le bureau de placement, cabotaient paresseusement dans les criques le long du rivage ; au loin, un homme plongeait d'une petite barque, son torse blanc brillait au grand soleil tout neuf.

À peine eut-elle commencé à se balader au hasard en direction des vagues étincelantes qu'entraînée par la pente elle se retrouva en bas, sur une digue en béton. À une soixantaine de centimètres sous elle, le lac, dans ses basses eaux annuelles, gonflait et désenflait avec des mouvements nauséeux, soulevant et abaissant sa fétide cargaison de flotteurs rouge et blanc, d'emballages de sandwichs bruns et de poissons morts puants, le tout pris dans une nasse d'algues. Ruth recula. Autant aller travailler de bonne heure.

****

— Café ? lui demanda la bonne.

Elle l'avait emmenée à l'étage dans une pièce lumineuse où un bureau à cylindre s'adossait à un mur.

— Oh non ! merci.

Ruth passa la main sur un point de roussi qu'elle venait juste de repérer sur sa jupe.

— Miss Lindgren prend toujours un café. Avec de la crème et trois sucres. Une vraie confiserie.

La femme eut une moue réprobatrice et quitta la pièce non sans refermer la porte derrière elle, laissant Ruth seule avec le regret d'avoir refusé le café.

Elle tripota la clef du bureau. Devait-elle attendre ou l'ouvrir ? Imogene aurait dû lui donner davantage d'indications. Elle fit les cent pas dans la pièce, parcourant les gravures et le dos des livres sans savoir vraiment ce qu'elle regardait. Elle ne voulait pas être surprise en train de fouiner. Elle voyait déjà Mrs. Owens, tailleur cannelle épaulé et chapeau à plume – mais sans doute qu'elle ne portait pas le chapeau à la maison –, faire irruption dans la pièce et s'étonner qu'elle n'ait pas commencé. Genie n'avait pas dit qu'il y avait des choses à taper ?

Ruth retourna au bureau à cylindre, tourna la clef et fit coulisser l'abattant. Oui, il y avait une Remington et un bloc sténo ouvert sur une page qui portait l'écriture sténographique soignée d'Imogene. Ruth se glissa dans le fauteuil de bureau, détacha de la rame une feuille de papier propre et l'inséra sous le rouleau de la machine à écrire.

Vingt minutes plus tard, penchée dessus, elle s'efforçait de décider si un *i* tapé par erreur pouvait être correctement couvert par un *l*, ou s'il fallait recommencer la page comme le soutenaient ses professeurs chez les Brown. La porte s'ouvrit dans son dos.

300

— Ça n'a pas besoin d'être parfait, juste lisible, dit Mrs. Owens.

Comme Ruth put le constater, Mrs. Owens n'aurait jamais fait irruption dans une pièce. Majestueuse et posée dans sa robe grise, elle avait un peu l'air d'un grand héron cendré. Elle plana jusqu'à elle, la main tendue.

— Vous devez être Rose. Je vous suis infiniment reconnaissante d'avoir accepté de remplacer Imogene cette semaine.

Sa peau fraîche et lisse rappela à Ruth l'encre qu'elle avait sur les doigts.

— Ellen ne vous a pas servi un café ?

Et, avant que Ruth eût pu protester, Mrs. Owens parlait dans un appareil encastré dans le mur.

— Voulez-vous monter du café pour deux, Ellen ? Sans oublier la crème et le sucre.

Elle se retourna vers Ruth et murmura :

— Ellen est contre les sucreries.

****

Pendant à peu près une heure, Mrs. Owens arpenta la pièce en dictant les notes d'un discours destiné à convaincre son cercle d'allouer des fonds à la création d'une colonie de vacances pour les enfants pauvres.

— Aidez-moi, Rose. Il faut que je parle de l'air pur, de l'importance de l'air pur et de l'exercice pour la croissance, tant physique que morale. Comment attendre de ces enfants qu'ils deviennent d'honnêtes citoyens si on ne les expose pas à la saine innocence de la campagne ? Oui, c'est très bien, ça, Rose, notez.

Puis, tandis que Ruth transcrivait les phrases les plus prometteuses, Mrs. Owens passa des coups de téléphone.

— Eh bien, soupira-t-elle après le troisième appel, je crois que je ne vais pas pouvoir en faire plus aujourd'hui. Il faut que j'aille me pâmer devant le nouveau service de pneumologie de Saint-Joseph. Si vous pouviez juste finir de taper ces lettres et reporter ceci dans le carnet de rendez-vous, ce me serait une aide précieuse. Si certaines choses tombent au même moment, vous serez gentille de me le signaler.

Elle tendit quelques lettres à Ruth.

— Naturellement, Ellen vous servira votre déjeuner. Quand vous le souhaiterez, vous n'aurez qu'à l'appeler par l'interphone.

— D'accord, répondit Ruth tout en sachant que jamais elle ne pourrait convoquer Ellen.

— C'est donc vous que je revois demain? Ou Imogene?

— Imogene, je pense.

— Eh bien, Rose, fit-elle en tendant à nouveau à Ruth sa main fraîche, vous m'avez été d'un grand secours. Merci.

Et elle disparut.

Ruth s'attela à la dactylo. Le papier qu'elle introduisit dans la machine avait une douceur et une épaisseur luxueuses, une couleur riche et crémeuse, rien à voir avec le truc presque transparent, moucheté de petites brindilles et de chiffon, que les filles devaient utiliser chez les Brown. Quand elle le tenait à la lumière, le filigrane flottait au milieu comme un baiser secret. Pourquoi ne pas avoir dit à Mrs. Owens qu'elle ne s'appelait pas Rose?

Chère Mrs. Schmidt, j'ai été rvie

Soigneusement, Ruth sortit le papier de la machine et y inséra une nouvelle feuille.

Chère Mrs. Schmidt, j'ai zté

chère Ms

Chre

Elle arracha la quatrième feuille dans un chuintement sonore très agréable. Si on faisait ça chez les Brown, il fallait payer une amende pour dégradation du matériel. Comme elle ne voulait pas que Mrs. Owens voie combien de feuilles de son coûteux papier à lettres elle avait gâchées, elle plia ses faux départs et les fourra dans son sac.

Elle fit une fois le tour de la pièce pour se ressaisir puis retourna s'asseoir. Une épingle à cheveux s'enfonçait dans son cuir chevelu. Elle les ôta toutes, l'une après l'autre, cherchant la coupable jusqu'à ce qu'elle eût libéré ses cheveux dans son dos.

À l'exception de la machine à écrire, chaque objet posé sur le bureau suggérait un curieux thème aquatique. Ruth prit un coupe-papier dont le manche d'argent avait des écailles de poisson. Tapie à côté, une boîte en émaux verts en forme de grenouille tirait une langue de timbres. Elle en détacha plusieurs, les lécha et les colla sur les enveloppes. Elle taperait les adresses plus tard. Puis elle s'attaqua au carnet de rendez-vous, avec sa couverture en cuir vert bouteille et son petit stylo en or glissé dans un anneau sur le côté. Elle reporta chacune des obligations figurant sur les cartes et les lettres données par Mrs. Owens. Elle commença par les inscrire au crayon, au cas où elle se tromperait, puis repassa sur le crayon avec le stylo en or.

La sonnerie du téléphone retentit, elle sursauta. Est-ce qu'elle était censée répondre ? Elle attendit. Nouvelle sonnerie, deux fois, trois fois, quatre. Pourquoi personne ne décrochait en bas, Ellen ou quelqu'un d'autre ? Enfin, à la sixième sonnerie, elle souleva le combiné.

— Allô ?

Mais il n'y avait personne au bout du fil.

Elle feuilleta le carnet de rendez-vous : déjeuner au foyer des anciens combattants, thé à la maison de retraite Sainte-Anne, Société de protection de la nature, Amis des jardins, gala de bienfaisance au profit de la bibliothèque, Club de sport, Croix-Rouge, Club des femmes, dîner chez les Joneses. Ruth fit semblant de répondre à un appel.

— Oui, ici la secrétaire de Mrs. Owens... Je vais voir ce que je peux faire... J'ai encore de la place entre deux heures et demie et trois heures mercredi, est-ce que ça ira ? Merci. Au revoir.

Si seulement le téléphone se remettait à sonner.

Elle ferma le carnet de rendez-vous et remit le stylo dans son support. Elle quitta le bureau pour la table où s'était assise Mrs. Owens et attrapa le stylo plume comme s'il était à elle. Au dos d'une vieille enveloppe, elle essaya sa signature : Ruth Sap-

phira Neumann. Par la fenêtre, au pied du raidillon, le lac réflé-
chissait les rayons du soleil dans toutes les directions, comme un
papier d'aluminium froissé.

Elle finit par retourner au bureau et glissa une nouvelle
feuille sous le rouleau de la machine. Elle frappa « *Chère
Mrs. Schmidt* » avec un tempo lent mais régulier. « *J'étais vraiment
ravie de bavarder avec vous jeudi dernier.* »

Sans faire de bruit, Arthur ouvrit la porte du bureau. Pendant les absences de sa mère, il avait pris l'habitude de sur-
prendre Imogene, se faufilant le plus près possible sans qu'elle
détecte sa présence ou, du moins, sans qu'elle en fasse état.
Quand il constata que ce n'était pas Imogene qui tapait à la
machine, dos à la porte, sa première réaction fut de l'embarras
face à ce qu'il avait imaginé. Lorsqu'il reconnut Ruth, son sang
ne fit qu'un tour. La surprise le céda à l'assurance. Oui, ce
n'était que ça : de la surprise.

— Salut, dit-il depuis la porte.

Ruth fit volte-face et son poignet heurta un encrier qu'elle
rattrapa adroitement avant qu'il n'aille cracher ses entrailles
bleu-noir sur le tapis persan. Elle poussa juste un « oh ! » étonné
puis se retourna, confuse, et posa l'encrier plus loin sur le
bureau.

— Excuse-moi. Je ne voulais pas te faire peur.

Il fit deux pas dans la pièce. Sans rien trouver d'autre à
dire.

— Genie devrait revenir demain, mercredi au plus tard.

— Elle est malade ?

Ruth bataillait pour recoiffer ses cheveux défaits, elle avait
deux épingles dans la bouche.

— Elle ne doit pas marcher, avec sa cheville, répondit-elle
du mieux qu'elle put, les dents serrées.

— Sa cheville. Bien sûr. Elle va mieux ?

— Pas vraiment. C'est d'ailleurs pour ça qu'elle ne doit
pas marcher.

Il la mettait mal à l'aise. À la façon dont il la regardait, on
l'aurait presque cru en attente, comme s'il pensait qu'elle pouvait tout à coup dire ou faire quelque chose de drôle. À sa
connaissance, Ruth n'avait jamais rien fait pour lui donner cette
impression.

— C'est vrai, dit-il, il ne faut pas qu'elle marche, avec sa cheville.

Il souleva la grenouille distributeur de timbres puis la reposa.

— C'est très gentil à toi de la remplacer.

Elle haussa les épaules.

— C'était ça ou les Brown, et j'ai horreur d'aller chez les Brown.

— Alors pourquoi tu y vas?

Nouveau petit sourire réjoui d'avance.

— Parce que, d'après Imogene, il faut que je sache taper à la machine, et ils ont promis de m'apprendre. On ne peut pas dire que ça marche, ajouta-t-elle avec franchise, mais, à mon avis, ce n'est pas leur faute.

Il éclata de rire.

— C'est pas important de taper à la machine.

— Pour toi, sans doute pas. Mais pour moi ça l'est, ou en tout cas ça devrait. Tu ne l'as peut-être pas remarqué, mais c'est difficile de trouver du boulot en ce moment.

— C'est ce que tu veux être? Dactylo?

— Non, avoua Ruth. Pas vraiment. Mais on ne fait pas toujours ce qu'on veut, non?

— Non, sans doute.

Il traversa la pièce, alla se poster à la fenêtre et regarda vers le lac.

— La semaine prochaine, je commence à travailler pour mon frère.

Ses doigts tambourinaient sur la table. Il se retourna vers Ruth.

— Dis, il ne faut pas rester enfermé, un jour comme aujourd'hui.

— Il ne faut pas?

— L'été est bientôt fini, pas vrai? Autant en profiter.

Ruth jeta un regard sceptique à la feuille dans la machine à écrire.

— Pars devant. Moi, il faut que je termine ces lettres.

— Je croyais que tu ne savais pas taper.

— J'ai promis à ta mère.

Il saisit le petit tas de lettres manuscrites et compta les pages.

— Si je les tape pour toi, tu m'accompagneras?

— Mais tu ne sais pas taper à la machine!

— Bien sûr que si.

Il lui donna un petit coup de coude pour la pousser de la chaise. Après quoi il retroussa ses manches et régla la hauteur du siège comme s'il se préparait à un gros ouvrage.

— Ah! Mrs. Schmidt, fit-il en se frottant les mains, un œil sur la lettre commencée par Ruth. Qu'est-ce qu'on va lui raconter, à Mrs. Schmidt?

Il se mit à taper avec deux doigts, à petits coups rapides et résolus, assortis d'un vigoureux retour chariot toutes les trente secondes environ. Plongée dans la contemplation des lignes qui sortaient de la machine, Ruth se rappela tardivement d'ouvrir la main pour couvrir la tache de roussi sur sa jupe.

— Mon père m'a fait donner des leçons il y a quelques années, dit Arthur en entamant la deuxième lettre. Il disait que je devais suivre le progrès. J'avoue qu'en ce moment je ne le regrette pas.

Il leva vers elle un œil rapide, timide, au moment du ding de la sonnerie du chariot.

Fascinée par l'assurance de ses doigts, bercée par le cliquetis des touches, Ruth regardait, puis Arthur tira la dernière feuille. Il agita un peu la liasse des lettres terminées et la tapota sur le bureau.

— O.K., on peut y aller, maintenant?

****

Seule avec lui dans cette voiture, sans Imogene serrée entre eux, Ruth s'adossa timidement dans son siège, consciente qu'entre sa cuisse et celle d'Arthur il n'y avait que du vide. Elle gardait les yeux rivés sur le ciel, un bleu rincé et dur, et sur le chaume grossier des champs qu'on venait de moissonner. Mais, au bout d'un moment, elle commença à se détendre. Elle ouvrit la vitre le plus loin possible et fit jouer une main molle dans le ruissellement de l'air. Le vent dénoua à nouveau ses cheveux et elle les laissa s'emmêler, les retenant juste d'une main pour empêcher les mèches folles de venir lui fouetter le visage.

— On roule trop vite? dit Arthur avec ce même regard oblique et timide qu'il lui avait lancé derrière la machine à écrire.

— Non. J'aime bien ça.

Ils passèrent devant des champs, des fermes, des granges et des petits magasins avec les mots ÉPICERIE BIÈRE APPÂTS, ou BIÈRE ALIMENTATION MERCERIE, ou FROMAGES POULETS BIÈRE peints sur les murs.

— Où va-t-on? demanda enfin Ruth.

— Je ne sais pas, répondit-il en haussant les épaules. Qu'est-ce que tu dirais d'un pique-nique? T'as faim?

— Je meurs de faim.

Il s'arrêta près d'un de ces magasins qui vendaient de tout, celui-là était blanchi à la chaux, avec deux minuscules fenêtres. Une fois à l'intérieur, il se dirigea vers une glacière qui se trouvait au fond. Ruth le suivit lentement. Cette boutique lui plaisait; elle était comme une grotte, d'une humidité et d'une fraîcheur agréables après le vent sec de la route. À mesure qu'elle longeait la rangée des étagères en examinant les emballages – confitures de mûres, de fraises, de framboises, corn flakes, paillettes de savon, allumettes – lui parvinrent d'abord le parfum des boules de naphtaline puis celui du vinaigre et des clous de girofle, et enfin une odeur de cigarette et de sueur âcre.

— Qu'est-ce tu fous avec lui?

Le chuchotis râpeux dans son dos la fit sursauter, et elle expédia par terre une boîte de thon. Un vieux bonhomme dont la tête lui arrivait juste à l'épaule levait vers elle une mine revêche.

— Rien, répondit-elle en plongeant vers le sol pour récupérer la boîte de thon.

Elle la posa au hasard sur l'étagère et recula vers la porte.

— Arthur, je sors. O.K.? Je t'attends dehors.

Qu'est-ce qui lui donnait le droit de lui parler comme ça, à ce vieux fou? Elle s'adossa au mur blanc et chaud. Ils étaient des amis en balade, voilà ce qu'elle aurait dû dire. Ils profitaient des derniers beaux jours de l'été. Sincèrement, elle regrettait qu'Imogene ne soit pas avec eux.

De nouveau à l'abri dans la voiture, ils se montrèrent de jolis points de vue, de charmantes maisons, et furent heureux de découvrir qu'ils avaient exactement les mêmes goûts. Ils parlèrent des gens qu'ils connaissaient, ce qui leur rappela des anecdotes sur ceux qu'ils avaient connus. Arthur raconta à Ruth qu'il aimerait peut-être construire des ponts, et Ruth raconta à Arthur comment Amanda lui avait appris à piquer des crises et à aboyer comme un chien pour ne pas aller à l'école.

— Fais voir, dit-il.

Elle lui fit une démonstration, et il rit si fort que la voiture fit une embardée.

Il tourna sur une route plus petite.

— Tu sais où on va ? dit Ruth quand la petite route se transforma en un chemin de terre.

— Mon père et moi, on s'arrêtait toujours quelque part dans ce coin-là.

Il se pencha pour regarder par la vitre.

Il finit par emmener Ruth à une petite rivière où il fabriqua un nid de cailloux pour rafraîchir la bière. Puis ils s'assirent dans l'herbe et il tailla dans le saucisson sec avec son canif pendant qu'elle déchirait le pain.

— Imogene devrait revenir demain.

Elle empilait des sandwichs improvisés sur le papier brun déplié entre eux.

— Ah ? Bien.

— Oui, en vérité, sa cheville ne va pas si mal. Je veux dire qu'elle allait mal, mais que maintenant elle va mieux. Sa mère voulait juste qu'elle soit prudente.

— Il *faut* qu'elle soit prudente.

Il alla chercher la bière et regarda les ondulations sur la gorge de Ruth pendant qu'elle avalait. Des gouttes de condensation tombaient de la bouteille sur sa jupe. Il dit :

— Ça ne me plaît pas du tout de quitter le lac la semaine prochaine.

— Mais tu ne l'aimerais pas, l'hiver. Il est triste et vide comme la lune.

— Je m'en fiche. Ici, il y a des choses à faire dehors, pas juste cavaler d'immeuble en immeuble comme en ville.

— En général, nous aussi on cavale d'immeuble en immeuble, avec un peu de chance, répondit Ruth en riant.

— Eh bien, quoi qu'il en soit, j'espère avoir une raison de revenir le week-end.

Rougissant, il arracha quelques touffes d'herbe. Elles cédèrent avec le léger bruit craquant que fait un mouton en broutant.

Il pense à Imogene, se dit Ruth. Il aime Imogene. Qu'est-ce qui la peinait là-dedans ? Qu'Imogene l'ait lui ou que lui ait Imogene ? Les deux, sans doute. Dans les deux cas, ils la laissaient seule. Mais elle était l'amie d'Imogene, c'était ça l'important. Et elle serait son amie, avec ou sans Imogene. Elle dit :

— Imogene ferait une très bonne épouse.

— Oui, j'en suis sûr, répondit-il avec sérieux. Celui qui l'épousera aura de la chance.

Soudain, il lança en l'air l'herbe qu'il avait arrachée, et elle retomba sur leurs têtes comme des confettis.

— Viens, dit-il, on va marcher un peu.

Elle avait un brin d'herbe accroché juste au-dessus de l'œil. Il tendit la main pour le faire glisser de ses cheveux, et elle eut un petit pincement au cœur quand il effleura son front. Arrête, se dit-elle. Il ne faut plus que tu ressentes ça.

Vite, elle se releva et brossa l'herbe sur sa robe.

— Non, il se fait tard. Ma Tante va s'inquiéter. Il vaut mieux que tu me ramènes.

16.

Amanda

Je devais bien reconnaître que c'était délicieux d'être là, sur l'eau, avec la brise fraîche qui fronçait les vagues et le chaud soleil inondant mon chemisier. Le matin avait poussé trois voiliers loin de leurs pontons, ils faisaient des zig et des zag sur l'eau bleu sombre et détachaient sur l'azur leurs triangles de toile d'un blanc éclatant. Clement nageait si près que l'écume de ses battements me mouillait les joues. Est-ce que ça ne suffisait pas comme ça, et largement ? Après tout, notre bonheur avait été réel autrefois, même s'il avait menti pour l'aiguiser. Pourquoi, exigeant d'être la plus chérie, l'unique bien-aimée, m'étais-je coupée de telles joies ?

Après une deuxième longueur, il s'est accroché au bateau, il avait du mal à respirer. Maintenant qu'il avait les cheveux mouillés et plaqués sur le crâne, je voyais combien ils s'étaient clairsemés. J'ai eu envie de lui prendre la main. Envie de lui dire chut, chut, ça va. Repose-toi. Remonte dans la barque et repose-toi. J'étais triste de le voir diminué, un homme qui avait eu tant de vitalité, mais sa faiblesse aussi éveillait ma tendresse.

Bien sûr, je m'étais trompée quelques matins plus tôt. Clement n'était plus ce qu'il avait été. Il n'avait aucunes vues sur Imogene. Mes craintes n'étaient que le fruit d'une nature suspicieuse.

J'ai voulu lui parler d'elle. Je voulais qu'il sache que, au bout du compte, lui et moi on avait fabriqué cette belle fille. J'ai dit :

— Je veux te parler d'Imogene. Imogene Lindgren.

Il a levé la tête vers moi, plissant les yeux, et il a poussé un soupir. Oui, je crois bien que c'était un soupir.

— Elle est adorable, n'est-ce pas ? En fait... si je n'étais pas si vieux...

Alors il a détourné le regard, loin, de l'autre côté du lac, puis l'a reporté sur moi. Il a peut-être même cligné de l'œil, à moins qu'il n'ait juste battu des paupières pour en chasser l'eau. Et il a dit :

— Maintenant, qui sait ce qu'aiment les jeunes filles, de nos jours ? J'ai peut-être encore mes chances.

Il s'était retourné en parlant et avait poussé la barque avec les pieds, de sorte que sa dernière phrase a été presque emportée par le bruissement de l'eau, mais je suis sûre de l'avoir entendue. Sinon, pourquoi aurais-je senti ce frisson d'horreur froide courir sur ma peau ?

Ensuite, c'est le soleil que j'ai senti brûler et bouillonner dans mes veines. J'ai eu envie de lui rentrer dedans avec le bateau, de faire passer l'hélice sur la blancheur arrogante de son dos, qu'elle en fasse des lambeaux comme d'un drap usé. J'ai eu envie de plonger et de lui enfoncer la tête sous l'eau de mes mains. Mais je ne l'ai pas fait. Bien sûr que je ne l'ai pas fait. Je ne serais capable de rien de tout cela.

En revanche, je me suis dressée dans la barque et j'ai crié à tout le lac :

— C'est ta fille ! Ta fille !

Mais il ne s'est pas arrêté. J'ai tiré violemment sur le cordon, le moteur a grogné. Quand la plainte lui est arrivée aux oreilles, Clement a dû enfin lever la tête. Il a dû me regarder partir, ahuri. Je ne me suis pas retournée.

Le moteur était lent, si bougrement lent qu'il m'a semblé mettre des heures à traverser le lac, à m'éloigner de lui, des jours à atteindre la rive. À mi-parcours, j'ai jeté la robe de chambre en tissu-éponge. Ses manches se sont déployées dans les airs, puis elle s'est posée à la surface du lac, et, lentement, à mesure qu'elle s'imprégnait d'eau, elle s'est mise à couler.

Tout en halant la barque sur la boue de la rive, je voyais Clement sortir de l'eau et se faire faire un sandwich. Après avoir nagé si longtemps, il aurait une faim de loup, et ma fureur n'aurait pas davantage entamé ses autres appétits. Au moins, il serait obligé de se frayer un chemin dans ces algues. C'était un monstre ! Un monstre ! J'avais encore son odeur sur la peau ; je suis entrée dans les vagues pour me nettoyer les mains et rafraîchir mes joues toujours cuisantes d'indignation.

Nagawaukee n'est pas un grand lac ; en largeur, n'importe qui peut le traverser à la nage. Comment aurais-je pu deviner qu'il était incapable d'accomplir une chose que pouvait faire un enfant de dix ans ? J'avais oublié qu'il avait le cœur malade.

Est-ce que c'est vrai ? Franchement, je n'en sais rien.

17

Amanda

Le bébé était prêt, mais pas moi. J'aurais voulu demeurer pour toujours dans les limbes, ne jamais ni avancer ni reculer, rester juste comme ça. Mais le bébé ne pouvait pas rester juste comme ça. Il fallait continuer, que ça me plaise ou non.

Les douleurs ont commencé à midi par une radieuse journée au froid atroce. Je prenais au bout de l'île une ultime et imprudente goulée d'air, mettant la terre entière au défi de me voir. J'exultais dans les assauts du vent qui battait et soufflait en rafales sur la glace verte toute neuve, un vent assez froid pour me faire venir les larmes aux yeux. Alors mon ventre s'est encore tordu.

J'ai perdu les eaux vers sept heures. J'ai stérilisé les ciseaux en étouffant la pensée de cette absurde boîte à vide et les ai posés, avec une ficelle, sur une serviette propre. J'ai rangé mes chaussures l'une à côté de l'autre, sous le lit de la chambre de Mathilda, celle qu'on avait décidé d'utiliser. J'ai ôté ma robe et l'ai bien proprement pendue à la patère derrière la porte. Mathilda ne cessait d'aller et venir entre la cuisine et la chambre, la pauvre petite, parfois avec un verre ou une couverture, mais le plus souvent juste histoire de faire quelque chose. Moi, j'étais calme. J'étais prête.

J'ai été saisie par une contraction, avec un bruit qui a dû effrayer Ruth.

— Bobo, Tante Mandy?

— Viens, ma chérie, a dit Mathilda en lui tendant la main. Maintenant, va dans ta chambre.

Ruth a fait non de la tête.

— Si, il faut y aller, maintenant. Sois gentille, Ruthie.

Mais Ruth s'est accroupie et, avant que Mathilda ait pu la prendre dans ses bras, elle s'est glissée sous le lit à toute vitesse, en traînant le tapis en lirette derrière lequel elle s'est barricadée.

Mathilda a allongé le bras pour essayer de la sortir de là, mais Ruth se cramponnait au pied du lit en hurlant. J'ai eu une meilleure idée. Je suis sortie du lit et suis allée chercher un bâton de sucre d'orge à la menthe dans la cuisine.

— Tiens, Ruth, ai-je dit en tenant le bâton zébré à ras du plancher, dans la mesure de mes moyens. Chut. Tante Mandy a un bonbon.

Mais une nouvelle contraction m'a coupé le souffle. Le sucre d'orge est tombé avec un craquement pendant que je me raccrochais à Mattie. Elle m'a aidée à me remettre au lit, et on a laissé Ruth où elle était.

****

Ruth flottait sur le ventre, le corps déployé sur les vagues comme une robe de chambre en éponge bleue. Tends le bras, plus loin, oui : les cheveux, tiens bon, tire-la, sors-la. Amanda se réveilla, ses doigts battaient l'air, elle haletait comme si c'était elle qui cherchait son souffle sous l'eau. Ruth ne s'est pas noyée, se dit-elle avec conviction. Ruth va bien.

Elle s'était endormie tout habillée, l'ourlet de sa robe était encore humide là où il avait trempé dans l'eau quand elle avait traîné la barque sur la rive. Pendant son sommeil, son col s'était entortillé autour de sa gorge – c'était sans doute pour cela qu'elle était essoufflée –, et elle défit les deux boutons du haut.

Le jour baissait, mais ce n'était pas encore le crépuscule. Ruth serait bientôt de retour, si elle n'était pas déjà là.

— Ruth ?

Amanda l'appela du haut de l'escalier. Pas de réponse.

Elle se retourna et se retrouva face à elle-même dans le miroir du palier, la peau rougie par le soleil, les cheveux décoiffés, emmêlés, la robe chiffonnée. Elle porta timidement une main à sa joue. Elle n'avait certes jamais eu ce qu'on appelle un visage rond, mais depuis quelque temps ses os se faisaient plus saillants, ses joues plus creuses. Des fils blancs se faufilaient dans ses cheveux.

Quelle fille es-tu pour te mettre dans un pareil état de crasse ? dit la voix de sa mère dans sa tête, mais elle était si nette, cette voix, qu'Amanda fit volte-face, s'attendant presque à voir sa mère devant elle avec, à la main, un gant de toilette et son savon à la lavande fait maison. Mais ça se serait passé en bas, dans la cuisine, entre la bassine et le poêle. Il y avait longtemps que Carl avait aménagé une salle de bains à l'étage, en murant un coin de la chambre de Ruth, celle qu'Amanda et Mathilda partageaient autrefois.

Elle prit une robe propre dans le placard et la suspendit à la porte de la salle de bains. En attendant que la baignoire se remplisse, elle se brossa les dents avec un peu de bicarbonate de soude, récura l'évier et les toilettes avec du détergent. Ses cheveux gardaient encore l'odeur des poissons morts et des algues croisés ce matin-là. Elle devait les laver, même s'il était sans doute trop tard dans la journée pour les faire sécher correctement.

Elle se coula dans la baignoire, lentement. Elle ne s'était pas rendu compte qu'elle était gelée et tendue à ce point, et l'eau chaude lui fit du bien. Elle s'y allongea, laissant flotter ses pieds et ses mains. Elle se caressa paresseusement ; le ventre, les cuisses, les os et la douce déclivité à la base de la gorge, les seins. Puis elle glissa plus profond, en rejetant la tête en arrière pour se mouiller les cheveux. L'eau monta doucement, chaude capuche derrière sa tête et, pareille à des herbes aquatiques, sa chevelure s'étala autour de son cou et sur sa poitrine. Puis l'eau lui couvrit les oreilles, l'isola des bruits, l'attira vers le fond.

Amanda se redressa brusquement et se démena pour sortir du bain ; l'eau ruissela de ses orteils et de ses doigts sur le tapis. Vite, elle se sécha et s'enveloppa les cheveux dans la serviette. Puis, la peau encore humide, elle enfila ses vêtements. Ce qu'il lui fallait, c'était manger. Quand avait-elle mangé la dernière fois ? Il fallait qu'elle se débrouille pour préparer à dîner. Ruth était toujours affamée quand elle avait passé la journée à batailler avec ces machines à écrire.

Les cailloux de l'allée crissèrent dans un cliquetis alors qu'elle pelait la dernière pomme de terre. Amanda se glissa à la fenêtre pour regarder dehors. Un homme, ce fils Owens, ce Clement qui n'était pas Clement, aidait Ruth à descendre de voiture. Elle ôta la serviette de ses cheveux et noua un foulard sur sa tête. Mais il y eut un claquement de portière, suivi d'un autre ; le bruit du moteur enfla, s'éloigna, et Ruth pénétra seule dans la cuisine.

— Tu étais avec le fils Owens ? lui demanda Amanda, du ton le plus dégagé qu'elle put adopter.

Elle souleva le couvercle de la cocotte et une bouffée de vapeur lui masqua le visage.

— Arthur ? Il m'a raccompagnée.

— Mais pas Imogene ?

— Non.

Maintenant, c'était Ruth qu'il fallait surveiller ? Les sourcils froncés, Amanda étudia chaque geste de la jeune fille tandis qu'elle commençait à mettre la table.

— Est-ce que vous...

Elle s'interrompit, ne sachant pas comment formuler ça :

— Est-ce que vous avez pris un verre ? compléta-t-elle avec tact.

— Bien sûr que non.

À la pensée du père et du fils, elle sentit monter en elle une colère amère comme le fiel. Pourquoi ne les laissaient-ils pas tranquilles, elle et ses filles ? Mais c'était sa faute, elle le savait. À force de se cacher, de faire semblant, de continuer à mentir, d'une certaine manière elle avait gardé Clement Owens auprès d'elle, toujours. Une seule nuit avec lui était devenue le nœud autour duquel elle s'était construite depuis vingt ans. Qu'y avait-il de surprenant à ce que ce nœud redouble, désormais, au lieu de se défaire ?

Mais tout allait s'arranger, elle s'en donna l'assurance. L'été touchait à sa fin, bientôt, les Owens partiraient. Elle n'aurait qu'à attendre un peu plus longtemps, en gardant les choses comme elles étaient.

Ruth était en sécurité à la maison, et maintenant elles allaient prendre un repas équilibré. Amanda déposa une cuillerée de chou rouge dans l'assiette de Ruth. Oui, tout s'arrangeait. Les choses étaient comme elles devaient être – elle contempla la table –, à l'exception d'un détail.

— Tu ne crois pas qu'on devrait prendre de la compote de pommes, Ruth ? Il y en a dans la glacière. Pourquoi n'irais-tu pas la chercher ?

— Je n'ai pas besoin de compote de pommes.

— Eh bien, moi je pense que si. Elle est juste dans la glacière, dans le petit plat vert.

— Je n'ai vraiment pas envie de compote de pommes, ce soir.

— Je crois tout de même qu'on devrait en manger. Sinon, on n'aura pas eu de fruits, et les fruits sont très importants. On va au moins la mettre sur la table, au cas où on changerait d'avis.

— Je veux qu'Imogene soit heureuse, dit Ruth en se levant de table. Je le veux vraiment.

Non, il ne fallait pas qu'elle parle d'Imogene, pas ce soir, pas quand les choses devaient rester juste comme elles étaient.

— On veut tous qu'Imogene soit heureuse, bien sûr. Sur l'étagère du haut, Ruth, derrière le lait. Tu sais, je me demande si elle ne va pas être trop froide. Tu crois que si ? Il ne faut pas qu'elle refroidisse la viande. Peut-être qu'on devrait la réchauffer un peu, pour qu'elle ne soit pas glacée.

— Mais on allait avoir notre appartement !

— Un appartement ? Quel appartement ?

Amanda repoussa légèrement sa chaise. Elle se sentait soudain en situation d'infériorité, les jambes piégées sous la table.

— Il n'y a pas d'appartement. Plus d'appartement. Genie va épouser Arthur Owens. Il ne le lui a pas encore demandé, mais il va le faire.

Ce fatras d'étranges syllabes s'accompagna dans les oreilles d'Amanda d'une sorte d'épaisseur suivie d'un bourdonnement. Elle recula de la table en secouant la tête.

— Non, fit-elle avec conviction, presque avec vivacité. Non, c'est impossible.

— Tante Mandy, qu'est-ce qui te prend ? Tu es malade ? Quelque chose ne va pas ?

Amanda se leva si brusquement que sa chaise se renversa derrière elle.

— Il faut les empêcher de faire ça.

— De quoi parles-tu ? Qu'est-ce qui t'arrive ?

Ruth avait fait le tour de la table, elle pressait la paume de sa main sur le front moite de sa Tante.

— Tu devrais peut-être t'allonger. Oui, tu veux t'allonger ? demanda-t-elle en pilotant Amanda vers le salon.

Elle s'efforçait d'avoir l'air attentionné, mais elle était terrifiée. Est-ce que c'était pour ça qu'on l'avait mise à Saint Michael ?

— Tu veux que j'appelle le docteur Karbler ?

— Non ! Personne, Ruth. Personne d'autre. Rien que toi.

Elles étaient debout près du vieux canapé, mais, quand Ruth voulut l'y coucher, Amanda s'accrocha à elle et l'obligea à s'asseoir aussi.

— Promets-moi que tu m'aideras, Ruth, murmura-t-elle. Promets-le.

— Bien sûr que je t'aiderai. Mais à quoi ?

Amanda continua de chuchoter comme si, ainsi, les mots n'étaient pas vraiment prononcés, mais qu'il passait entre elle et Ruth un flux de compréhension.

— Imogene est la fille de Clement Owens.

Elle est folle, se dit Ruth, et instinctivement elle s'écarta d'Amanda tandis qu'un mélange de crainte et de dégoût montait dans sa gorge, frisant la nausée.

— Arrête, dit-elle. Qu'est-ce qui te prend ? Arrête de te comporter comme ça.

Elle eut envie de la gifler, mais alors Amanda se mit à pleurer, et, au lieu de la gifler, Ruth lui frotta l'épaule.

— Écoute, Tante Mandy, tu sais que c'est idiot. Je ne sais pas qui est allé te raconter ça, mais tu ne peux pas croire ces histoires de fou. Mr. Owens et Mrs. Lindgren ne se connaissent même pas. Et Mrs. Lindgren ne ferait jamais une chose pareille !

Une pensée lui traversa l'esprit.

— Je sais qui a inventé cette histoire, je parie. Quel culot ! C'est ces garces de Zita et Kitty. Elles vont le regretter.

Amanda avait cessé de pleurer. Comme des griffes, ses doigts agrippèrent Ruth par les épaules, et elle la secoua.

— C'est *toi* qui vas arrêter, Ruth ! Regarde-moi ! Écoute-moi ! Personne n'a inventé cette histoire, c'est la mienne. Personne ne la connaît que moi. Rien que moi. Je sais que Clement est le père d'Imogene parce que je suis sa mère. Elle est mon bébé.

D'une secousse, Ruth s'arracha à la poigne d'Amanda et détourna la tête, couvrant les oreilles de ses mains.

— Arrête ! Comment peux-tu dire des choses pareilles ?

Ruth ne se serait pas sentie plus perdue, plus trahie, si Amanda lui avait soudain soutenu que, tout bien considéré, le ciel était vert et l'herbe rouge. Elle se tourna pour la dévisager, et, cette fois, ce fut sa voix qui murmura :

— Mais tu disais qu'il n'y avait pas eu de bébé.

Ruth

Les pieds de Maman vont, viennent, vont, viennent. Tante Mandy fait les bruits qui font peur.

— Chut, chut, je dis, mais personne ne m'entend.

Je pose ma tête pour dodo-faire-un-gros-dodo et je regarde le sucre d'orge. Les chaussures de Tante Mandy me regardent aussi. Il faut que je sois gentille, maintenant, gentille et sage.

— Chut, chut, je dis, mais personne ne m'écoute.

Coup de chaussure de Maman sur le sucre d'orge. Il roule vers moi et je le ramasse, j'enlève les poils avec mes doigts. Je pense qu'il est quand même bon. C'est ce que Tante Mandy me dirait. On va pas faire des histoires pour un peu de poussière.

Tante Mandy fait les bruits qui font peur.

— Tout va bien, dit Maman. Tout va bien se passer.

Je savais que ce n'était pas vrai.

Chut et suçote, chut et suçote. Je suis sage, mais les bruits font toujours peur. Je voudrais qu'ils s'arrêtent.

— Arrêtez, je dis, mais je ne fais que chuchoter. Je serai sage. Je serai gentille.

Mon sucre d'orge est si coupant, il me mord la langue. Le sang a un goût sucré, alors je l'avale. Je dis :

— Dodo-faire-un-gros-dodo...

Mais je suis toujours réveillée.

Maintenant, Maman aussi est sur le lit. J'ai envie d'aller sur le lit, mais j'ai peur. Les bruits, arrêtez les bruits ! Alors les bruits s'arrêtent.

— Oh, Mandy, dit Maman, une petite fille.

Mais la petite fille, elle est sous le lit.

Un bébé pleure, alors j'essaie de pleurer, mais c'est pas moi.

****

— Il faut que tu lui dises, Tante Mandy.

Le rôti et le chou rouge figés, cette nourriture qui ressemblait à un tas d'ecchymoses dans les assiettes, elles l'avaient poussée dans le seau pour les chiens et les cochons et s'étaient rassises à la table de la cuisine. Amanda avait servi le café, comme si elles s'installaient pour discuter d'un problème ordinaire.

— Non.

Elle secoua la tête, remua le sucre dans sa tasse.

— Non, il faut qu'on réfléchisse, Ruth. Qu'on réfléchisse.

Sa cuillère allait et venait en tintant contre les bords de la tasse.

— Imogene ne doit jamais savoir.

— Qu'on réfléchisse à quoi ? À ce qu'on va porter pour le mariage ? Si tu ne le fais pas, c'est moi qui vais lui dire.

Amanda s'efforçait de parler avec calme, avec patience. Son regard ne quittait pas le visage de Ruth. Ruth n'était pas réaliste ; il fallait lui ouvrir les yeux.

— Tu ne vas pas faire ça. Pense à Mary Louise. Ça la tuerait qu'Imogene l'apprenne de cette façon. Qu'Imogene l'apprenne tout court, d'ailleurs.

Elle porta la tasse à ses lèvres d'une main presque ferme et sirota son café. Elle tenait un bon point, elle le sentait, un point fort, un sur lequel elle pouvait s'appuyer.

— Non, ce serait injuste pour Mary Louise, reprit-elle. Après tout, c'est une très bonne mère. Là-dessus, tu ne peux qu'être d'accord avec moi, n'est-ce pas, Ruth ?

Et, comme Ruth ne répondait pas, elle répéta sa question :

— Tu es d'accord : Mary Louise est une excellente mère, n'est-ce pas ?

— Oui ! répondit Ruth avec agacement. Oui, bien sûr, mais ça n'a rien à voir.

— Oh ! tu n'es pas encore mère. Quand tu seras mère, tu comprendras.

Exaspérée, Ruth repoussa si rudement sa tasse que le café se renversa sur la table.

— Tsss. Tsss.

Amanda fit claquer sa langue.

— Tu es bouleversée, Ruth, mais essaie de voir les choses comme moi.

Elle se leva pour aller chercher la lavette.

— Pense à Imogene, poursuivit-elle en épongeant le liquide. Tu vois ce que toi tu ressens en apprenant ça. Imagine seulement ce que ce serait pour elle : tout ce qu'elle connaît de bien serait gâché. Tout ce en quoi elle croit serait détruit pour elle. Tu aimes Imogene. Tu veux vraiment lui dire que c'est comme ça qu'elle est venue au monde ? Songe à ce qui est juste, Ruth.

— Comme tu l'as fait, toi ?

Les mots claquèrent dans la cuisine comme des coups de feu.

Debout devant l'évier, Amanda tenait la lavette sous le robinet ouvert. Tout à coup elle se plia en deux, comme cisaillée par une crampe, et glissa sur le sol, le front pressé contre la porte du placard sous l'évier.

— Je ne peux pas supporter l'idée qu'elle me déteste, Ruth, hoqueta-t-elle entre ses larmes. Je ne peux pas.

— Chut, fit Ruth en s'accroupissant auprès d'elle pour tenter de la faire se relever. Dans ce cas, on va le dire à Arthur ou à Mrs. Owens. Ils trouveront un autre motif de rupture.

— Mais s'ils l'apprennent, Ruth, elle aussi elle saura. C'est obligé.

Amanda s'essuya la figure avec un torchon. Et, en respirant ses relents aigres, elle décida de recourir à son ultime expédient.

— On fait tous des erreurs, tu sais, dit-elle en se relevant, le dos tourné.

Quand elle fit volte-face, elle avait les épaules bien droites mais se cramponnait toujours d'une main à l'évier derrière elle. Elle durcit le ton.

— Même toi, Ruth, tu as fait une erreur.

— Qu'est-ce que tu veux dire ?

Ruth revit les doigts d'Arthur sur son front et son visage s'empourpra.

— C'était ta mère qui devait élever Imogene pour moi. Vous auriez été des sœurs. Ça t'aurait plu, n'est-ce pas ? Mais quand je t'ai dit de ne pas rester sur la glace...

Elle secoua la tête.

— Tu n'as pas voulu. Tu as juste continué à courir. Et alors...

Elle baissa les yeux un instant puis les releva et les plongea avec détermination dans ceux de Ruth.

— Alors ta mère est morte, et j'ai dû abandonner mon bébé.

Les bras croisés sur la poitrine, Ruth reculait. Mais les paroles d'Amanda s'insinuaient en elle.

— Non, je..., commença-t-elle.

Sa respiration s'accéléra, elle savait qu'elle avait couru. Même là, debout sur le bois tendre du plancher de la cuisine, elle sentait ses pieds glisser sous elle tandis qu'ils cherchaient péniblement une prise sur cette nappe noire et elle se rappela qu'en dépit de tous ses efforts elle n'arrivait pas à aller assez vite.

Amanda tendit la main et, du bout des doigts, effleura la nuque de Ruth. Doucement, elle l'attira contre elle et cala sous son menton la tête baissée de la jeune fille.

— Ce n'est rien, chantonnait-elle en se balançant légèrement d'avant en arrière. Tu n'étais qu'un bébé. Tu ne savais pas ce que tu faisais. Mais tu vois – la fierté lui éclaircit la voix –, j'ai tout abandonné pour toi. Tout. Si je n'avais pas dû remplacer ta mère, tu ne crois pas que j'aurais pu reprendre mon travail ou fonder une famille ? Au lieu de ça, je me suis occupée de toi. Maintenant, Ruth, conclut-elle avec un soupir presque joyeux, maintenant, tu ne crois pas que j'ai le droit de te demander quelque chose ?

****

Le clair de lune se fraya un passage forcé dans la chambre de Ruth, elle s'agita dans sa lueur froide. Elle essayait d'apprivoiser l'idée qu'elle était coupable ou, plus exactement, qu'elle avait tiré sans le vouloir le fil qui avait fait s'effilocher sa famille. Pourquoi avait-elle voulu courir dans cet espace noir ? Que fuyait-elle ? Impitoyablement, la pendule de la cuisine égrenait les centimètres dans sa tête. Elle s'assit dans son lit et jeta l'oreiller contre le mur qui séparait sa chambre de celle d'Amanda. Il fit du bruit en cognant le plâtre mais ne provoqua aucune réponse.

Elle se glissa hors du lit et s'habilla sans chercher à rester discrète. En sortant, elle attrapa la vieille veste de son père à sa patère près de la porte.

La lumière de la lune n'était pas celle du jour, et Ruth peinait à savoir où poser les pieds sur le sentier qui descendait à travers les bois. Pas après pas, la terre semblait se dérober sous elle, comme quand elle se trompait en comptant les marches dans le noir et qu'elle manquait soudain la dernière. Elle ne savait pas trop pourquoi elle allait au lac ; c'était juste le besoin de se retrouver à l'air libre, de se libérer des pesants secrets d'Amanda, qui la poussait hors de la maison.

Elle leva la tête vers la brise de la nuit, tout en tournant autour de la barque pour détacher la corde. Puis elle poussa le bateau à l'eau et se mit à ramer.

Après une dizaine de coups de rame, elle constata que ses pieds se mouillaient. Elle avait oublié de mettre la bonde. Elle se pencha vers la poupe, plongea les doigts dans les deux centimètres d'eau qui clapotaient dans le fond et, sans difficulté, trouva le bouchon en caoutchouc. Mais quelque chose obstruait le trou.

C'était une boîte en argent, elle le découvrit en l'extirpant du trou, avec un couvercle décoré dans un style audacieux, Art déco. Posant la boîte en équilibre dans la paume d'une main, de l'autre elle fit jouer le fermoir et vit apparaître de minuscules pilules, comme des pièces dans une malle aux trésors miniature. Ruth flotta un moment, sans ramer, elle polissait la boîte du revers de sa manche tout en se demandant qui avait bien pu la laisser là. Sans doute un vagabond qui avait fait son lit dans la barque. Ça arrivait, parfois, mais d'habitude les vagabonds laissaient derrière eux des relents de sueur, de tabac et une bouteille vide, pas des boîtes en argent.

Elle songea qu'à une époque elle aurait presque imaginé un objet si charmant comme un cadeau de sa mère, fabriqué d'une manière quelconque au fond du lac et lancé vers la terre à l'endroit précis où, forcément, elle le trouverait. À une époque elle aurait couru montrer sa découverte à Amanda, tout comme elle lui avait donné les pointes de flèche, les œufs d'oiseaux et les fossiles sur lesquels elle tombait par hasard ; ensemble elles auraient confectionné un petit bateau en carton pour les pirates qui avaient dérobé le minuscule trésor, dessiné une carte, peut-être, et enterré la boîte sous la haie de lilas. À une époque elle aurait fourré la boîte dans la poche de sa robe pour la partager avec Imogene, elles se seraient raconté des histoires sur ce jeune homme atteint d'une maladie romantique comme la tuberculose, rejeté par sa riche famille et condamné à errer seul de par le monde pour avoir osé aimer la mauvaise fille. Elles auraient observé les figures des vagabonds qui s'installaient parfois le soir sur les marches derrière les maisons pour manger leur dîner, afin de retrouver et de sauver le garçon qui avait perdu la boîte à pilules en argent.

Mais ces époques, Ruth le comprit en épongeant l'eau dans le fond de la barque, étaient toutes révolues. Elle se souvenait à peine de sa mère, Amanda avait abandonné sa fille et Imogene aimait un homme qu'elle ne pouvait pas épouser. Est-ce que tout cela était vraiment sa faute ? Elle essora fortement l'éponge. Après tout, elle n'avait que trois ans.

— Pourquoi personne ne m'a arrêtée ? hurla-t-elle âprement dans l'obscurité.

Un chien se mit à aboyer quelque part sur la rive.

— La ferme ! brailla un homme depuis l'obscurité du rivage.

Le chien continua d'aboyer, mais Ruth n'osa plus faire aucun bruit. Elle glissa la boîte dans sa poche et se remit à ramer.

La clef de la maison de l'île était pendue à un clou sous l'auvent, là où elle l'avait laissée la dernière fois qu'elle était venue ajouter de nouvelles cartes de son père à sa collection. Mais, une fois à la porte, elle hésita ; alors, sans bruit, elle fit tout le tour de la maison en lorgnant entre les planches qui ne barraient plus qu'à moitié les fenêtres. Quand elle eut identifié chaque masse noire comme étant un lit, une commode ou une chaise, alors seulement elle ouvrit la porte et entra.

Dans la chambre, le parfum de sa mère, qu'elle savait maintenant être de la lavande, s'accrochait toujours fidèlement aux tiroirs de la coiffeuse. Elle se coucha par terre, sur le tapis vert tressé, pour regarder sous le lit. L'endroit lui parut trop petit pour avoir été sa cachette, là où elle avait écouté le bébé en train de naître. Écouté Imogene.

Ruth se blottit sur le matelas nu et s'entortilla dans la grande veste de son père. Sa mère et elle étaient passées à travers la glace, songea-t-elle en se laissant gagner par le sommeil, or sa mère s'était noyée mais pas elle, alors qui l'avait sauvée ? Et pourquoi ne pas avoir sauvé Mathilda ?

18.

Un jour et une nuit s'étaient écoulés depuis que Clement Owens, parti pour sa baignade matinale, n'en était pas revenu.

— Il est sorti sans sa voiture, ne cessait de répéter Theresa Owens. Voilà ce qui m'inquiète. Il n'irait nulle part sans sa voiture.

Elle ressassa cette conviction à maintes reprises et à chacun de ses enfants. Elle en fit part à Ellen, à Anna, la cuisinière, ainsi qu'à Augie, qui s'occupait du jardin et des voitures.

— Vous êtes sûr qu'il ne manque aucune voiture ? lui demanda-t-elle plusieurs fois.

La question le vexait. Elle savait comme lui que les Owens possédaient trois voitures, toutes rangées à l'abri dans le garage. Mais chaque fois il répondit patiemment :

— Non, Mrs. Owens, il ne manque aucune voiture. Pas cette fois.

Elle expliqua ses inquiétudes au shérif, mais, même sans voiture manquante, le shérif Kuhtz n'excluait pas l'éventualité d'une disparition volontaire. On voyait des tas d'histoires comme ça quand on était shérif.

Pourtant, ce gars-là n'avait pris ni un costume ni une paire de chaussures dans le placard, à en croire sa femme, en tout cas – et, en général, pour ce genre de choses, on pouvait se fier à la femme. D'ordinaire, un homme ne partait pas sans ses vêtements, sauf s'il voulait se faire passer pour mort. Le shérif Kuhtz avait déjà entendu parler de cas comme ça.

D'un autre côté, il valait mieux commencer par ce qui était évident, c'était son avis. Cela dit, si Owens avait été victime d'une crampe, il était bizarre qu'on n'ait pas retrouvé le peignoir de bain – la bonne jurait le lui avoir vu – sur le ponton.

Le troisième jour, on fouilla le lac. La routine, vraiment ; difficile de négliger un coupable aussi flagrant, et qui s'étalait pile sous leurs nez. Si la famille fut soulagée qu'on ne trouve rien, le shérif savait que les corps étaient souvent longs à remonter dans le lac Nagawaukee. Pendant des décennies, on y avait déversé des arbres, des tracteurs, des flottilles entières de bateaux, et même des maisons. Un cadavre pouvait bien se retrouver accroché dans tout ce bric-à-brac.

Imogene appelait Ruth presque toutes les heures avec le dernier bulletin. Comme personne ne savait rien, elle avait peu de faits à raconter, mais il y avait tout de même plein de sujets de discussion. La cuisinière avait une théorie selon laquelle Mr. Owens s'était fourré dans des embrouilles avec des gangsters de Chicago. Mrs. Owens avait remarqué que ses pilules pour le cœur n'étaient plus dans l'armoire à pharmacie. Augie, le chauffeur, soupçonnait un mari jaloux – ces derniers mots, Imogene les chuchota dans le téléphone.

Bien sûr, elle restait sur place. Personne n'aurait avalé une bouchée ni fermé l'œil si elle n'avait pas été là. C'était à peine si Mrs. Owens l'avait laissée rentrer chez elle pour aller chercher sa brosse à dents, et puis, de toute évidence, Arthur avait besoin d'elle. La sœur était arrivée, le fils aîné aussi. Tous l'avaient immédiatement adoptée, et la sœur l'avait même invitée à partager sa chambre.

— Arthur dit que son père a déjà fait ça, de partir quelques jours et de ne pas rentrer comme prévu, dit Imogene le lendemain de la fouille du lac.

— Alors il va revenir.

— Mais Arthur dit que là c'est différent. Les autres fois, ils le voyaient partir. Au moins ils savaient qu'il allait quelque part, même s'ils ne savaient pas vraiment où ni pour combien de temps. Il disait au revoir – il ne disparaissait pas tout bonnement dans la nature.

Après avoir raccroché, Ruth ouvrit le tiroir de sa table de nuit et regarda la boîte en argent. Elle passa un doigt précautionneux sur le couvercle. Qu'est-ce que ça voulait dire ?

Clement Owens avait-il dormi dans la barque comme un vagabond ? Amanda lui avait-elle pris ses pilules ? Mais pourquoi les laisser dans le fond de la barque ? Il était dedans avec elle ? Dans la barque, et puis disparu dans la nature. Ou dans l'eau. Comme sa mère avait disparu. Comme Ruth avait failli disparaître elle-même.

— Ruth !

La voix d'Amanda s'envola depuis le bas de l'escalier. Ruth se la figurait nettement debout, cramponnant le pilastre d'une main ferme, les jointures saillantes.

— Qu'a dit Imogene ?

Ruth ouvrit la bouche. Elle eut l'impression de s'étrangler et s'éclaircit la gorge.

— Rien, répondit-elle d'une toute petite voix, alors elle recommença : Rien de neuf.

Ruth

Je ne savais pas quoi penser au juste, sinon que Tante Mandy avait dû se trouver avec le père d'Arthur à un moment quelconque depuis que j'avais pris la barque pour la dernière fois, soit des semaines et des semaines plus tôt. Mais maintenant que je savais qu'ils s'étaient connus, ce n'était pas si étonnant. Pourtant je pensais que personne d'autre, pas même Imogene, ne devait l'apprendre, du moins pas tant que Mr. Owens n'avait pas reparu avec une explication convenable sur sa disparition. En y songeant, il m'est venu une drôle d'idée : Tante Mandy le cachait peut-être quelque part dans la ferme, alors j'ai commencé à me retourner de temps en temps quand j'étais à l'étable ou dans la cave à légumes. J'avais peur qu'elle n'ait encore des secrets inavoués, et je n'avais pas envie de tomber dessus sans le savoir.

J'avais encore moins envie d'en partager un avec elle, alors je lui ai assuré qu'Arthur et Imogene ne risquaient pas de se marier tant que Mr. Owens était porté disparu. On pouvait remettre son plan à plus tard.

— Tu m'as bien dit qu'Imogene reste là-bas nuit et jour. Nuit et jour, a-t-elle répété, et j'ai dû reconnaître que c'était vrai.

Quand Tante Mandy avait pris une décision, elle ne lâchait pas son idée. Ce soir-là, elle est entrée dans ma chambre en brandissant les feuilles pliées en deux que j'avais mises dans mon sac chez les Owens. Elle avait dû les repêcher dans les ordures.

— D'où tu les tiens?

— De chez Mrs. Owens. J'avais fait des fautes.

— Elles sont parfaites. Elle va reconnaître le papier, tu ne crois pas?

Elle a tendu une page vers la lumière en plissant les yeux pour voir le filigrane.

J'ai tiré dessus pour essayer de la lui reprendre.

— Je sais que j'aurais pas dû en gâcher autant, mais elle en a plein. Je crois vraiment pas qu'elles vont lui manquer.

— Non, je te parle d'Imogene. Imogene va reconnaître le papier, n'est-ce pas?

Elle a effleuré la page d'un doigt caressant, avant de poursuivre :

— C'est celui dont elle se sert tous les jours là-bas. Mon Imogene n'oublierait pas un papier d'une telle qualité.

Quand j'ai été me coucher, elle a tiré dessus un léger trait de crayon pour être sûre de couper parfaitement droit et a éliminé les morceaux ratés avec les ciseaux de cuisine. Le lendemain matin, les cinq feuilles étaient alignées près de mon assiette.

— À ton avis, Ruth, laquelle est la mieux? Laquelle est la plus droite?

Je ne voulais pas les regarder.

— Je ne sais pas, ai-je répondu avec tout ce que je pouvais oser de mauvaise grâce.

Elle a eu l'air blessée.

— Ruth, je croyais que tu comprendrais que c'est la meilleure solution. Pour Imogene. Tu veux aider Imogene, non?

Ces petites histoires d'amour n'ont pas grande importance. Crois-moi.

Elle a voulu poser une main sur ma tête, mais je l'ai évitée. Ce n'était pas à Imogene qu'elle pensait. Non, elle ne pensait qu'à elle.

— Et celle-là ? m'a-t-elle demandé en me montrant une feuille.

Bien que je n'aie donné aucune réponse, elle a fait comme si j'étais d'accord.

— Bien, dans ce cas, essayons d'abord avec celle-là.

— Mais Arthur a sans doute son propre papier à lettres.

Elle a paru y réfléchir, et puis elle a secoué la tête.

— Je ne vois pas le moyen d'en obtenir sans le voler. Et même si tu arrivais à entrer dans sa chambre, tu ne sais pas où il le range.

— Je ne vais pas m'introduire dans sa chambre !

— Bien sûr que non. Je ne te demanderais pas une chose pareille.

Elle m'a tapoté l'épaule. Le même geste, je m'en souvenais, que du temps où elle m'empêchait d'aller à l'école. Elle me touchait sans arrêt pour se rassurer sur le fait que j'étais avec elle, qu'on était dans le coup ensemble. À l'époque, j'aimais bien ça.

Quand je suis rentrée à la maison cet après-midi-là, elle m'a fourré sous le nez un bout de papier d'emballage et un crayon.

— Il faut que tu m'aides, Ruth.

Elle m'a pilotée vers la table de la cuisine et, dans la manœuvre, a essayé de me faire asseoir sur une chaise.

— Je n'arrive pas à trouver le ton juste, la manière dont lui il dirait ça. Tu le connais, Ruth. Tu sais ce qu'il dirait.

— Je vais pendre mon manteau.

— Ruth, s'il te plaît...

Elle me suivait, tendant à deux mains sa misérable feuille de papier.

— Je t'en prie, Ruth. Je ne peux pas faire ça toute seule.

Elle ne me ficherait pas la paix. Jamais. Alors je lui ai arraché le papier des mains et me suis laissée tomber sur une chaise. J'ai fait grincer les pieds sur le plancher, éraflant le bois. Mais, une fois assise face à la page blanche, avec Tante Mandy qui planait près de mon épaule en frottant nerveusement la cicatrice de son pouce, j'ai compris qu'entre nous quelque chose avait changé. Ce n'était pas le fait qu'elle réclame mon aide : elle réclamait toujours mon aide, mon conseil, mon avis. Mais, jusqu'à ce jour, elle me demandait mon avis uniquement pour confirmer ce qu'elle avait déjà décidé. Quand elle me demandait si je préférais les rideaux à rayures jaunes ou ceux avec les petites brouettes rouges imprimées, elle savait lesquels lui plaisaient ou, comme elle disait, lesquels feraient meilleur effet.

— Assieds-toi, ai-je dit en attrapant le crayon. Je n'arrive pas à réfléchir quand tu planes comme ça au-dessus de ma tête.

Et puis je me suis mise à écrire.

Après tout, on était obligées de le faire.

Non, ça ce sont ses mots à elle. On n'était pas obligées de faire ça : il y avait d'autres solutions. Mais secrètement, si secrètement que c'est à peine si je me l'avouais, je désirais le faire tout autant qu'elle. J'aurais même voulu que notre histoire soit vraie.

Au sixième brouillon, elle s'est déclarée satisfaite.

— C'est parfait, Ruth. Parfait. Je n'aurais jamais pensé à dire ça comme ça.

Chère Ruth,

Je viens vers toi en ces heures sombres pour te demander conseil, puisque je sais que tu aimes Imogene et que toi, plus que quiconque, tu sauras ce qui peut le mieux la rendre heureuse. Il m'est arrivé une chose que je ne peux ni expliquer ni même comprendre moi-même, une chose que j'aurais souhaité éviter, fût-ce au prix de mon bonheur futur. Il n'existe aucune jolie façon de dire ça, alors je vais le dire dans toute sa laideur : je suis tombé amoureux d'une autre. Oui, voilà. Imogene me sera toujours chère, mais chère comme une sœur, pas comme une épouse. Voilà mon terrible secret.

Et il restera secret, Ruth, si tu me le conseilles. Je connais Imogene et je pourrais avoir la vie belle avec elle.

Je sais que je pourrais lui offrir une existence aisée et heureuse. Mais n'aurais-je pas tort de l'épouser, connaissant mes sentiments pour une autre ? Et si je la laisse partir, ne trouvera-t-elle pas bientôt quelqu'un de mieux, et qui l'aimera comme elle le mérite ? Je crois que la vérité est là, et pourtant je ne supporte pas l'idée de lui faire du mal. Je veux agir comme elle le souhaiterait, et je t'écris comme à quelqu'un qui sait mieux que quiconque ce qu'elle souhaite. Que dois-je faire ?

Je la trouvais un peu formelle. Des expressions comme « heures sombres », « laideur » et « bonheur futur » avaient l'air artificielles, comme si je les avais copiées dans un livre, mais Tante Mandy décréta que cette lettre était exactement telle qu'un homme l'aurait écrite s'il avait voulu montrer qu'il prenait le sujet au sérieux.

Pour la signature, on avait un modèle dans un livre qu'il m'avait prêté, mais impossible d'imiter son écriture pour toute la lettre. Peu importe, a raisonné Tante Mandy, Imogene ne s'étonnerait probablement pas qu'Arthur tape une lettre pareille. Qui pouvait dire quelle forme devait prendre ce genre de message ?

J'étais censée la taper pendant la pause de midi, mais le lendemain, quand je l'ai sortie de mon cartable, c'est tout juste si j'ai pu supporter de la regarder. Je l'aurais bien jetée à la corbeille si je n'avais pas craint qu'une Myrtle ou une Lilian ne l'en ressortent.

— Il y avait trop de monde autour de moi, ai-je menti en rentrant à la maison. Je ne vois pas comment je vais pouvoir faire.

Tante Mandy a monté l'escalier et fermé sa porte.

Le lendemain matin, pourtant, elle avait retrouvé sa bonne humeur.

— Aujourd'hui, tu vas avoir l'occasion de la taper, Ruth. Il faut le faire au plus vite. On ne sait jamais ce qui peut se passer.

Ce jour-là, à midi, quand Lilian est revenue du couloir où elle était sortie chercher son sandwich et qu'elle a glapi : « Il y a une dame avec des chatons dehors », j'ai su qui était la dame. Une des chattes de l'écurie sevrait sa dernière portée.

Je n'aurais jamais cru un carton de petits chats capable de distraire toute une salle d'étudiantes dans une école de commerce, et pourtant. En tout cas, il a empêché les filles avec lesquelles je déjeunais d'habitude de se demander pourquoi je tapotais dans mon coin sur ma machine. Même Myrtle, qui est revenue au milieu du deuxième paragraphe, avait un tigré gris cramponné à l'épaule.

— Tu ne nous avais pas dit que ta Tante était si gentille, Ruth. Elle trouve ce petit amour parfait pour moi.

Elle a embrassé la tête du chaton ; terrifié de se retrouver si haut au-dessus du sol, il s'est mis à pousser des miaulements plaintifs.

— Qu'est-ce qui ne va pas, mon bébé ? a-t-elle roucoulé en le berçant sur sa poitrine. Tiens, je vais finir ta page si tu veux sortir lui dire bonjour. Brown verra jamais la différence.

— J'ai bientôt fini, ai-je répondu du ton le plus léger possible, avec un geste pour l'éloigner.

J'avais tapé lentement et n'avais fait que trois fautes. Celles-là, je les ai corrigées en couvrant les mots avec des *x*. Les erreurs ne me tracassaient pas. Une lettre comme ça ne devait pas être parfaite.

Ce soir-là, j'ai repensé au stylo de mon grand-père, avec son corps épais, fait pour une main d'homme. Sans y avoir été poussée, je l'ai plongé dans l'encre noire et me suis entraînée à écrire je ne sais combien de fois le nom d'Arthur, jusqu'à ce que la signature ait l'air identique à celle du livre, jusqu'à ce que je puisse signer « Arthur Owens » au bas de cette lettre comme si j'écrivais mon nom à moi. De l'autre côté de la table, les yeux de Tante Mandy brillaient à la lueur de la lampe. Nous avions réussi.

Cette nuit-là, on n'a pas pu se séparer, même pour dormir. Elle m'a suivie dans ma chambre, m'a regardée me déshabiller, puis elle a tiré les couvertures sur mon épaule et s'est couchée dessus, près de moi, comme quand j'étais petite ; je me suis endormie plaquée sous l'édredon, sa tête derrière la mienne sur l'oreiller.

Quand je me suis réveillée, j'ai entendu qu'elle était déjà dans la cuisine, à moudre le café. Au petit matin, la lettre sur ma table de nuit avait l'air d'un faux grossier. Mais je me suis dit que j'allais essayer, pour Tante Mandy. Si ça ne marchait pas, il resterait toujours la vérité.

****

— Oui ? dit Ellen en répondant à la porte. Ah ! c'est vous.
Elle fronça les sourcils.

— Je ne pense pas que Mrs. Owens travaille aujourd'hui. De toute façon, miss Lindgren est là.

— C'est Genie, miss Lindgren, que je viens voir.

— Miss Lindgren ne devrait pas inviter ses amies ici dans un moment pareil.

— Elle ne m'a pas invitée. C'est-à-dire... je ne serai pas longue. Il faut juste que je lui parle. C'est très important.

— C'est à propos de Mr. Owens ? Vous savez quelque chose ?

Ruth fit non de la tête, surprise.

— Non, non, ce n'est pas ça du tout.

Ellen ferma la porte sans prononcer un mot de plus, et Ruth attendit, dans l'incertitude. Elle allait frapper à nouveau quand Imogene vint ouvrir.

— Ruth !

Imogene se jeta à son cou.

— Comment as-tu deviné que j'avais envie de te voir ? Viens, on va marcher un peu, ajouta-t-elle en tirant la porte derrière elle. Il faut que je sorte de cette maison. J'ai peur, poursuivit-elle tandis qu'en se promenant elles descendaient la pente vers la rive du lac. Je ne sais pas s'ils préféreraient qu'il ait filé ou qu'il soit mort.

Attirées par la course des vagues, clignant des yeux à l'or blanc des trouées de soleil, elles continuèrent jusqu'au bout du ponton. Quelque chose de mordant dans le vent, indice des rigueurs à venir, mettait en déroute les vestiges de l'été. Sans la disparition de Clement Owens, le ponton sur lequel elles se trouvaient aurait été démonté depuis plusieurs jours, la maison où étaient réunis tous les Owens vidée.

Ruth avait tellement le trac que la tête lui tournait.

— Il faut que je te montre quelque chose, dit-elle enfin en tirant la lettre de sa poche, les doigts tremblants.

Son cœur battait si fort quand le papier passa dans la main d'Imogene qu'elle se sentit soudain prête à sauter à l'eau, comme une grenouille.

Le vent tirait sur la page, mais Imogene la tenait fermement; elle la lut une première fois, puis une deuxième.

— Je ne comprends pas. Il t'a envoyé ça?

Ruth hocha la tête.

— Quand?

— Il y a un jour, deux peut-être. Je ne sais pas. Elle est arrivée hier avec le courrier.

Imogene relut la lettre.

— Je ne comprends pas, répéta-t-elle. Comment peut-il en aimer une autre? Qui y a-t-il d'autre?

Elle regarda Ruth avec des yeux si malheureux que celle-ci sentit ses doigts la démanger de lui arracher la lettre pour lui révéler son mensonge. Elle n'avait plus envie qu'il soit vrai. Non, elle avait envie de crier : Il t'aime, il n'aime que toi.

— C'est impossible. Il n'a même pas vu quelqu'un d'autre. Je n'y crois pas.

Elle relut la lettre.

Le papier qui frissonnait dans la main d'Imogene déclencha en écho un tremblement dans les membres de Ruth, dans sa mâchoire aussi. Elle serra les dents et braqua son regard sur le triangle blanc d'une voile qui rasait les vagues au large. Sous ses pieds, les planches montaient et descendaient avec des ondulations écœurantes. La main d'Imogene agrippa son bras, alors Ruth se retourna pour suivre le regard de son amie vers la rive. Arthur descendait le ponton pour se diriger vers elles.

Tout d'abord, Ruth fut saisie de panique à l'idée d'être prise en flagrant délit de mensonge. Leur mensonge. Celui de Tante Mandy et le sien. Elle dut se figer pour ne pas arracher son bras à la poigne d'Imogene, pour ne pas sauter du ponton. Chut, se dit-elle, chut. Elle ferma les yeux. S'ils découvraient la vérité, tant mieux. Tant mieux. N'était-ce pas ce qu'elle avait souhaité depuis le début ? Elle avait essayé, pour Tante Mandy, mais ça n'avait pas marché. Arthur allait jurer ne pas avoir écrit la lettre, et Imogene allait le croire. Ils allaient la dévisager, déconcertés : que savait-elle ?

Elle leur dirait la vérité. Ce serait dur, surtout maintenant que Clement Owens avait disparu, de dire des choses pareilles sur son père, sur leur père, et Tante Mandy serait furieuse. Tante Mandy, trahie, serait... Ruth n'arrivait même pas à imaginer... folle ? Meurtrière ?

Déjà, Imogene tendait la lettre à Arthur.

— Arthur, est-ce que c'est vrai ?

— Qu'est-ce qui est vrai ? Il est question de mon père ? Qu'est-ce qu'elle dit ?

— Ne fais pas semblant avec moi. Tu sais très bien ce que dit cette lettre. Dis-moi juste si c'est vrai.

Il voulut prendre la lettre, mais Imogene la retira brusquement sous ses doigts.

— Dis-moi juste, fit-elle sur un ton impérieux et cassant, en lui fourrant son visage sous le nez d'un air de défi. Est-ce que tu en aimes une autre ?

Cette dernière phrase se perdit dans un sanglot ; tout en la prononçant, elle desserra sa prise sur la page, alors le vent saisit sa chance et emporta la lettre.

Non, Genie, pensa Ruth, désespérée, bien sûr que non. Elle entendait déjà Arthur dire les mots, le voyait déjà attirer Imogene contre la chaleur de son corps pour la rassurer.

Mais non, il recula.

— Pourquoi est-ce que tu me poses cette question maintenant ?

Son visage grimaça de colère.

— Mon père est peut-être mort. Je ne peux pas parler de ça maintenant !

— Je ne veux pas en parler, fit Imogene.

Sa voix était calme, mais elle tendit la main dans son dos pour essayer de trouver celle de Ruth.

— Je veux juste une réponse simple. Oui ou non.

Arthur baissa les yeux. Ruth lui trouva un air de petit garçon honteux. Sur la rive, l'eau roulait les galets dans un fracas assourdissant. Vas-y, réponds, pensa-t-elle, dis non. Mais la muette bouée de sauvetage qu'elle essayait de lui lancer n'arriva pas jusqu'à lui. Il murmura :

— Je ne sais pas.

Imogene suffoqua, vacilla, Ruth leva les bras pour la rattraper, mais sa faiblesse ne dura qu'un instant. Elle bondit et, des deux mains, poussa Arthur à la poitrine. Elle n'était pas très vigoureuse : bien calé sur ses pieds, il aurait sans doute pu garder l'équilibre, mais — fut-ce par surprise, par politesse ou parce qu'il vit là une échappatoire — toujours est-il qu'il recula en chancelant et tomba du ponton dans une gerbe d'écume. Alors Imogene courut et, boitillant sur sa cheville blessée, traversa le raidillon de la pelouse, grimpa l'allée derrière la maison, ses manches et sa jupe gonflées comme des voiles autour d'elle.

19.

Ruth

Imogene m'attendait au milieu du chemin de terre qui serpentait vers le haut de la colline jusqu'à la grande route. Elle s'était éloignée juste assez pour être invisible depuis la maison, puis avait bifurqué dans les bois et s'était affaissée sur le sol en sanglotant. Je me suis effondrée près d'elle, mais sans pouvoir la toucher. La culpabilité m'écrasait, chevillait mes bras à mon corps. Sa souffrance, c'était mon œuvre, la mienne et celle de Tante Mandy. Comme des sorcières, on avait fait qu'Arthur en aime une autre.

— Je me sens tellement bête, a-t-elle dit enfin.

Elle a levé la tête et s'est essuyé le nez.

— Tu n'es pas bête.

Je me rapprochais de l'aveu, j'ai tendu la main pour lui toucher les cheveux.

— Il t'aime.

J'aurais dit n'importe quoi pour lui faire plaisir, mais ça, je le pensais vraiment.

— Il me l'a dit le jour où j'ai travaillé là-bas.

— Tu l'as vu ce jour-là ?

Imogene a reniflé et s'est redressée, assise le dos à un arbre.

— Oui, on a...

Mais j'ai changé d'avis, je n'ai pas continué. Le souvenir de cet après-midi me mettait mal à l'aise. J'ai croisé les mains sur mes genoux en essayant de ne pas penser à ce que j'avais ressenti quand son doigt avait effleuré mon front. J'ai poursuivi d'une voix forte :

— Il a dit que tu étais vraiment quelqu'un. Que n'importe quel homme aurait de la chance d'être ton mari.

— N'importe quel homme sauf lui, j'imagine.

Elle tirait sur les brins d'herbe duveteux à côté de ses genoux ; l'un après l'autre elle les arrachait et les jetait.

— Je le déteste – elle s'est attaquée à une pleine poignée. Je déteste tout chez lui.

Mais l'herbe a refusé de lâcher la terre, et Imogene a plongé la tête entre ses genoux.

— Je l'aime tellement ! Comment a-t-il pu me faire une chose pareille ?

Elle martelait le sol de son poing. Et puis elle s'est rassise, les mains pressées sur la poitrine, et elle s'est mise à hoqueter :

— Oh ! Ruth, tu ne peux pas savoir à quel point ça fait mal – là. Ça fait vraiment mal, comme si quelque chose craquait à l'intérieur.

Pourquoi s'imaginait-elle que je ne pouvais pas savoir ? Je la connaissais, cette blessure profonde. Je l'avais éprouvée quand elle était si facilement revenue sur les projets qu'elle avait faits pour nous, quand j'avais compris qu'elle ne serait plus jamais avec moi, plus jamais pareille avec moi.

— Peut-être que c'est à cause de son père. Tu crois pas ? Je n'aurais pas dû être aussi insistante. C'est vrai, ça doit être un moment horrible pour lui, oui, horrible. Il n'est pas dans son assiette.

J'ai détourné les yeux. Les bois étaient si touffus que mon regard ne pouvait s'y enfoncer plus de quelques mètres ; je savais pourtant que, d'ici à un mois, après la chute des feuilles, on verrait jusqu'à l'autre rive du lac.

— Je sais ce qu'on va faire.

J'ai attrapé le bras d'Imogene. Je voulais lui faire sentir que j'étais sérieuse.

— On va partir pour Chicago.

Elle a reculé, mais je ne l'ai pas lâchée.

— Tu sais, pour faire comme on disait. Tu peux avoir cette place dont parle Mrs. Owens. Peut-être qu'elle en connaît aussi une pour moi. De toute façon, je me débrouillerai.

Alors je l'ai lâchée, j'ai reculé. J'attendais.

Imogene a porté les doigts à sa bouche, elle tirait sur une cuticule avec ses dents.

— Aller à Chicago ?

— Oui. À Chicago. Comme on avait dit.

— Mais on ne connaît personne à Chicago. Où est-ce qu'on habiterait ?

— Moi je connais quelqu'un.

Je ne pouvais plus rester assise sans bouger, alors je me suis levée et j'ai commencé à faire les cent pas.

— L'amie de Tante Mandy, miss Fox. On peut rester chez elle le temps de trouver notre appartement. Elle demande toujours pourquoi je ne viendrais pas lui faire une petite visite, mais Tante Mandy ne veut jamais.

— Qu'est-ce qui te fait croire que, maintenant, elle va bien vouloir ?

— Oh ! elle ne va pas vouloir, mais je vais partir quand même. Elle n'est pas mon patron. Elle n'est même pas ma mère.

J'ai eu l'impression que mon ventre, entortillé comme un élastique à l'hélice d'un planeur en balsa, venait soudain de se libérer et tournait librement. Oui, je pouvais partir. Il y aurait des endroits, des villes entières où Tante Mandy n'aurait aucune emprise, où je ne sentirais pas ses mains sans cesse en train de tirer, pousser, peigner, caresser, où je n'aurais pas à me demander si Clement Owens referait jamais surface ni pourquoi ma mère s'était noyée. Où je serais libérée d'elle.

— D'accord, a fait lentement Imogene. D'accord. On va partir.

Je me suis dit qu'il fallait faire vite, très vite.

— On va partir tout de suite. Ce soir.

Je voyais Tante Mandy assise à la table de la cuisine, avec son café, comme une araignée dans sa toile, attendant de me ligoter dans ses fils poisseux.

— Ce soir ? Mais, Ruth, il va falloir convaincre mes parents. Faire mes bagages. Et parler à Mrs. Owens. Je ne sais pas quand elle pourra dire un mot à ses amis. Elle a d'autres soucis en ce moment, tu sais. Et toi tu dois parler à miss Fox.

— On va dire qu'on y va juste pour un petit séjour. Toi, tu dis à tes parents que tu as besoin de t'éloigner – j'ai fait un geste pour désigner le bas de la colline –, tu sais, pour oublier tout ça. Et puis peut-être que ça ne sera que pour quelques jours. Peut-être que ça ne nous plaira pas. Mais essayons tout de même. Oui, pourquoi ne pas essayer ?

Elle m'a dévisagée, tentée mais un peu effrayée, le même regard que le jour où j'avais insisté pour donner ma dent à Bert Weiss. Et puis elle a dit :

— D'accord, si ça marche avec miss Fox, je te retrouve au train ce soir.

Maintenant, elle aussi s'était levée, elle lissait ses cheveux et sa robe. Son visage avait l'air frais, comme lavé par les larmes. Ses yeux étaient à peine gonflés. Personne n'aurait jamais deviné qu'une minute plus tôt elle gisait sur le sol, le cœur brisé.

À un moment, pendant qu'on continuait sur le sentier tortueux, elle s'est arrêtée et s'est retournée.

— J'avais le sentiment qu'il était derrière nous. Qu'il allait me dire que c'était un malentendu, tout ça. Un test ou quelque chose dans ce goût-là.

Elle m'a regardée.

— Tu crois qu'il peut s'apercevoir que, finalement, il m'aime ?

En vérité, oui, je le croyais. Moi aussi j'ai jeté un œil derrière, m'attendant à moitié à le voir surgir d'entre les arbres. Mais j'ai dit :

— Non.

Et je l'ai dit fermement.

— De toute façon, tu ne veux pas de lui, Imogene. Ce que tu veux, c'est venir avec moi.

À mon oreille, ma voix sonna exactement comme celle de Tante Mandy.

Amanda

J'étais épuisée quand Mattie a soulevé pour me le montrer ce petit être qui frétillait et gigotait comme une grenouille. Elle a lavé le bébé, l'a enveloppé dans une couverture puis l'a posé sur ma poitrine où la petite a collé sa bouche à mon sein et tiré

344

à me faire mal, comme pour me rappeler qu'elle était bien réelle.

— Notre bébé, a dit Mathilda dans un souffle, tout en caressant la minuscule tête. Donne, je vais la tenir.

Comme elles allaient bien ensemble, on aurait dit la Madone et l'Enfant. Aujourd'hui encore, je les revois au-dessus de moi. Elle a murmuré :

— Je vais être ta maman, ma chérie. Je t'aime, mon agneau.

Et elle m'a regardée en souriant.

J'ai fermé les yeux. J'aurais dû éprouver de la gratitude, un soulagement inexprimable. Mais non, je me suis sentie dépossédée. J'étais qui, moi, si Mathilda était sa maman ? Non, je ne pouvais pas être Tante Mandy pour cette petite que j'avais nourrie de mon sang. Je ne pouvais pas. Je ne me le pardonnerai jamais, mais, à ce moment-là, j'ai haï Mattie d'avoir eu cette idée, je l'ai haïe d'avoir raison quand j'avais tort, d'être généreuse quand j'étais égoïste, et de penser, surtout, que je serais heureuse de la voir m'enlever mon bébé. J'ai dit :

— Non. Elle est à moi. Tu ne l'auras pas.

Mais elle n'a pas pu m'entendre : j'étais déjà endormie.

Il faisait encore nuit quand je me suis réveillée. Le vent tourmentait les carreaux des fenêtres, mais mon bébé dormait bien au chaud dans le tiroir qu'on lui avait préparé. Je me sentais comme droguée. Mes muscles et mon cerveau ne désiraient que le repos ; pourtant, lentement, sans faire de bruit, je me suis tirée du lit.

— Chut, chut, mon bébé, ai-je murmuré, bien qu'elle n'ait pas émis un seul son.

J'ai pris ma robe à la porte, mes chaussures sous le lit. Enfiler les bas a été difficile, mais il fallait que j'aie chaud. Mon bébé et moi, on prenait la fuite.

On allait partir dans une région chaude. En Californie peut-être. Je changerais de nom. Je dirais que mon mari était mort à la guerre. Qui se douterait de quelque chose ? Qui ça intéresserait ? Je n'avais pas besoin de la ferme pour vivre : grâce à mon père, j'étais infirmière.

Mathilda me pardonnerait. Au bout du compte, elle serait

plus heureuse, Carl et Ruth aussi, sans mon secret à garder. Et un jour, peut-être même dans pas si longtemps, on reviendrait en visite, peut-être même qu'on resterait, comme ça, Ruth pourrait aimer sa petite cousine tout comme j'aimais Mattie. Comment n'y avais-je pas pensé depuis le début?

J'ai emmailloté la minuscule petite chose dans de nouvelles couvertures, et elle a fini par ressembler moins à un bébé qu'à un colis. Elle ne s'est pas réveillée, juste recroquevillée en ouvrant et en refermant la bouche, elle cherchait mon sein dans ses rêves. J'ai enfilé mon manteau, mes moufles, mis mon chapeau et fourré dans ma poche la moitié de l'argent qui se trouvait dans la maison. Ce fut tout. Nous n'avions besoin de rien d'autre, non? Je pouvais la nourrir. Et la tenir au chaud.

Le vent m'a flanqué une raclée quand j'ai ouvert la porte. Dans la maison, j'avais oublié quel froid il faisait dehors, ma peau s'est crispée sous les rafales. Je me suis dit que, pourtant, on n'était qu'en novembre, et pas en plein hiver. J'ai ouvert mon manteau et blotti mon colis contre ma poitrine. Tout allait bien se passer. En outre, pour la glace, le froid était préférable.

Oui, la glace. Au bord du lac j'ai réfléchi. Tous les trous s'étaient sûrement refermés, je n'avais aucun doute là-dessus. C'était le vert que j'avais vu l'après-midi qui m'inquiétait. Mais pas trop. Non, vraiment, pas trop, je dois l'avouer, je pensais savoir si bien tester la glace, trouver mon chemin avec lenteur, à l'écoute du moindre craquement, sans jamais déplacer trop vite mon poids. Je craignais plus de tomber avec mon précieux fardeau que de passer à travers la glace.

Prudemment, j'ai fait un pas sur le lac et avancé en glissant les pieds, centimètre après centimètre. J'avais tellement mal aux jambes que, même si ce n'avait pas été dangereux, je n'aurais pu aller plus vite, et, flanchant à l'idée de la distance à parcourir jusqu'à la gare, j'ai failli faire demi-tour. Mais j'étais sûre que la glace était bonne. Oui, elle allait nous porter, c'était certain. Lentement mais sûrement, nous avancions vers le milieu du lac.

— Attends!

Avec le vent, c'est à peine si j'ai entendu la petite voix.

— Tante Mandy, attends-moi!

Je me suis retournée et j'ai vu Ruth qui descendait un rocher à reculons pour arriver sur la glace. J'ai crié :

— Ruth, arrête !

Elle a tourné la tête pour me regarder, mais elle ne s'est pas arrêtée.

****

Ruth ne se donna pas la peine de fermer la porte de sa chambre pour faire ses bagages. Une porte n'avait jamais empêché Amanda d'entrer quand bon lui semblait pour redisposer les livres sur leurs étagères ou les objets sur la coiffeuse, tout en cherchant quelles bribes de la journée avaient pu échapper à son examen. Une fois ou l'autre, Ruth avait bien tenté de la faire tenir tranquille en ne laissant aucun désordre, mais, ces fois-là, Amanda avait rangé le contenu des tiroirs de la coiffeuse.

Maintenant, il y en avait, des choses à ranger. La chambre était plongée dans la pagaille : les chemisiers coulaient du lit sur le plancher, les épingles à cheveux craquaient sous les pieds, livres et sous-vêtements réunis s'entassaient sur la chaise. Pourtant, Amanda resta immobile dans l'encadrement de la porte.

— Je ne comprends pas. Si la lettre a marché, quel besoin de partir ? Pourquoi ne pas rester comme avant ?

— On part justement *parce que* la lettre a marché, répondit Ruth en jetant des vêtements dans le vieux sac de voyage d'Amanda. Tu m'as obligée à faire ça, et maintenant Imogene est désespérée. On l'a rendue malheureuse, tu comprends ?

Elle brandit vers sa Tante la combinaison qu'elle s'apprêtait à mettre dans le sac et l'agita pour souligner ses propos.

Amanda eut un mouvement de recul.

— Ruth, c'est vulgaire. Range ces sous-vêtements.

— Malheureuse, je te l'avais bien dit.

Et Ruth jeta la combinaison dans le sac de voyage.

— Elle pense qu'Arthur ne l'aime pas, qu'il ne l'a jamais aimée. Elle se trouve ridicule d'avoir cru qu'il l'aimait.

— Elle s'en remettra. D'ici peu, elle sera contente. Ruth, on l'a sauvée.

Amanda massait la base de son pouce : Ruth eut envie de hurler. Mais elle ricana :

— Ça, elle le sait pas, n'est-ce pas ?

— Toi tu le sais, Ruth. Tu sais qu'il fallait le faire.

Le savait-elle vraiment ? Pourquoi avait-elle écrit cette lettre ? Parce que Amanda avait insisté ? Ou parce qu'elle y avait vu une chance pour elle-même ? Pourtant, Ruth était certaine que, si sa Tante ne l'avait pas entraînée dans son plan, jamais elle n'aurait été égoïste à ce point.

— Peu importe, dit-elle. Maintenant elle veut partir, et je pars avec elle.

— Ruthie, je sais ce qu'on va faire.

Amanda entra dans la chambre et, tout en parlant, entreprit de plier un chemisier, de l'étaler sur le lit défait, de faire coïncider précisément les épaules, de lisser le tissu des doigts.

— Pourquoi on n'irait pas toutes les trois passer quelques semaines sur l'île ? Il ne fait pas encore très froid, et c'est si joli quand les feuilles changent de couleur. Tu ne te rappelles pas quand on y habitait, Ruth, mais c'est très reposant. Très réparateur. Et quand on reviendra, les Owens seront partis.

Elle tapota le chemisier impeccablement plié.

Ruth s'interrompit dans ses bagages.

— Ils ne partiront pas tant qu'on n'aura pas retrouvé Mr. Owens.

Amanda resta un moment silencieuse, les bras ballants.

— Clement était un bon nageur, dit-elle enfin. Je ne crois pas qu'il ait pu se noyer.

— À ce qu'on m'a dit, ma mère aussi était une bonne nageuse.

— Qu'est-ce que ça signifie ?

Ruth avait touché juste ; elle le lut sur le visage de sa Tante, l'entendit à la peur, une vraie peur dans sa voix. Effrayée, elle ferma le sac sans se soucier de vérifier qu'elle avait bien tout, avec une seule envie : fuir.

— Rien, rien. Laisse-moi partir, c'est tout.

Amanda se planta dans l'embrasure de la porte.

— Tu ne peux pas faire ça, Ruth. Je ne peux pas te laisser partir.

— Et pourquoi pas ? Tu as bien laissé partir ma mère, non ? Tu m'as sauvée moi, mais elle, tu l'as laissée partir. Alors maintenant tu peux me laisser partir aussi. Une de plus, une de moins, qu'est-ce que ça change ?

Elle arracha son bras à la poigne d'Amanda et dévala les marches.

— Ruth, arrête ! Reviens !

Amanda se tenait en haut de l'escalier. Elle posa un pied sur le bord. Ce ne serait pas si dur de se laisser aller, marcher dans le vide l'espace d'un instant, et puis tomber, tomber, tomber. Vraiment pas si dur.

Elle détacha sa main de la rampe. Je tombe, Ruth. Si tu ne reviens pas, se dit-elle, je tombe. Et, quand la porte claqua, elle perdit l'équilibre.

Ruth

Le chemin jusqu'à la gare a été plus pénible que je ne pensais. Le sac ballottait et cognait contre mes jambes, et j'avais pris tellement de livres que je devais m'arrêter à peu près tous les dix pas pour le changer de main. Au bout de l'allée et puis une autre fois, au premier virage sur la route, j'ai cru entendre la voix de Tante Mandy courir dans les arbres ; j'ai regardé en arrière, vers la maison, et j'ai retenu mon souffle pour écouter. Mais ce n'était qu'une voix dans ma tête. Je l'ai repoussée avec ma voix à moi.

« Avance, je me suis dit, vas-y, avance. Tu vas rater le train. »

Trébuchant un peu, entraînée par le poids de mon sac, j'ai laborieusement descendu la côte et longé le pré des Jungbluth où trois vaches de Guernesey ont levé la tête pour me regarder passer. Et puis je me suis hissée en haut de Glacier Road, en nage sous le manteau d'hiver que j'avais dû enfiler, à défaut d'une meilleure façon de le transporter. Au sommet, je suis passée devant l'entrepôt de glace : il était presque vide désormais, prêt pour sa moisson d'hiver. Je m'étais attendue à sentir mon lien avec Tante Mandy se tendre jusqu'à craquer pendant cette marche, mais, alors que je pressais le pas dans le dernier kilomètre avant Nagawaukee, je n'ai ressenti que de l'épuisement et une hâte frénétique.

Je me suis dit que, maintenant, les Lindgren risquaient de me doubler en voiture ; Mrs. Lindgren devait se livrer à l'inventaire nerveux du contenu des bagages d'Imogene, Mr. Lindgren allait klaxonner puis se ranger pour me faire monter. Mais la route était vide, les maisons que je longeais silencieuses. Dedans, je le savais, les gens s'attablaient pour dîner en famille.

Enfin, les bras endoloris, le dos en sueur, j'ai remorqué mon sac en haut des marches au bois usé du quai. J'ai regardé à droite et à gauche, à la recherche du petit essaim humain qui serait Imogene et ses parents, mais le quai était vide. J'avais mal à la mâchoire d'avoir serré les dents pendant tous ces kilomètres. Alors j'ai cru avoir raté le train, et j'ai été à la fois désespérée et soulagée.

— Ruth !

J'ai tourné le dos aux voies et vu Imogene qui se précipitait vers moi.

— Où est ta valise ? lui ai-je demandé.

— Dans la voiture.

Un peu essoufflée, elle s'est penchée pour soulever mon sac.

— Tes parents nous laissent la voiture ?

— Non, c'est pas la voiture de mes parents. Maynard Owens va nous conduire. Tu sais, le frère d'Arthur. Je t'ai parlé de lui.

Imogene s'est redressée, elle a reposé mon sac.

— Arthur lui a tout raconté, alors il est passé. Pour voir comment j'allais. S'il pouvait faire quelque chose pour moi. Il dit que je vais leur manquer à tous et que, si Arthur est un imbécile, lui non.

— Qu'est-ce que tu veux dire ? Tu es amoureuse de *lui*, maintenant ?

— Oh, Ruth !

Imogene a fait claquer sa langue.

— Tu n'y penses pas. Je veux dire, il est très gentil, mais je ne pourrais pas... pas maintenant, pas après ce qui s'est passé.

Pas si vite, en tout cas. Tu sais, je me sens horriblement mal, Ruth. Mon cœur est brisé. Il va mettre longtemps à guérir.

Mais il allait guérir, je le voyais bien. En fait, il était déjà guéri. Tante Mandy avait peut-être raison de dire que ces petites histoires étaient sans importance. Je ne blâmais pas Imogene. Ce n'était pas comme si Arthur avait été dans son cœur toute sa vie, comme Tante Mandy l'avait été dans le mien.

Tante Mandy que j'avais quittée. Je me suis tâtée à l'intérieur, j'ai cherché le trou béant, comme autrefois quand je plantais ma langue dans le vide laissé par la dent. Mais là, il n'y avait aucun vide, aucun abominable puits de désespoir. Tout était plein.

Imogene a posé sa main sur la mienne.

— Arrête, Ruth.

— Arrête quoi ?

— Tu as le même tic que ta Tante, quand elle frotte cette horrible cicatrice.

Mes mains sont retombées à mes côtés, et j'ai compris pourquoi je ne trouvais aucune déchirure, même si je pensais m'être arrachée à elle. La vérité pure et simple, c'était qu'elle était si profondément ancrée en moi que jamais je ne l'en sortirais. Même si je changeais de nom, même si je partais au bout du monde pour ne jamais revenir, elle ne me lâcherait pas. Elle était plantée comme une bardane dans mes cheveux. Non, c'était plus profond que ça : je l'avais en moi, comme un os ou un organe. Elle s'était infiltrée dans mon sang avec l'air qu'aspiraient mes poumons.

— Je suis si contente qu'on parte, Ruth. Tu avais raison. C'est exactement la chose à faire.

Imogene m'a pris le bras, en partie pour me faire démarrer, car je semblais avoir pris racine, en partie aussi pour se pencher vers moi et me confier :

— Je regrette qu'on ne l'ait pas fait depuis des mois !

— Moi aussi, ai-je répondu, mais je ne pouvais toujours pas bouger.

— Ruth ? Maynard nous attend.

Elle a soulevé mon sac et n'a formulé aucune plainte sur son poids.

— Il doit faire l'aller-retour ce soir.

— Oui, j'ai dit.

Elle a commencé à descendre le quai devant moi, un peu nerveuse, pressée de partir. Fut-ce sa façon de balancer les bras ou le regard impatient qu'elle me lança en se retournant pour constater que je ne suivais toujours pas, je ne sais pas, toujours est-il que j'ai eu l'impression d'avoir passé des années à regarder deux visages en ombres chinoises et de les avoir enfin fait se superposer. C'était bien elle, le bébé de Tante Mandy. Je ne comprenais pas comment je ne l'avais pas deviné toute seule depuis longtemps. Et puis, cette vision de Tante Mandy en Imogene, je l'ai perdue aussi vite qu'elle était venue.

Tante Mandy était égoïste, mais ce qu'elle voulait c'était moi. Imogene aussi, peut-être, mais surtout moi. Elle avait abandonné Imogene, mais moi elle ne me lâcherait pas. Comment pouvais-je quitter quelqu'un qui m'aimait à ce point ?

— Imogene.

Elle s'est retournée.

— Je ne peux pas partir. Je suis désolée.

Je pensais qu'elle allait peut-être se mettre en colère. Après tout, c'était moi qui l'avais persuadée de partir, mais elle a juste poussé un soupir en me dévisageant longuement. Elle a dû décider que, cette fois, ce n'était pas comme refuser de nager, d'aller danser ou de jouer la secrétaire à sa place chez les Owens, car elle n'a pas essayé de me convaincre.

— Tu es sûre ?

J'ai répondu oui d'un hochement de tête.

Elle est revenue se planter face à moi.

— Tu crois..., a-t-elle commencé avant de s'interrompre : Ne sois pas fâchée, mais ça t'ennuierait si je partais sans toi ?

— Tu veux partir sans moi ?

— Non, je ne veux pas partir sans toi, mais si tu ne veux pas partir... Voyons, c'est toi qui m'as montré que c'était une bonne idée. Et *c'est une bonne idée.*

Hébétée, j'ai mis la main dans ma poche et en ai sorti le bout de papier sur lequel j'avais inscrit l'adresse d'Éliza Fox.

— Tu crois que miss Fox n'y verra pas d'inconvénient ?

J'ai fait non de la tête.

— J'aimerais attendre, au cas où tu changerais d'avis, mais les gens que Mrs. Owens a appelés m'attendent pour lundi. Tu m'avais dit de faire vite.

— C'est ma faute. Vas-y.

— Je vais chercher un logement pour nous deux, au cas où.

— Oui, au cas où.

Une fois au bout du quai, elle s'est arrêtée, elle a ouvert son sac et commencé à fouiller à l'intérieur. J'ai crié :

— Tu as oublié quelque chose ?

J'ai senti un petit flottement en moi, ce devait être de l'espoir, l'espoir qu'elle aussi elle ait décidé de rester.

— Tiens, a-t-elle dit en courant vers moi. Garde-la-moi.

Et elle m'a fourré la bille bleue dans la main.

Je suis allée au bout du quai et je l'ai regardée monter dans la voiture. Elle a agité le bras tant qu'elle a été visible, et moi j'ai continué même après, en serrant la bille dans mon autre main. Elle va juste à Chicago, je me suis dit. Tu pourrais y être en deux heures. Mais je savais que ça ne marchait pas comme ça. L'expérience m'avait appris que, une fois partis, les gens ne revenaient pas. Sauf Tante Mandy. Elle, elle m'était revenue, comme j'allais lui revenir à présent.

20.

Ruth

Imogene va venir cet été. Avec son mari – Jack, il paraît qu'il s'appelle – et sa petite fille Louisa. Presque comme sa grand-mère, a dit Tante Mandy, et elle m'a fait un clin d'œil, oui, un clin d'œil. Maintenant j'entrevois souvent la femme qu'elle a dû être avant que la noyade de ma mère ne la raidisse, de peur de se perdre dans la culpabilité et le chagrin.

Elle était évanouie au pied de l'escalier, avec un bras, une clavicule et trois côtes cassés, la nuit où Imogene est partie pour Chicago.

Quand on l'a portée sur le canapé, le docteur et moi, elle a murmuré :

— Je savais que tu reviendrais. Je savais qu'un jour ou l'autre tu me reviendrais.

— Je n'ai été partie que trois heures, ai-je répondu, mais elle n'a pas paru entendre.

Je lui ai servi d'infirmière. Elle a dû me donner des instructions, mais elle disait que je m'en sortais bien. Elle disait que j'avais des mains très douces. Je lui faisais la lecture, lui préparais ses plats préférés. J'ai même essayé d'innover avec un poulet *cacciatore* qui, nous en sommes convenues, s'est révélé excellent. Elle a dit :

— Ta mère faisait quelque chose qui ressemblait à ça.

J'ai compris que c'était une invite, mais j'avais peur de commencer. Alors j'ai risqué :

— Quand j'ai couru sur la glace...

Puis je me suis arrêtée.

— Oui? a-t-elle fait d'un ton encourageant.

— Quand j'ai couru sur la glace, qu'est-ce que je fuyais?

— Fuir?

Elle a souri en faisant jouer ses doigts comme l'avait prescrit le docteur.

— Tu ne fuyais rien du tout, Ruth. Tu courais vers moi.

****

Dès que j'ai pu la laisser seule à la maison, j'ai pris la barque jusqu'au milieu du lac et jeté la boîte en argent. Le lendemain matin, un passager de la vedette de croisière à deux ponts a repéré le corps de Mr. Owens, ballotté par les vagues contre le socle en béton du hangar à bateaux des Stoltzes. Cette excursion était censée être la dernière de la saison, mais l'événement a permis au bateau de tourner encore sur les trois premières semaines d'octobre.

J'ai abandonné la dactylo. Finalement, je me révèle une fermière. J'ai toujours su m'y prendre avec les animaux et j'ai découvert que je sais conduire un tracteur bien mieux que taper à la machine. Avec l'aide de Mr. Tully, on est rentrés dans nos frais l'an dernier, et, maintenant que j'ai convaincu mon père de quitter le *Rebecca Rae*, on peut monter le troupeau, et je parie qu'il va nous rapporter. C'est une triste réalité : la guerre en Europe nous a été d'un grand secours financièrement.

J'aime la ferme. C'est un monde en soi, un univers stable où les bêtes vont, viennent, mangent, dorment et remangent. J'aime savoir que le noir des champs va se couvrir de vert, que les feuilles de maïs vont s'aiguiser les unes contre les autres, que les tomates vont gonfler jusqu'à crever leur peau et qu'ensuite le sol s'endormira sous ses draps blancs et froids. Dans une ferme, la terre a des secrets, le temps des emportements, mais les humains n'ont pas tant d'importance.

Arthur Owens m'a demandée deux fois en mariage ; même si chaque fois mon cœur m'a suppliée d'accepter, j'ai dit non. Je ne pouvais pas partir, voyez-vous, et je ne suis pas sûre qu'il aurait aimé rester. Que seraient devenus ces ponts qui ne demandent qu'à être construits partout dans le pays – partout dans le monde, dit-il – quand il aura terminé ses études ? Mais, le dimanche, il sort de la ville. Il m'aide dans mes tâches, et puis on va marcher dans les bois ou faire un tour en voiture. L'hiver, quand il n'y a pas trop de neige, il m'emmène sur son char à glace. Blottis l'un contre l'autre, on file dans un fracas de ferraille, nos jambes se pétrifient dans la coque de bois, le vent cinglant nous met les larmes aux yeux et des éclats gelés nous criblent le visage. Je crie :

— Plus vite, plus vite.

Alors il abat la voile jusqu'à ce qu'un patin se soulève ; comme ça, si la glace venait à s'ouvrir sous le char, on survolerait tout simplement la crevasse.

Imogene veut habiter sur l'île quand elle viendra. Elle pense que ça plaira à son mari. À moi elle ne me plaît pas, l'idée de Jack sur notre île, mais Tante Mandy a dit : « Il va bien falloir que tu t'y habitues », et je sais qu'elle a raison.

On a attendu tout le début du printemps, le temps que la glace quitte son lit dans les plaintes et les soupirs, jusqu'au radieux matin où le lac s'est remis à vivre et à danser comme s'il n'avait jamais été figé. Le 13 avril 1941. C'est une bonne date pour conclure. Avec manteaux, gants et bottes en caoutchouc, on a mis le bateau à l'eau et on a pris la direction de l'île, afin de voir les préparatifs à faire pour la venue d'Imogene.

Libérées de leur prison de glace, les vagues s'élançaient contre la coque avec un abandon extatique, projetant de fins embruns qui scintillaient dans le tout jeune soleil printanier. J'ai plongé les doigts dans l'eau, et, tout de suite, le froid m'a fait mal. Ce devait être la même sensation la nuit où je me suis noyée.

Amanda

Ruth n'avait même pas un manteau sur le dos, juste sa chemise de nuit et ses pantoufles. Ses petites dents claquaient. Même de loin, je la voyais frissonner.

— Rentre à la maison, Ruth !

Mais elle n'a pas voulu écouter. Elle a avancé un pied, oh ! prudemment, en glissant sur la glace, ses petits bras tendus pour garder l'équilibre, ce sucre d'orge à la menthe toujours serré dans sa main.

— Je t'ai dit de rentrer !

Cette fois, elle a perçu la colère dans ma voix. Elle s'est arrêtée mais n'a pas fait demi-tour. Elle s'est arrêtée et s'est mise à pleurer. Ensuite, on aurait cru que ma petite fille l'avait entendue car elle aussi s'est mise à pleurer.

— Ne pleurez pas, leur ai-je dit à toutes deux. Soyez sages. Il faut être sages, maintenant. Ne pleurez pas.

Je n'étais pas loin de pleurer moi-même. Il faisait si froid, j'étais si fatiguée.

Loin derrière Ruth, un triangle de lumière s'est formé sur la façade de la maison quand la porte s'est ouverte.

— Attends, Tante Mandy, attends. S'il te plaît. Attends-moi.

Ruth criait, et elle s'est mise à courir du mieux qu'elle a pu sur le lac glissant.

Ça me brisait le cœur, mais, comme je savais que, maintenant, Mathilda allait l'entendre et s'élancer à notre poursuite, j'ai tourné la tête vers l'obscurité de la rive et continué. J'avançais aussi vite que j'en avais l'audace, glissais, dérapais, essayant de tenir sur mes jambes, luttant pour ne pas être rattrapée, luttant pour ne pas tomber. À chaque pas, le bébé pleurait avec plus d'insistance.

Mathilda a crié :

— Ruth, reviens ! Mandy, ramène-la !

J'ai cru entendre ses pas marteler la glace.

— Amanda, reviens ! Reviens !

Sur tout le pourtour du lac, il aurait suffi d'une fenêtre ouverte pour l'entendre. Mais je n'ai écouté que le vent, vu que la nuit. Je n'allais pas revenir. Ce bébé était à moi.

Mattie a arraché Ruth à la glace.

— Ramène Ruth à la maison, Mattie ! Écarte-toi de la glace !

Mais Mathilda n'a pas voulu écouter. À présent, nous étions loin sur le lac, et elle continuait de glisser dans ma direction en serrant Ruth contre sa poitrine.

— Rentre, Mattie !

Maintenant, c'étaient les mots du désespoir. Avant même que la glace ne gémisse, j'ai compris qu'elles étaient trop lourdes toutes les deux.

Alors il y a eu le craquement. Terrifiée, je me suis arrêtée, je n'ai plus bougé. Mattie aussi a entendu.

— Pose Ruth !

J'ai crié, mais mes mots ont été emportés par le vent.

En revanche, la voix de Mattie cinglait droit sur moi, comme si elle m'avait hurlé à l'oreille.

— Mandy, reviens, s'il te plaît, reviens vers moi !

Alors j'ai eu peur, avec la glace qui craquait sous moi, trop peur pour continuer. J'ai décidé de faire demi-tour.

C'est arrivé au moment où j'ai démarré, comme chaque nuit depuis, comme chaque fois que je ferme les yeux. La glace a craqué et arrêté mon cœur. Mathilda, Ruth dans les bras, a vacillé sur la gauche et s'est enfoncée jusqu'à la taille, puis jusqu'aux épaules, ensuite elles ont disparu, toutes les deux, disparu.

Alors j'ai couru. C'est dur de courir sur la glace, encore plus dur avec un nouveau-né dans les bras. J'ai entendu un clapotis. Je l'ai entendue m'appeler :

— Mandy, au secours ! Aide-moi, Mandy !

Mais mes pieds n'avançaient pas assez vite. J'ai glissé. Je suis tombée à genoux. J'avais l'impression de faire du surplace. J'ai laissé mon bébé sur la glace et j'ai recommencé, recommencé encore à m'élancer en avant en criant le nom de Mattie.

Le temps que j'atteigne le trou, Mathilda avait déjà poussé Ruth sur la glace, mais elle, elle avait disparu. Je me suis couchée sur le ventre et j'ai tendu les bras dans cette noirceur. L'eau était si froide. J'ai tendu les bras, tendu les bras jusqu'à ce que mes mains s'engourdissent, mais je n'ai rien pu attraper.

Alors, bien que je l'aie à peine senti, mes doigts se sont pris dans les cheveux de Mattie. J'ai tiré doucement pour ne pas perdre prise, mais aussi vite que j'ai osé.

Elle a surgi à la surface avec un hoquet.

— Mattie !

J'ai passé ses bras trempés autour de mon cou. Un instant, elle est restée accrochée là, à l'abri dans mes bras.

Mais la glace a refusé de nous porter. Un morceau a cédé sous mon épaule et ma tête a plongé dans l'eau noire. Coulé, Mattie a coulé à nouveau mais j'ai tenu bon, avec le col de sa chemise de nuit serré dans mon poing. Maintenant que je la tenais, jamais je ne la lâcherais, même si elle m'entraînait par le fond avec elle.

Et elle m'entraînait par le fond avec elle. La glace sous mon autre épaule a cédé. J'ai essayé de reculer, de me trémousser des hanches comme au shimmy, de planter mes orteils et mes genoux dans la glace. J'étais si forte et elle si minuscule, je n'arrivais pas à croire que je ne puisse pas nous ramener toutes les deux à l'abri. Alors la glace sous ma poitrine a cédé.

Si Mathilda n'avait pas refait surface, si elle n'avait pas projeté une fois encore son corps gelé, à demi noyé, à la douceur de l'air, nous serions toutes mortes : Ruth et Imogene gelées sur la glace, Mattie et moi dessous. Mais elle est remontée. Elle a ouvert la bouche pour respirer, et puis elle a refermé ses dents sur ma main et mordu de toutes ses forces.

J'aurais tenu. Je n'aurais pas lâché. Je n'ai même pas senti la douleur. Mais mes doigts se sont ouverts. Ils se sont tout simplement ouverts. Et Mattie a glissé.

J'ai tendu les bras, encore et encore.

— Mattie !

J'ai hurlé, plongé la tête sous cette eau glaciale et noire. Mais elle n'y était pas. J'ai tendu les bras. J'ai appelé. Mais elle n'est pas revenue.

Enfin j'ai vu Ruth, petite ombre immobile sur la glace noire. Il s'était passé tant de temps. De mon souffle, j'ai forcé ses lèvres gelées. J'ai pressé mes doigts gourds et ensanglantés sur son cou pour trouver son pouls. Mais il était bien trop tard. Elle aussi elle n'était plus.

Je l'ai prise dans mes bras et l'ai portée jusqu'à l'endroit où j'avais laissé le bébé, je les ai enveloppées toutes les deux dans mon pull et mon manteau, et j'ai traversé la glace aussi vite que j'ai pu en les portant comme un paquet.

360

C'est là que s'est produit le miracle. Grâce à ce petit corps chaud pressé contre le sien, Ruth s'est réchauffée. Elle est revenue à la vie. En atteignant la rive, je l'ai entendue tousser.

****

Je savais que Mary Louise serait une bonne mère, alors je lui ai donné le bébé. Ses bras se sont tendus vers l'enfant comme si elle l'attendait, comme si c'était écrit. Je n'avais pas réfléchi à ce que j'allais raconter. Enfin, j'ai réussi à dire :

— Ç'a été terrible.

Et de ma bouche est sorti quelque chose qui ressemblait à l'histoire de la fille de ferme inventée par Mattie. J'ai dit :

— La petite s'appelle Imogene. Je t'en prie, prends-la.

Je croyais qu'ils allaient poser des questions : Pourquoi Ruth est-elle en chemise de nuit ? Où est Mathilda ? Où est Mattie ? J'avais envie de le crier moi-même. Mais toute leur attention était tournée vers Imogene.

Bientôt, Ruth et moi allions nous éclipser, mais pour le moment je la serrais contre moi dans le lit d'ami des Lindgren afin de la réchauffer. Comme je la pressais aussi fort que je l'osais contre ma peau, j'ai senti son pouls s'accélérer.

Je vais t'avoir, toi. Toi, je vais te garder. On va tout recommencer.

Remerciements

Je suis infiniment reconnaissante à Caitlin Flanagan pour la générosité de son soutien, tant par ses avis incisifs sur le texte que par son amitié. Si sa relecture n'était venue me récompenser, cent fois j'aurais abandonné, et, si l'intrigue de ce roman a quoi que ce soit de convaincant, c'est à son bon sens qu'elle le doit. Je remercie également Jennifer Rudolph Walsh, qui, avec une compétence et une pertinence extrêmes, a fait pour moi ce que jamais je n'aurais pu faire moi-même. Elle et Deb Futter, dont l'œil de lynx a repéré les failles qui m'avaient échappé, ont profondément changé ma vie en s'engageant dans ce livre comme elles l'ont fait. Linda Rudell-Betts m'a aidée à démarrer et soutenue jusqu'à la fin. Mary Ewens Meyer m'a fourni d'innombrables détails sur la vie dans une ferme du Wisconsin au bord d'un lac dans les années 1920-1930, et Jennifer Stuart Wong m'a fait bénéficier de sa clairvoyance psychologique. Timothy Audley, Kathleen Buster, Anthony Meyer, Nicholas Meyer, Sue Parilla, Ann Schwarz, Carol Waite et Barbara Wallraff, tous m'ont fait profiter de leur savoir sur des sujets aussi variés que les usages en vigueur dans une ferme ou la grossesse. Merci à Alan Buster de m'avoir conseillé de quitter mon travail, à Thomas Flanagan de m'avoir si gentiment encouragée, à Brian Morton d'avoir donné son avis sur les premiers chapitres, à Barbara et Carol Faculjak d'avoir lu avec enthousiasme les premiers brouillons et à Shelley Wall Reback d'avoir apporté une réponse décisive sur un élément capital de l'intrigue. Je dois à Mitchell Duneier, Mira Kamdar, Henning

Gutmann, Linda Kent, à nouveau à Caitlin Flanagan et, surtout, à Silvana Paternostro et James Chace, de m'avoir aidée à trouver le bon agent littéraire, à Belinda Cooper d'avoir obtenu un texte propre quand mon imprimante faisait sécession et à Mona Simpson d'avoir répondu de ma santé mentale. Et, surtout, je remercie Benjamin Schwarz, sans qui je n'aurais jamais ni commencé ni fini, et dont la lecture professionnelle fait toute la différence. Il est, entre autres choses formidables, le meilleur lecteur que je connaisse.

Cet ouvrage a été composé et imprimé par

FIRMIN DIDOT
GROUPE CPI
Mesnil-sur-l'Estrée

pour le compte des Éditions Robert Laffont
24, avenue Marceau, 75008 Paris
en février 2003

Dépôt légal : mars 2003
N° d'édition : 43247/01 − N° d'impression : 62549

Imprimé en France

SCH

Ville de Montréal

**Feuillet
de circulation**

À rendre le

10 JUIL ✿ '03	1 1 MAR. 2004
1 2 AOUT 2003	- 3 AVR. 2004
	2 1 AVR. 2004
2 1 AOUT 2003	
1 7 SEP. 2003	- 5 MAI
- 8 OCT. 2003	0 6 JAN. 2005
2 3 OCT. 200	2 5 MAI 2005
1 2 NOV. 2003	1 3 AOUT 2009
1 2 DE	
2 7 JAN. 2004	
1 8 FEV. 2004	

GV

06.03.375-8 (01-03) ✪

RELIURE LEDUC INC.
450 460-2105